GRANDS
TEXTES

sous la direction de Céline Thérien

Contes fantastiques

Gautier

Notes, questionnaires et synthèses
adaptés par **Bernard OUELLET**,
professeur au Collège Shawinigan

établis par **Véronique BRÉMOND BORTOLI**,
agrégée de Lettres classiques,
professeure en lycée

Direction de l'édition
Isabelle Marquis

Direction de la production
Danielle Latendresse

Direction de la coordination
Rodolphe Courcy

**Charge de projet et
révision linguistique**
Nicole Lapierre-Vincent

Correction d'épreuves
Marie Théorêt

Conception et réalisation graphique
Girafe & Associés

Illustration de la couverture
Stéphane Jorisch

La *Loi sur le droit d'auteur* interdit la reproduction d'œuvres sans l'autorisation des titulaires des droits. Or, la photocopie non autorisée – le photocopillage – a pris une ampleur telle que l'édition d'œuvres nouvelles est mise en péril. Nous rappelons donc que toute reproduction, partielle ou totale, du présent ouvrage est interdite sans l'autorisation écrite de l'Éditeur.

Les Éditions CEC inc. remercient le gouvernement du Québec de l'aide financière accordée à l'édition de cet ouvrage par l'entremise du Programme de crédit d'impôt pour l'édition de livres, administré par la SODEC.

Contes fantastiques,* collection *Grands Textes
© 2009, Les Éditions CEC inc.
9001, boul. Louis-H.-La Fontaine
Anjou (Québec) H1J 2C5

Tous droits réservés. Il est interdit de reproduire, d'adapter ou de traduire l'ensemble ou toute partie de cet ouvrage sans l'autorisation écrite du propriétaire du copyright.

Dépôt légal : 2009
Bibliothèque et Archives nationales du Québec
Bibliothèque et Archives Canada

ISBN 978-2-7617-2830-0

Imprimé au Canada
1 2 3 4 5   13 12 11 10 09

Imprimé sur papier contenant 100 %
de fibres recyclées postconsommation.

Édition originale Bibliolycée
© Hachette Livre, 2006, 43 quai de Grenelle, 75905 Paris Cedex 15, France.
Tous droits de traduction, de reproduction et d'adaptation réservés pour tous pays.

Sommaire

Théophile Gautier par Célestin Nanteuil.

PRÉSENTATION

Aux yeux du lecteur d'aujourd'hui, quel intérêt peuvent présenter Gautier, auteur du XIXᵉ siècle, et ses Contes fantastiques?

On considère généralement le XIXᵉ siècle comme l'époque du romantisme, courant au sujet duquel d'ailleurs on entretient aujourd'hui une vision limitée aux stéréotypes habituels: amour apparemment absolu, paysages de carte postale, action mélodramatique... Cette époque est cependant trop riche pour être réduite à quelques clichés. Trop riche parce qu'aucune autre époque de l'histoire n'a autant ressemblé à notre monde que le XIXᵉ siècle.

En effet, notre société moderne s'est constituée à cette époque, qui a vu la montée de la bourgeoisie* et, avec elle, l'apparition de phénomènes qui sont toujours d'actualité, comme la valorisation par la richesse, l'omniprésence du matérialisme, la foi absolue dans le progrès, qui mènent toutes à une dépréciation, voire à une dévalorisation progressive des valeurs spirituelles. Le progrès avait un prix. Il en a toujours eu un.

Le XIXᵉ siècle a entretenu des illusions telles que les «paradis artificiels*», c'est-à-dire les plaisirs de la drogue et la jouissance illusoire que procure sa consommation, la fuite dans l'art et la marginalisation volontaire pour certains artistes. Notre époque a hérité de ces illusions: prolifération des sectes, évasion par la drogue ou dans des spectacles futiles, ou, encore, repli dans un conservatisme outrancier.

L'art était pourtant l'exutoire le plus authentique, permettant aux gens de l'époque d'échapper à ce conformisme bourgeois qu'ils ressentaient comme une oppression constante, et qui a engendré ce que les romantiques nommaient «le mal du siècle*». Le romantisme et le symbolisme* permettaient un tel type de fuite. Cependant, au sein de ces courants, et ce, pendant tout le siècle, s'est développée une esthétique originale qui est devenue un type d'écriture autonome, toujours bien vivant, que ce soit en littérature, au cinéma ou même dans l'imaginaire

* : *Cf.* Glossaire

populaire : le fantastique. Qui parmi nous, pour échapper à l'ennui du quotidien ou par besoin d'émotions fortes, n'a pas visionné un film d'horreur effrayant, où l'hémoglobine ruisselle de partout ? Qui parmi nous n'est pas étrangement séduit par l'érotisme trouble qui émane du comte Dracula et de ses très nombreux descendants, vampires, goules, striges ou autres créatures aux canines bien acérées ?

Pour ce qui est de la littérature, l'imagerie n'est certes plus la même, mais ces œuvres plus près de nous dont certains raffolent avec raison, comme *Harry Potter, Le Seigneur des anneaux* et même les romans de Stephen King ou de Patrick Sénécal, sont manifestement les héritières d'auteurs qui sont considérés comme des classiques du fantastique, tels que Théophile Gautier, Edgar Allan Poe, Guy de Maupassant ou H. P. Lovecraft, qui ont contribué à donner de la crédibilité à un type d'écriture alors jugé mineur.

Théophile Gautier (1811-1872) est l'un des auteurs qui illustre le mieux cette tendance qui a traversé le XIXe siècle et qui annonce le XXe. Dans les treize contes fantastiques qu'il a écrits durant sa carrière, il s'est révélé un écrivain débordant d'imagination, capable de peindre des décors tout aussi grandioses que subtils, et de faire vivre des créatures certes fort inquiétantes mais aussi très attirantes... Les amateurs de scènes violentes ou sanglantes seront peut-être déçus : l'art de Gautier ne cherche pas le spectaculaire ; cet auteur sait cependant se faire concis et raffiné dans l'écriture de ses œuvres, qui sont pleines d'émotion, de nostalgie mais aussi d'humour, voire d'autodérision.

En quelques lignes, Gautier sait suggérer un univers étrange où les frontières entre la réalité et l'imaginaire sont abolies. C'est qu'il ne vise pas uniquement à retenir l'attention de son lecteur ; par la diversité et la richesse des situations, des décors ou des personnages, il s'évertue plutôt à explorer l'âme humaine en opposant la figure de la femme fatale à celle de l'homme perpétuellement naïf, en quête d'amour et, plus encore, de beauté absolue. Il représente une vision du monde très riche, somptueuse, mais toujours inquiétante, hantée par les angoisses des personnages, voire par nos propres désirs inassouvis.

Grâce aux sept récits retenus pour constituer ce recueil, le lecteur voyagera dans le temps et dans l'espace, mais aussi au sein de l'univers du rêve, de l'inconscient. Ainsi, dans un récit tel que *La morte amoureuse*, Gautier nous présente une femme vampire, dangereuse certes, mais qui bouleverse la vie d'un jeune prêtre promis à une existence totalement ennuyeuse. Dans *Arria Marcella*, un homme découvre l'amour absolu auprès d'une femme qui a vécu près de deux mille ans avant lui. Dans *Le pied de momie* ou *La cafetière*, des objets en principe inanimés se mettent en mouvement pour pousser certains personnages dans des situations surprenantes. La consommation de drogue dans *La pipe d'opium* provoque des cauchemars, entraînant une mélancolie à laquelle il est impossible d'échapper. Un homme peut aussi se retrouver face à lui-même comme dans *Onuphrius* et *Deux acteurs pour un rôle*: il est loin d'être certain qu'il s'en tirera indemne.

Lire l'œuvre fantastique de Gautier entretient en nous une certaine peur, d'ailleurs plus proche de la curiosité ou de l'inquiétude que de l'effroi, non pas uniquement par complaisance ou par voyeurisme, mais afin que nous arrivions à mieux nous connaître. À cette fin, l'auteur nous emmène dans des contrées que nous n'osons pas explorer d'ordinaire, soit celles du tabou* et de l'imaginaire, et ce, par cette capacité qu'a la littérature de suggérer. Le fantastique plus intimiste de Gautier nous apparaît ainsi d'autant plus universel : il exprime la démesure de l'être humain, sa complexité déroutante, ses incohérences passagères, ses angoisses, sa nostalgie incontrôlable, sa soif d'amour, pour entraîner le lecteur dans une quête d'absolu où conscient et inconscient se rencontrent.

Gautier,
toujours actuel

Gautier, sa vie, son œuvre

Théophile Gautier photographié par Nadar (1866).

Bourgeoisie

Classe sociale qui possède les moyens de production. Elle est constituée de propriétaires, de notables, de commerçants, de rentiers, etc. Au XIXᵉ siècle, cette classe a pris de l'ascendant sur toutes les sociétés occidentales.

Roman noir ou roman gothique

Genre littéraire né en Angleterre, en vogue à la fin du XVIIIᵉ siècle et au début du XIXᵉ, constitué de romans peuplés de personnages diaboliques et de décors lugubres. Ce genre annonce le romantisme.

> **Faut-il connaître la vie de Gautier pour comprendre son œuvre ?**

Théophile Gautier est né en 1811, à Tarbes, une petite ville du sud-ouest de la France, près des Pyrénées. Dès 1814, sa famille, issue de la petite bourgeoisie* locale, quitte cette région pour Paris où Gautier passera l'essentiel de sa vie. Élève turbulent, doté d'une imagination particulière qu'il qualifiera plus tard de « peuplée de curiosités bizarres qui ne plaisaient pas toujours aux professeurs », il se réfugie très tôt dans la lecture de « romans noirs* », alors très en vogue. En effet, il avouera plus tard s'être délecté de romans noirs importants, tels que ceux de Jacques Cazotte (1719-1792), d'Ann Radcliffe (1764-1823) et surtout de l'écrivain et compositeur allemand, très prisé des romantiques et aujourd'hui encore bien connu, E. T. A. Hoffmann (1776-1822), dont il s'inspirera plus tard lorsqu'il écrira ses contes fantastiques.

Une jeunesse romantique

C'est au collège que Gautier se lie d'amitié avec Gérard de Nerval (1808-1855), qui deviendra un grand auteur romantique. Il demeurera toujours proche de lui ; c'est d'ailleurs de Nerval qui l'initie au romantisme* alors naissant. En effet, dès 1829, Gautier est introduit dans les milieux romantiques où de Nerval le présente au déjà célèbre Victor Hugo (1802-1885), figure de proue du romantisme. Il se dédie d'abord à la peinture, art qui l'intéressera et l'inspirera toute sa vie. Cependant, sa myopie et surtout l'influence de Victor Hugo le

*: Cf. Glossaire

convainquent de renoncer aux arts picturaux* et de se consacrer à la littérature. Il amorce alors une vie de bohème en compagnie de romantiques dont Gérard de Nerval, le peintre et poète Pétrus Borel et le graveur Célestin Nanteuil, dans un petit groupe qu'ils baptisent « le petit Cénacle », en référence au « Cénacle », groupe romantique qui s'oppose au classicisme* normatif et rationnel. Hugo, qui est l'âme du romantisme français, donne quant à lui prédilection aux émotions et à la liberté d'expression. Les membres du petit Cénacle se faisaient en outre remarquer par leur façon exubérante de vivre les idéaux romantiques. Cela se voyait dans leurs cheveux longs et leurs tenues extravagantes. Gautier évoquera d'ailleurs plus tard cette période avec humour : « il était de mode alors dans l'école romantique d'être pâle, livide, verdâtre, un peu cadavéreux, s'il était possible. Cela donnait l'air fatal, byronien*, [...] dévoré par les passions et les remords. » On rapporte que, en 1830, Gautier s'est fait remarquer en portant un gilet rouge fort voyant lors de la première d'une pièce d'Hugo, *Hernani*, et lors de la véritable bataille qui s'ensuivit entre les romantiques et les tenants, plus traditionalistes, du classicisme...

Bien que ses premiers poèmes aient été d'inspiration romantique, exprimant à la fois les émotions et la subjectivité du poète, l'œuvre de Gautier évolue vers un art plus formaliste*, inspiré par la doctrine de « l'art pour l'art* », soit une esthétique plus orientée vers la perfection technique de la poésie que vers l'expression des émotions. Gautier demeure cependant fidèle toute sa vie à ses amitiés issues du milieu romantique. Ainsi, il fréquente régulièrement Victor Hugo et Honoré de Balzac (1799-1850); il écrira même une *Histoire du romantisme* qu'il ne pourra pas achever, et qui sera publiée à titre posthume en 1874.

La vie de bohème de la jeunesse de Gautier a durablement influencé ses activités. Son existence est parsemée de rencontres amicales ou artistiques, de voyages,

Pictural
Qui est propre à la peinture.

Romantisme
Courant artistique littéraire important au début du XIXe siècle, basé sur la libération du moi et de l'art, en réaction contre le classicisme et le rationalisme.

Classicisme
Mouvement littéraire et artistique français du XVIIe siècle, qui favorise l'imitation des œuvres de l'Antiquité et le respect de leurs règles d'écriture.

Byronien
Référence à George Gordon Byron (1788-1824), poète anglais, qui par sa vie et son œuvre représente les idéaux romantiques.

* : *Cf.* Glossaire

Formaliste

Se dit d'une œuvre où l'auteur se concentre davantage sur le respect des formes et des conventions que sur le contenu ou l'expression.

L'art pour l'art

Art dont l'unique fonction se restreint à lui-même, au beau et non pas à l'utile. On s'opposait ainsi au concept d'art engagé et de littérature militante où l'écrivain défendait une cause politique ou sociale.

de fêtes, de sorties théâtrales et mondaines, voire de multiples conquêtes féminines. Sa vie amoureuse est comblée mais instable : il semble bien qu'il est constamment tiraillé entre des amours idéalisées mais impossibles et des relations durables, bien que tout aussi orageuses. Une de ses maîtresses lui donna un fils en 1836 ; une autre, deux filles : Judith, en 1845, et Estelle, en 1847. Judith Gautier, décédée en 1917, a eu un destin étonnant.

Très talentueuse et d'une beauté semble-t-il hors de l'ordinaire, elle rencontre dès son enfance, grâce à son père, les plus grands artistes de son époque. Elle écrit de nombreux livres et, en 1910, elle est la première femme élue à l'Académie Goncourt. Sa vie amoureuse pourrait remplir plusieurs romans. Son père a dit d'elle : « C'est le plus parfait de mes poèmes. » Gautier a été constamment inspiré dans son œuvre par les femmes, souvent exceptionnelles, de son entourage. La quête d'un idéal féminin inaccessible sera toujours un thème récurrent de son œuvre.

Vie de famille et métier de journaliste

Un tel mode de vie commande des revenus importants et réguliers, d'autant plus que Gautier doit subvenir aux besoins de ses enfants et de ses deux sœurs. En effet, il était rare que des femmes puissent être financièrement autonomes à cette époque : elles dépendaient de leur mari ou de leur famille. Gautier amorce donc, en 1836, une carrière de journaliste, prolifique et fort longue : il écrit plus de deux mille articles qu'il publie dans un journal parisien nommé *La presse*, dont il est chroniqueur dramatique et critique d'art et, épisodiquement, dans d'autres journaux comme *Le figaro* et *La revue des deux mondes*. C'en était fini de sa vie d'insouciance : « Là finit ma vie heureuse, indépendante et primesautière. […] Le journalisme […] m'avait accaparé et attelé à ses besognes. Que de meules j'ai tournées, que de seaux j'ai puisés à ces norias hebdomadaires ou quotidiennes, pour verser l'eau dans le tonneau sans fond de la publicité ! »

Malgré ses dires, son œuvre de journaliste est loin d'être négligeable, que ce soit en taille ou en qualité. En fait, Gautier s'est toujours efforcé dans son travail de critique d'exprimer de façon très vivante, toujours poétique, les sensations visuelles qu'il percevait devant les œuvres d'art qu'il devait observer. Cette volonté de noter avec soin toute référence au sens de la vue apparaît omniprésente dans son œuvre de conteur ou de poète : cela se voit dans ses longues descriptions ou ses portraits détaillés et par la récurrence du thème du regard. Dans l'exercice de son métier de journaliste, il fait de nombreux voyages et publie dans des journaux les récits de ses périples en Espagne, en Angleterre, en Italie, en Orient, en Afrique du Nord ou en Russie. Il reflète ainsi la mentalité de gens de l'époque qui s'ouvrent au monde, notamment parce qu'ils ont enfin accès à des moyens de transport plus efficaces et plus rapides. Faut-il ajouter que cette vie de nomade lui fournit l'occasion de décrire des paysages pittoresques ou des mœurs particulières ; il sait traduire l'âme humaine, même si elle est étrangère à sa culture. Cela est visible dans ses contes où l'on voyage beaucoup, particulièrement en Italie, en Égypte et en Orient.

Une œuvre variée

Sa jeunesse trépidante n'empêche pas Gautier de publier précocement. Dès 1830, à l'âge de 19 ans, il écrit un premier recueil de poèmes d'inspiration romantique, regroupés sous le titre de *Poésies*. Son œuvre, de bonne dimension, témoigne de la variété de son talent et de ses sources d'inspiration. Il aborde, en effet, de nombreux genres, dont le roman, le conte, l'essai, les

Parnassiens

Adeptes d'un mouvement poétique français, de la seconde moitié du XIXe siècle qui, en réaction contre les excès du romantisme, recherchaient essentiellement la beauté formelle.

relations de voyage, les chroniques, l'histoire. Cependant, on peut difficilement le cataloguer dans un seul courant littéraire : dans ses premiers poèmes, fort sentimentaux, où il s'interrogeait sur le sort de l'artiste, il amorce sa carrière de romantique, mais prend rapidement ses distances envers ce courant qu'il juge abusivement languissant et dont il dénonce les excès sentimentaux. Ainsi, sa volonté de privilégier la netteté et de cultiver la précision fait de lui le précurseur d'un nouveau courant, celui des parnassiens* pour lesquels la quête d'une beauté exclusivement formelle rejetant le sentimentalisme constituait l'objectif d'écriture. À la lecture de ses œuvres, force est de constater que Gautier annonce même le symbolisme*, avec lequel il partage cette sensibilité particulière, basée sur le mystère et les sensations fuyantes : « Toute action, toute parole, toute forme, toute pensée tombée dans l'océan universel des choses y produit des cercles s'élargissant jusqu'aux confins de l'éternité. » (*Arria Marcella*, p. 174, l. 896 à 899).

L'écriture fantastique

Bien qu'il soit issu de la mouvance romantique, l'imagination et les lectures de Gautier l'orientent vers un univers répondant davantage à sa sensibilité aux mythes et au surnaturel. Rappelons que l'univers romantique, où les rêveries sont omniprésentes, peut accepter une telle hétérogénéité. On peut ainsi concevoir l'œuvre de Gautier comme une transposition des valeurs romantiques dans un univers à tonalité fantastique, l'inquiétude vis-à-vis la mort étant marquée de relents fantaisistes où l'auteur, par ailleurs, ne manque pas d'humour.

La publication de ses œuvres fantastiques s'échelonne sur toute sa carrière. *La cafetière* et *Onuphrius* ont été publiés en 1831 et en 1832. Il exerce son talent dans le conte à tonalité fantastique pendant presque

Symbolisme

Mouvement esthétique de la fin du XIXe siècle qui s'inscrit contre le matérialisme et le naturalisme. Pour les symbolistes, le monde est à déchiffrer à travers des symboles, des correspondances entre les choses et les êtres. Ses plus illustres représentants sont Verlaine, Mallarmé, Cros, Rimbaud et Laforgue.

toute sa vie d'écrivain; en fait, il a écrit treize contes et romans fantastiques jusqu'en 1866, année où il publie son dernier conte, *Spirite*. La longueur de ses œuvres varie beaucoup: certains contes font un peu plus d'une quinzaine de pages (*La cafetière, Omphale, La pipe d'opium*) alors que d'autres, comme *Avatar, Jettatura* ou *Spirite*, atteignent la taille de petits romans.

Romancier et poète

Gautier s'illustre en 1835 par la composition, cette fois, d'un véritable roman au sujet très ambigu: *Mademoiselle de Maupin*. L'œuvre fait scandale surtout à cause de sa préface qui se lit comme un manifeste de son art: il y revendique la liberté de l'artiste et son besoin d'indépendance par rapport à la société, son unique but devant être la quête de la beauté. Un texte n'a pas à servir une cause ou à être utile, son rôle est d'exprimer le beau un peu comme s'il était un objet d'art, une sculpture. Un tel concept a paru comme une provocation aux yeux des romantiques, dont l'écriture devenait de plus en plus engagée politiquement, mais aussi à ceux des bourgeois conservateurs de l'époque pour qui tout travail se devait d'être productif et utile. En 1863, il publie un roman très différent, qui s'adresse apparemment aux jeunes lecteurs: *Le capitaine Fracasse*. Il s'agit d'un roman de cape et d'épée*, qui raconte les aventures comiques et amoureuses d'un noble ruiné qui se réfugie au sein d'une troupe de théâtre itinérante à l'époque de Louis XIII, soit au début du XVIIe siècle.

Dans ses premiers recueils, *Poésies* (1830) et *Albertus* (1832), Gautier écrit en poète romantique. En effet, dans ces œuvres, il illustre de façon très sentimentale le destin d'un artiste maudit par la société. Son œuvre évolue cependant dans une autre direction, puisqu'il met l'accent sur la virtuosité de l'écriture, cherchant à polir la rime plutôt qu'à densifier le contenu du poème, comme l'auraient fait les romantiques. Son recueil le

Cape et d'épée (roman de)

Genre littéraire dont les personnages sont des héros au comportement chevaleresque. Par exemple, *Les trois mousquetaires* d'Alexandre Dumas.

*: *Cf.* Glossaire

plus célèbre et le plus important, *Émaux et camées*, paraît en 1852 ; il ne cesse pas d'y revenir afin de l'enrichir de nouveaux poèmes, de ciseler les vers, toujours en quête de perfection formelle. Le titre est très représentatif de sa volonté d'y présenter ses poèmes comme des objets d'art, des bijoux, la perfection leur permettant d'échapper au temps. Ce recueil deviendra l'emblème d'un mouvement poétique, le Parnasse*, dont l'idéal est « l'art pour l'art ». Cette quête de la beauté formelle, où l'accent est mis sur la richesse des rimes, sur la concision des formes, sur le respect du mètre et sur l'abondance des mots rares, influencera les poètes de la seconde moitié du XIXe siècle. C'est d'ailleurs à Gautier que Baudelaire dédie son recueil *Les fleurs du mal* en 1857 : « Au poète impeccable / au parfait magicien ès langue française / à mon très-cher et très-vénéré / maître et ami / Théophile Gautier / avec les sentiments de la plus profonde humilité / je dédie ces fleurs maladives[1]. »

Gautier élargit sa palette en rédigeant des chroniques et des relations de voyages. Il exerce, de plus, son goût du spectacle dans des livrets* de ballets qui eurent à l'époque beaucoup de succès, soit *Giselle* (1841), mis en musique par Adolphe Adam – cette œuvre est encore aujourd'hui au répertoire des orchestres et des compagnies de ballet –, et *La Péri* (1843), dont la musique a été écrite par un compositeur qui est tombé dans l'oubli, Friedrich Burgmüller.

Une vieillesse difficile

Celui qui fut, dans sa jeunesse, un romantique et un révolutionnaire assure paradoxalement la sécurité de ses vieux jours en acceptant un poste honorifique, à partir de 1868, celui de bibliothécaire de la princesse

Parnasse

Mouvement poétique français de la seconde moitié du XIXe siècle qui, en réaction contre les excès du romantisme, recherchait essentiellement la beauté formelle.

Livret

Texte à partir duquel est composée la musique d'un opéra ou d'un ballet.

---

1. Voir *Les fleurs du mal*, Éditions CEC, p. 45.

* : *Cf.* Glossaire

Biographie

Mathilde, cousine et ancienne fiancée de l'empereur Napoléon III. La véritable reconnaissance officielle n'est cependant jamais venue : son admission à l'Académie française*a été refusée à quatre reprises. À la fin de sa vie, le caractère répétitif de ce refus, que Gautier a perçu comme un affront personnel, l'a beaucoup affecté. Gautier a aussi été atteint par des événements politiques : en 1870, la France perd la guerre contre la Prusse*, ce qui entraîne la chute du régime de l'empereur Napoléon III. Gautier, qui recevait une pension de l'empereur – grâce à la cousine de ce dernier – se retrouve dans une situation financière précaire. Que ce soit à l'époque des rois de France ou au XIXe siècle, les souverains et les empereurs étaient les mécènes* des artistes : ils aidaient financièrement ceux qui, en échange, les louangeaient ou, tout au moins, s'abstenaient de les critiquer. Pour comble de malheur, la propre maison de Gautier à Neuilly est bombardée durant la guerre de 1870. Enfin, Gautier succombe à une crise cardiaque. Il avait 61 ans. Lors de ses obsèques, le monde littéraire et artistique de l'époque lui rend un hommage sincère : « La phrase, – plastique aux yeux des imbéciles –, de Théophile Gautier, mais qui, pour moi, est équilibrée miraculeusement, a une justesse de touche qui est de la justice, et offre le modèle parfait d'une âme qui vit dans la Beauté[2]. » Son éditeur publia un ouvrage collectif, *Tombeau de Théophile Gautier*, auquel participèrent les plus importants poètes de l'époque dont Victor Hugo et Stéphane Mallarmé.

Académie française

Institution fondée par le cardinal Richelieu en 1635. Elle est constituée de 40 écrivains, élus par leurs pairs, dont le rôle est de rédiger et de mettre à jour un dictionnaire de la langue française.

Prusse

Ancien État de l'Allemagne du Nord dont l'unification avec les principautés voisines a été à l'origine de l'Allemagne moderne.

Mécène

Personne fortunée ou puissante qui aide matériellement les artistes.

---

2. Stéphane Mallarmé, « *Lettre à Henri Cazalis* », 25 avril 1864.

* : *Cf.* Glossaire

- Se destinant d'abord à la peinture, Gautier abandonne cet art pour la littérature, mais l'importance du thème du regard et l'abondance des descriptions témoignent du fait qu'il a conservé toute sa vie son sens pictural.

- D'abord romantique militant, il se détourne partiellement de ce courant pour se consacrer à une littérature où l'artiste se distance des défis sociaux ou politiques de son époque. La quête du Beau, soit de la pureté de la forme, prédomine alors.

- La même indépendance se voit encore plus dans son œuvre poétique où il prône « l'art pour l'art ». Il devient un des chefs de file du Parnasse, un mouvement poétique dont les idéaux étaient en bonne partie opposés au romantisme et qui préparait la venue du symbolisme.

- L'inspiration du conteur et du romancier apparaît toutefois plutôt romantique. Le fantastique est d'ailleurs considéré à l'origine comme la version noire du romantisme dont il reprend les caractéristiques en les associant au surnaturel.

Description de l'époque : la France du XIXe siècle

> Qu'importe-t-il de connaître de la France du XIXe siècle pour mieux comprendre Gautier ?

Quelques renseignements préliminaires

La société française du XIXe siècle subit, durant tout le siècle, les soubresauts consécutifs à la révolution de 1789, laquelle met momentanément fin à la monarchie française, régime selon lequel l'essentiel du pouvoir est détenu par le roi. Les nobles jouissaient de nombreux privilèges légués de père en fils, tout comme leur titre de duc, de comte ou de baron. Le clergé, dont les représentants les plus puissants provenaient de la noblesse*, servait en quelque sorte de caution au régime monarchiste. Le reste de la population était souvent acculé à la misère et ne pouvait espérer s'élever socialement. Les révolutionnaires s'étaient donc battus pour une société où tous les individus devaient être considérés comme égaux à la naissance, jouissant des mêmes droits, notamment du droit à la justice, et tous frères dans une même patrie, la France. Toutefois, les idéaux de la révolution sont rapidement compromis par l'intransigeance du régime révolutionnaire et les excès de la Terreur, quand le gouvernement révolutionnaire adopte des lois violemment répressives en 1792 et en 1793. Il s'ensuit, et ce, durant presque tout le siècle suivant, une série de réactions, de retours en arrière, mais aussi de contestations donnant lieu à des soulèvements populaires. Peu à peu cependant, la société française se stabilise pour devenir l'une des premières démocraties* des temps modernes.

Cette société est alors marquée par l'industrialisation et la montée du capitalisme*. La France, nation d'abord essentiellement agricole, s'industrialise progressivement, ce qui mène à sa modernisation mais aussi à un changement dans les mœurs. On assiste à la montée d'une classe sociale, la bourgeoisie, constituée de notables, de commerçants, d'investisseurs et de rentiers qui s'enrichissent et qui finiront, grâce au pouvoir de l'argent, par dominer la société française. Mais il y a aussi ceux qui connaissent la misère des villes, les agriculteurs et les artisans déracinés, qui forment cette nouvelle classe ouvrière qu'on nommera bientôt « le prolétariat* ». L'argent prend de plus en plus de place au mépris de certaines valeurs spirituelles, culturelles et sociales. Ainsi, la raison remet en cause les savoirs traditionnels; l'invention et la quête d'originalité remplacent le respect des règles établies; l'égalité entre

Noblesse

Caste constituée de personnes jouissant de privilèges héréditaires liés à leurs familles. Voir Aristocratie.

Démocratie

Régime politique où la souveraineté appartient aux citoyens ou à leurs représentants.

Capitalisme

Régime économique basé sur la propriété privée et la recherche de profits.

Prolétariat

Classe sociale constituée des travailleurs dont l'activité est fondée sur le travail manuel.

*: *Cf.* Glossaire

les hommes est plus importante que le prestige de la lignée, soit de la famille, comme c'était le cas chez les nobles.

Dans ce contexte, les artistes se sentent rejetés par un monde qui, tout en prônant les valeurs du travail, de l'ambition et du profit, désire avant tout exhiber sa richesse. Le positivisme*, soit la foi absolue dans le progrès et les acquis de la science, apparaît aussi comme une tendance qui s'affirme. Dans son instabilité, le XIXe siècle préfigure les siècles suivants, notamment par les grandes idéologies qui en émergent : le communisme, le socialisme, le syndicalisme, le capitalisme, l'État-nation, la démocratie, etc. Les fondations de notre société actuelle y sont coulées.

Par ailleurs, le Canada français, qui arrive difficilement à surmonter le traumatisme de la conquête de 1760 et de ses effets sur son développement, est à ce moment-là une société plutôt conservatrice et repliée sur ses traditions afin de sauvegarder son identité. Ce n'est qu'à la fin du XIXe siècle, et parfois même au XXe, qu'il vivra des changements comparables à ceux qui se sont opérés en France. En effet, la première réaction des élites locales en sera une de réticence. Mais l'évolution sera bientôt le fait de la société québécoise, qui se mettra au diapason de la France et du monde entier, en adaptant le changement à ses propres besoins comme société d'ascendance française, habitant un territoire différent, l'Amérique, et s'inscrivant dans une histoire qui a aussi ses particularités. La littérature fantastique pratiquée ici sera d'ailleurs fortement influencée par la tradition orale, l'imaginaire religieux et les superstitions qui lui sont attenantes.

Notons enfin que l'écrivain Gautier a d'abord amorcé sa carrière comme romantique. On pouvait donc concevoir qu'il était plutôt un révolutionnaire. Il la termine cependant comme un pensionné de l'empereur Napoléon III, dont le régime a été particulièrement autoritaire. Pourrait-on lui reprocher son

Positivisme

Doctrine selon laquelle toute connaissance est basée sur l'observation des faits.

*: Cf. Glossaire

opportunisme ? Il n'a été ni le premier ni le dernier à profiter des largesses d'un mécène. Cela révèle surtout à quel point il était difficile d'être indépendant et autonome financièrement, dans une société où la misère était omniprésente et où la liberté était encore vue comme une promesse non tenue.

Le contexte social

La révolution de 1789 avait permis au peuple d'espérer des changements : la hiérarchie sociale ancienne (le système féodal*), selon laquelle toute personne dépendait d'un seigneur, n'avait plus cours. Désormais, chaque citoyen était protégé par la *Déclaration des droits de l'homme et du citoyen*, qui reconnaît l'égalité entre les hommes dès la naissance et le droit à la justice sociale. Dans les faits cependant, c'est essentiellement la bourgeoisie qui tire profit du bouleversement engendré par la révolution. Cette classe sociale, constituée de négociants, de propriétaires, de notables, de chefs d'entreprise et de rentiers, supplante l'aristocratie* dans la gestion de l'État et, surtout, dans le contrôle des affaires. En effet, l'économie française se transforme. Jusqu'alors, la France était une société en très grande partie agricole ; cette situation favorisait surtout les aristocrates auxquels appartenait la majorité des terres, et dont la mentalité était conservatrice et basée sur l'honneur. La culture bourgeoise était différente : elle soutenait des valeurs telles que l'ambition, la recherche de biens matériels, la richesse. Ceux qui contrôlaient en bonne partie les capitaux étaient prêts à les investir dans des manufactures, appelées à devenir des usines. L'industrialisation, nécessitant de plus en plus de main-d'œuvre, entraîne la migration de paysans qui quittent la campagne pour venir s'installer à proximité des usines, dans les grands centres. Cet afflux de nouveaux capitaux stimule les progrès technologiques, notamment l'invention de la machine à vapeur et du chemin

Système féodal

Ordre politique et social basé sur la concession de droits et de territoires d'un seigneur à un vassal qui lui faisait un serment de fidélité.

Aristocratie

Caste constituée des nobles, soit de personnes jouissant de privilèges héréditaires liés à leurs familles. Voir Noblesse.

de fer, qui accélèrent la production et le transport des marchandises. Cet accroissement de la capacité de production et de transport mène à la découverte de nouveaux marchés : il faut écouler des produits de plus en plus nombreux. Les capitaux ainsi ramassés permettent de nouveaux investissements dans la technologie et l'industrie qui ont pour effet d'accroître, de façon soutenue, le rythme de production. Une nouvelle économie était née, le capitalisme.

L'industrialisation du pays exige une main-d'œuvre nombreuse et surtout bon marché. Par ailleurs, les progrès technologiques touchant aussi l'agriculture ont fait en sorte que les fermes ont de moins en moins besoin de main-d'œuvre. Les travailleurs agricoles, qui se déplaçaient d'une région à l'autre selon les cultures et les saisons, doivent désormais, afin de trouver du travail, migrer vers les villes où se trouvent les industries. Ces changements entraînent l'éclosion d'une nouvelle classe sociale, le prolétariat.

Les conditions de travail étaient très dures, inconcevables aujourd'hui : journées de travail interminables de treize à quinze heures, sans congés ni protection en cas de maladie, de blessure ou de congédiement, salaires dérisoires, syndicats interdits, etc. Comme l'école n'était pas obligatoire, les enfants étaient forcés de travailler. Une telle situation ne pouvait créer que des problèmes encore plus importants.

Les travailleurs étant expatriés, l'entraide familiale ou locale est compromise, souvent inexistante. La misère, la solitude, la maladie déciment le peuple, qui, en plus, avait perdu ses structures sociales et ses points de repère ; un travailleur quittait ainsi sa région natale pour migrer vers des villes qu'il ne connaissait pas, dispersant au passage les membres de la famille. Beaucoup de gens transplantés se sont réfugiés dans l'alcoolisme. Comme la population des villes augmentait rapidement, les infrastructures urbaines – logements, hygiène, eau, transport, services – étaient insuffisantes pour répondre à ses besoins. Les gens s'entassent donc dans des logements insalubres, entraînant la misère, la maladie, voire les épidémies.

Toute tentative de révolte est freinée par une répression violente. Une certaine agitation sociale perdure cependant : comme leurs conditions de travail sont très dures, les travailleurs réclament de meilleurs salaires afin d'améliorer leur sort, foyer favorable au succès d'idées révolutionnaires ou réformistes. Cette évolution provoque une méfiance constante du gouvernement et de la bourgeoisie envers les moins nantis et autres exclus. Un fossé sépare dès lors ces classes sociales. Le XIXe siècle aura enfanté un autre paradoxe : cette société, née d'une révolution dont les idéaux étaient liberté, égalité et fraternité, aura mué vers un monde divisé en classes sociales où les privilégiés sont désormais les bourgeois. Ces derniers fondent leur pouvoir sur l'argent et le profit, mais aussi sur l'exploitation d'une main-d'œuvre à bon marché, ce qui les pousse progressivement vers le conservatisme* afin de sauvegarder leurs privilèges.

Durant tout le siècle, cette société évoluera grâce aux progrès de la science et surtout de l'éducation. En effet, dès le début du siècle, on favorise l'accès à l'école de sorte que l'alphabétisation se généralise petit à petit dans tout le pays. Les lois instaurées par Jules Ferry en 1882, instituant l'école gratuite, laïque et obligatoire pour les enfants, consacrent ce phénomène : ainsi, à la fin du XIXe siècle, une majorité de Français savent lire et écrire. Les journaux, dont la production et la diffusion sont soutenues par l'industrialisation, diffusent l'information.

La société du XIXe siècle en pleine mutation et en proie à l'instabilité ne s'est pas remise du traumatisme causé par la Révolution française*, révolution où, rappelons-le, on a condamné à mort un roi alors qu'on était convaincu que son pouvoir était d'origine divine. Tuer un roi dans un univers où la foi chrétienne est

Conservatisme

Courant social, politique et économique où l'on demeure réfractaire à toute réforme ou à tout changement.

Révolution française

Amorcé en 1789, cet état de crise s'échelonne sur près de 10 ans et bouleverse les structures politiques et sociales de la France.

* : *Cf.* Glossaire

prédominante correspond à la remise en question de l'ordre divin, de l'ordre des choses, enfin, de toute la moralité. D'ailleurs, le poids de l'Église dans la société française ne sera plus jamais le même après la Révolution. Encore très influente en province, l'Église perd lentement son pouvoir dans les milieux urbains où la densité de la population et la présence des nouvelles idées incitent à prendre certaines libertés. De plus, le rapport à la religion s'est altéré : d'un univers de foi absolue, on est passé progressivement à l'ère du doute. Le rationalisme*, hérité du siècle des Lumières*, a traversé tout le XIXe en se substituant en partie à l'univers religieux. Il s'est incarné, entre autres, dans le positivisme, qui se définit comme la foi absolue dans le progrès. Or, toute la sentimentalité romantique, bien que la religiosité y soit omniprésente, donne un statut particulier à la sensibilité humaine.

L'évolution de l'œuvre d'un artiste comme Théophile Gautier illustre ces changements dans le monde des idées du XIXe siècle. Même si Gautier réagit à ces idées, on peut concevoir son œuvre fantastique comme une réaction au romantisme social de Victor Hugo et comme un rejet du matérialisme* ambiant.

Le contexte politique

Politiquement, la France subit pendant presque tout le siècle les soubresauts consécutifs à la Révolution française. On assiste donc à une succession de régimes politiques. Le tableau suivant permet de constater l'ampleur de cette instabilité.

Rationalisme

Doctrine selon laquelle toute connaissance est issue de la raison.

Lumières (siècle des)

Appellation appliquée au XVIIIe siècle à tendance philosophique, qui privilégie l'examen rationnel de la réalité et la quête du bonheur terrestre.

Matérialisme

Pensée selon laquelle le monde se limite à la matière, à l'univers sensible.

* : Cf. Glossaire

Contexte

1789	Révolution française
1792	Iʳᵉ République
1799	Coup d'État de Napoléon Bonaparte qui devient Premier Consul
1804	Premier Empire: Napoléon Iᵉʳ se proclame empereur
1815	Défaite de Waterloo: chute définitive de Napoléon
1814-1830	Restauration: instauration d'une monarchie constitutionnelle sous Louis XVIII et Charles X
1830	Les Trois Glorieuses: insurrection populaire durement réprimée les 28, 29 et 30 juillet 1830
1830-1848	Monarchie de juillet: Louis-Philippe est porté au pouvoir
1848	Révolution de 1848, IIᵉ République
1851	Coup d'État de Louis-Napoléon Bonaparte, neveu de Napoléon Bonaparte
1852-1870	Second Empire: Louis-Napoléon Bonaparte règne sous le nom de Napoléon III
1870	Guerre franco-prussienne, chute de Napoléon III
1870	IIIᵉ République: retour de la démocratie

La Révolution française a mené à beaucoup d'instabilité sociale et politique. Napoléon Bonaparte est accueilli comme le sauveur susceptible de réaliser les idéaux de la Révolution, d'autant plus qu'il est très populaire ayant, à la tête de l'armée française, gagné de nombreuses batailles. Il engage le pays dans une vaste politique de modernisation des institutions sociales. Ses conquêtes militaires lui permettent d'étendre la domination française à une bonne partie de l'Europe. Aux yeux de la jeunesse française et même européenne, Bonaparte incarne les idéaux révolutionnaires, voire romantiques. Cependant, son ambition le poussera à se faire proclamer empereur, ce qui signifiera le retour à un régime à caractère monarchiste à plusieurs égards. Conservant en France une grande part de sa popularité, il est perçu comme un tyran partout ailleurs en Europe même si ses conquêtes ont propagé partout les idéaux révolutionnaires. Son régime aura permis de vastes réformes dans des domaines tels que la justice (création du Code civil toujours en vigueur en France et au Québec) ou l'éducation (naissance des lycées correspondant aux cours secondaires et collégiaux).

Après la chute de Napoléon, la société française est très divisée. On essaie alors de réconcilier les nombreuses factions en restaurant le pouvoir royal. Trois rois se succèdent alors : Louis XVIII (1814-1824), Charles X (1824-1830), puis Louis-Philippe Ier (1830-1848). Inutile de se faire des illusions : ces régimes servaient avant tout les intérêts de la bourgeoisie et de la noblesse, cette dernière ayant compris qu'il valait mieux s'associer à la bourgeoisie que de l'affronter. Des fortunes gigantesques se bâtissent ; le peuple, lui, profite peu de cet essor économique. Le règne de Louis-Philippe fait naître quelques espoirs ; cependant, ce roi, dont les idéaux libéraux ne faisaient initialement pas de doute, prend goût au pouvoir et instaure un régime de plus en plus autoritaire. C'est toutefois sous son règne, la monarchie de Juillet, que le pays connaît une longue période de prospérité et que s'amorce le processus d'industrialisation qui transformera à jamais la société française.

Si les insurrections de 1830 et de 1848 mènent à des changements politiques, le peuple, lui, subit de violentes répressions. Lors de la révolution de 1848, Louis-Philippe est chassé du pouvoir, ce qui permet le retour à la démocratie avec la IIe République. Cette période, brève et orageuse, permet des réformes majeures dont le suffrage universel masculin, l'abolition de la censure et de l'esclavage. Des changements aussi importants provoquent beaucoup de réactions de la part de l'opposition, ce qui donne lieu à un coup d'État, le 2 décembre 1851, mené, entre autres, par Louis-Napoléon Bonaparte, neveu de Napoléon Ier, qui se fait proclamer empereur sous le nom de Napoléon III l'année suivante. Sous le Second Empire, la France connaît la prospérité économique. Cependant, ce sont surtout la bourgeoisie et la noblesse qui en profitent réellement, le peuple est, encore une fois, laissé pour compte, et les manifestations populaires continuent d'être durement réprimées. En outre, les institutions démocratiques ne sont guère respectées : la vie parlementaire est virtuellement suspendue, la liberté de presse apparaît limitée, les éditeurs sont surveillés, etc. La spéculation immobilière que connaît Paris provoque de nombreux scandales. En 1870, Napoléon III se lance dans une guerre aventureuse contre un voisin devenu encombrant, la Prusse. En se rendant jusqu'aux portes de Paris, les Prussiens humilient les Français, ce qui entraîne la chute du Second Empire.

La troisième République permettra un retour à la démocratie. C'est avec elle que seront consolidés les développements économiques et technologiques des régimes précédents.

Le contexte artistique et littéraire

Le romantisme constitue une réaction aux règles du classicisme et au rationalisme philosophique des XVIIe et XVIIIe siècles en mettant en évidence le « moi », la subjectivité, les sentiments, les émotions, le rêve, le besoin de liberté propre à chaque être, tout en se présentant comme une quête constante de spiritualité liée à l'expression personnelle. Ce courant semble avoir été alors beaucoup moins sentimental et pompeux qu'on pourrait d'abord le croire : l'écrivain romantique, qu'il soit poète, dramaturge, essayiste ou romancier, ne se limite jamais à la simple effusion de ses sentiments ; ceux-ci constituent, en fait, un tremplin par lequel il exprime sa quête du divin et s'interroge sur la place de l'être humain dans le temps et l'univers. Il est nécessaire de comprendre que ce retour vers le monde spirituel s'explique entre autres comme l'expression du malaise d'une société s'orientant de plus en plus vers le profit et les gains matériels.

Le romantisme est né dès la seconde moitié du XVIIIe siècle en Allemagne puis en Angleterre; il a rejoint la France dès le début du XIXe et s'est étendu à toute l'Europe. Il est important d'ajouter qu'il a touché aussi les autres arts comme la peinture ou la musique. En France, son apogée se situe entre 1820 et 1850.

On considère généralement Victor Hugo comme le chef de file de ce courant en France. Le romantisme a cependant évolué durant le siècle. Ainsi, des auteurs tels qu'Alphonse de Lamartine, Victor Hugo ou George Sand se sont de plus en plus intéressés aux problèmes sociaux de l'époque. D'autres, comme Gautier ou de Nerval, se sont, au contraire, réfugiés dans un art pur en guise de réaction contre les abus d'une époque uniquement centrée sur le profit ou les richesses matérielles.

Le mal du siècle

Mélancolie profonde, dégoût éprouvé par l'artiste romantique envers son époque.

Le romantisme était lié à une certaine forme d'isolement dans un monde jugé corrupteur, duquel l'artiste se sentait isolé, et que l'on nommait le mal du siècle*. La société de l'époque continuait à évoluer cependant : elle s'industrialisait et s'urbanisait, les artistes et les citoyens désiraient s'émanciper. Ces préoccupations sont apparues, dès 1830, chez des auteurs de l'époque comme Balzac, Stendhal ou Hugo.

Une telle évolution touche aussi l'univers de la poésie. Les œuvres versifiées romantiques sont très nombreuses: il suffit d'évoquer les noms de Lamartine, d'Hugo, de Vigny ou de Nerval. Gautier avait été lui-même, en début de carrière, un poète romantique.

Cependant, à la même époque, soit au milieu du siècle, s'est constitué un nouveau mouvement, le Parnasse: des poètes, dont Leconte de Lisle, Jose Maria de Heredia, mais aussi Gautier, réagissaient à ce qu'ils considéraient comme des excès du romantisme, par des poèmes où l'on fuyait les laideurs du présent au profit d'un art où l'on cultivait avant tout la beauté formelle. Ils résumaient leur art en un précepte simple mais lourd de conséquences: «l'art pour l'art». Cela mène à un art apparemment impersonnel où l'artiste s'implique peu sentimentalement, mais se voit, au contraire, comme un artisan des vers. Cette évolution est perceptible dans les contes de Gautier, plus particulièrement dans son art des descriptions où il agit en peintre.

Tableau synthèse
des caractéristiques de la littérature romantique

Traits dominants et intentions des écrivains	Caractéristiques
Littérature du «moi» *Peindre la réalité d'un point de vue subjectif.*	• Poésie lyrique. • Récits confidentiels et autobiographies déguisées. • Personnages au comportement individualiste.
Littérature du cœur *Exprimer ses émotions et en susciter chez le lecteur.*	• Thèmes de l'amour, de la passion et de l'ennui de vivre. • Obsession de la mort et du temps qui passe. • Personnages masculins excessifs (artistes rêveurs, héros désillusionnés, amants ténébreux). • Personnages féminins idéalisés (jeunes femmes innocentes, mères idéalisées, femmes fatales).

Littérature de l'évasion
Exprimer la communion avec la nature ou créer un effet de pittoresque.
	• Évasion dans la nature qui se voit attribuer les rôles suivants:
	  - refuge pour fuir la civilisation;
	  - incarnation de la grandeur divine;
	  - miroir de la sensibilité du poète.
	• Évasion vers des pays étrangers, exotisme: description des mœurs et des traditions locales (couleur locale).
	• Évasion dans le passé: goût manifeste pour l'histoire (romans et drames historiques du Moyen Âge au XVIIIe siècle).
	• Évasion dans le rêve et l'univers intérieur (personnages artistes, romans confidentiels).
	• Description de ruines et de lieux isolés.
	• Tonalité sombre et jeu de contraste noir/rouge.
	• Style imagé.

Tableau synthèse
des caractéristiques de la littérature romantique
(suite)

Traits dominants et intentions des écrivains	Caractéristiques
Littérature de l'idéal *Combiner la quête de Dieu et celle de la justice sociale.*	• Rôle de l'écrivain-prophète. • Importance de la Révolution et de Napoléon comme sources d'inspiration. • Idéalisation des personnages (même les personnages grotesques). • Traitement moralisateur des thèmes à caractère social.
Littérature de libération *Assurer la primauté de l'inspiration sur l'imitation et le respect des règles.*	• Importance de tous les thèmes hérités de la Révolution. • Assouplissement du vers, dans la poésie comme au théâtre. • Invention de genres nouveaux, comme le drame romantique. • Recours à divers types de narration. • Ouverture du lexique à tous les registres, du terme familier au terme littéraire.

Naissance du fantastique

Fantastique

Forme de
littérature qui
regroupe des
œuvres où
des éléments
surnaturels
apparaissent
dans le réel.

Les romantiques, qui associent souvent l'amour à la mort et qui privilégient les excès émotifs, sont naturellement fascinés par l'intrusion du surnaturel dans le monde quotidien. Les premières manifestations du fantastique* apparaissent ainsi au sein de textes romantiques. Un récit tel que *Le diable amoureux* (1772) de Jacques Cazotte peut être considéré comme le premier conte fantastique français. Ailleurs, en Europe, le roman noir anglais (*Le moine* de M. G. Lewis, *Frankenstein* de Mary Shelley), le romantisme allemand (Adelbert von Chamisso, Achim von Arnim, Goethe) et surtout les contes d'E. T. A. Hoffmann donnent au fantastique son élan.

En France, des auteurs aussi importants que Mérimée, Maupassant, Gautier, Villiers de l'Isle Adam, Barbey D'Aurevilly ou Charles Nodier ont rédigé des contes fantastiques (le récit court semble convenir particulièrement à la tonalité fantastique) et plusieurs autres comme Victor Hugo ou Alexandre Dumas ont soit ponctué leurs récits de passages hallucinatoires ou fait basculer certains d'entre eux dans le surnaturel.

Caractéristiques de la littérature fantastique

Merveilleux

Apparition du
surnaturel dans
un univers
féerique.

On définit le fantastique par l'intrusion – parfois l'invasion – du surnaturel dans un cadre réel, régi apparemment par la raison. De prime abord, il s'agit d'un registre proche de celui du merveilleux*, soit l'univers des contes de fées, où le surnaturel apparaît normal et plutôt bienveillant. Le fantastique doit dérouter, voire effrayer le lecteur. Le fantastique ne se limite pas qu'à des lieux morbides, à une atmosphère lugubre ou à la présence de personnages maléfiques. Plus que cela, on insiste sur l'hésitation du héros ou du lecteur à reconnaître les faits qu'il aura vécus ou lus. Tout naît de la subjectivité de son regard et de son interprétation : il peine à reconnaître les faits. On manipule le lecteur de telle façon que sa pensée oscille entre deux pôles opposés : le rationnel et l'irrationnel.

Le tableau qui suit rappelle les principales caractéristiques de la littérature fantastique du XIXe siècle.

Tableau synthèse des caractéristiques de la littérature fantastique

Le fantastique du XIXe siècle	
Principales caractéristiques	• Le personnage principal est susceptible d'éprouver le doute. • Des figures maléfiques font glisser le héros dans un univers irrationnel. • L'intrusion d'éléments insolites ou surnaturels compromet la sécurité du quotidien. • L'intrigue se déroule souvent la nuit ou dans des lieux isolés, ce qui contribue à l'atmosphère morbide. • L'espace est associé à des lieux marqués (châteaux, cimetières, décorations surchargées) ou labyrinthiques (bâtiments gigantesques, forêts sombres). • La thématique illustre la tentative de rompre l'opposition « normale » entre le bien et le mal, entre la vie et la mort. • Le récit fait progresser le personnage principal du rêve au cauchemar, de l'imaginaire à la folie, du doute à l'effroi absolu, du fantasme à la perversité.
Principaux thèmes	Thèmes liés à l'intrusion du surnaturel dans la vie courante : • le rêve, • l'isolement, • la solitude, • la mort, • la folie, • la peur, • le mal, • la sexualité, • le temps, • les mondes parallèles, • l'irrationnel.
Style	• Le style évolue parallèlement avec ceux des courants contemporains : romantisme, réalisme, symbolisme, etc. • Le contraste initial entre le surnaturel et le réel tend à disparaître. • Style souvent proche de la poésie.

Contexte

- Après la Révolution française, la France vit une période d'instabilité politique susceptible de provoquer de l'inquiétude, climat probablement propice à l'émergence de la littérature fantastique.

- Plusieurs histoires, qui alimentent l'imagination populaire, circulent sur des personnages hors du commun, que ce soit d'anciens guillotinés lors de l'épisode de la Terreur, la famille royale (notamment la disparition du fils de Louis XVI), ou les Bonaparte.

- Le capitalisme se développe au profit de la bourgeoisie et les nouvelles valeurs qui lui sont associées bousculent aussi les mentalités ; les paysans déracinés qui cherchent du travail en ville ont perdu leurs points de repère, ce qui contribue aussi au climat de morosité sociale lié au « mal du siècle ».

- Les écrivains romantiques, en mettant l'accent sur l'imagination, les émotions et la sensibilité au détriment de la raison, ne peuvent être que fascinés par tout ce qui relève du surnaturel ou de l'hallucination. Cela est en outre un exutoire dans une société en crise où l'on est attiré de plus en plus par le profit et l'argent.

À retenir

Présentation de l'œuvre

> *Quels liens peut-on établir entre l'ensemble de ces connaissances et les* Contes fantastiques *de Gautier ?*

Liens entre Gautier et les courants et formes littéraires de l'époque

Le romantisme

L'attachement de Gautier au romantisme se traduit de plusieurs façons. Ainsi, certains personnages ont des attributs romantiques quoique traités dans certains cas de façon caricaturale : cela se voit dans les obsessions amoureuses des personnages masculins. On peut penser entre autres à Onuphrius qui « [...] était Jeune-France et romantique forcené » (p. 60, l. 135). Ces personnages possèdent apparemment tous les traits qui font d'eux des personnages romantiques : le teint, les vêtements, la fragilité et surtout l'exaltation des sentiments, plus particulièrement dans la passion amoureuse. D'autres caractéristiques propres au romantisme accompagnent cet excédent émotif : la libération du sentiment, le goût de la rêverie, la propension au mystère... Ces aspects apparaissent en totalité ou en partie dans la majorité des contes de Gautier. Ses personnages féminins font tout autant partie de l'univers du romantisme : les femmes y apparaissent fragiles, distantes, rêveuses, à peine ou nullement accessibles. Celles-ci appartiennent davantage au registre du rêve et du fantasme, qu'à celui de la réalité.

À travers ces personnages, on perçoit cependant un goût véritablement romantique pour l'ailleurs, une

L'œuvre

tentation de fuir vers un monde tout à fait imaginaire, peuplé de créatures fabuleuses, un peu effrayantes, mais d'abord et avant tout attirantes. Ces héros échappent par leurs rêves à une réalité ennuyeuse. Plus que cela, ils s'affranchissent de la mort, des limites de la vie et du temps, pour s'enfuir dans l'univers du rêve, de l'imaginaire. On nommait un tel état d'âme « le mal du siècle ». Que dire de la mélancolie d'Octavien dans *Arria Marcella*, qui cherche la beauté et un amour absolu dans des vestiges datant de près de 2000 ans?

Le Parnasse

Bien que le Parnasse soit avant tout un courant poétique, on ne peut douter du fait que les contes de Gautier sont liés à cette école. Les aspirations politiques des romantiques ayant été déçues lors de l'échec de la révolution de 1848, plusieurs écrivains se sont retirés du monde pour s'isoler dans leur travail. Gautier avait amorcé ce processus antérieurement. Dès 1835, dans la célèbre préface de son roman *Mademoiselle de Maupin*, il avait écrit ce passage révélateur: « [...] il n'y a de vraiment beau que ce qui ne peut servir à rien; tout ce qui est utile est laid ». Selon cette conception, chaque œuvre possède une beauté intrinsèque, chaque œuvre se suffit à elle-même. La beauté se trouve dans la perfection technique de l'œuvre et nulle part ailleurs. L'inspiration de ces écrivains se détourne ainsi de la réalité contemporaine; ils préfèrent explorer des univers exotiques ou des civilisations disparues, non pas pour transformer le monde, mais pour rechercher la beauté. En compagnie de poètes tels que Leconte de Lisle, José-Maria de Heredia ou Théodore de Banville, Gautier s'est éloigné des excès émotifs du romantisme pour une écriture plus impersonnelle, où la quête du beau l'emporte sur l'effusion sentimentale.

Or, ces idéaux poétiques paraissent omniprésents dans les contes de Gautier. Les débordements sentimentaux, bien qu'ils existent, sont limités par la concision des contes. De tels débordements sont d'ailleurs souvent traités de façon caricaturale. Dans les faits, Gautier présente bien peu les sentiments de ses personnages : l'analyse psychologique est tenue en laisse. L'auteur met plutôt en place une atmosphère fantastique où il évoque des hallucinations, des fantasmes, des personnages tout aussi menaçants qu'attirants. Les descriptions prennent beaucoup plus de place que le récit des émotions : les sens prennent le pas sur l'effusion des sentiments.

Gautier semble avant tout préoccupé par sa quête de la beauté formelle dans l'écriture de ses contes, toujours patiemment ciselés. Il cherche à rendre cette beauté sensible tant dans la forme que dans le fond de ses contes. Il rejoint ainsi l'esthétique du mouvement parnassien. Cela se voit dans la densité des contes, dans des descriptions traitées comme s'il s'agissait de tableaux, mais aussi dans ses personnages féminins, comme Arria Marcella, Omphale, Clarimonde, etc., lesquelles sont assimilées autant à des statues qu'à des êtres humains. La perfection plastique ainsi acquise leur permet d'accéder à un idéal de beauté qui est autant, peut-être davantage, celui d'une œuvre d'art que celui d'un être humain. Il faut insister de plus sur ses descriptions qui prennent souvent le pas sur le récit lui-même : elles sont soignées comme des enluminures. Le travail, l'art de l'écrivain est révélé au sein d'une démarche très soigneuse : construction picturale, emploi d'images, références aux sens, jeux de lumières, de couleurs, etc. Gautier est autant peintre qu'homme de lettres dans la construction de ses descriptions.

Le fantastique

Les caractéristiques propres à la littérature fantastique n'apparaissent pas toutes simultanément dans les contes de Gautier, dont le rôle d'ailleurs n'est pas d'effrayer, comme dans la production actuelle, c'est-à-dire certains romans à succès, voire les films d'horreur.

Le rôle du fantastique est aussi de s'interroger sur la nature de l'âme humaine et d'exprimer une quête constante du beau qui peut, selon la vision de Gautier, être particulièrement révélée dans des univers sombres et lugubres.

En fait, Gautier recourt avec prudence aux instruments propres au fantastique. Il ne recherche pas le spectaculaire ou la surenchère ; il use plutôt de mesure dans ses effets. Gautier présente peu de créatures surnaturelles et le rôle de ces personnages n'est pas de susciter l'effroi. Bien sûr, Clarimonde et même Arria Marcella s'apparentent à des vampires, mais elles demeurent beaucoup plus attirantes qu'effrayantes. Elles sont porteuses de mort mais pas d'horreur. Elles répondent avant tout aux fantasmes secrets des narrateurs. Le diable dans *Onuphrius* et même dans *Deux acteurs pour un rôle* est autant traité avec ironie qu'avec crainte. Gautier en profite surtout pour se moquer des superstitions de ses personnages.

Il insiste cependant beaucoup sur une dimension plus subtile du fantastique pour explorer le psychisme humain : la mince frontière séparant le conscient et l'inconscient. Il fait passer ses personnages de l'un à l'autre par le biais d'expériences particulières, soit le rêve ou la consommation de drogue. Chaque narrateur raconte ensuite ses hallucinations (*Onuphrius*, *La pipe d'opium*). L'auteur nous fait ainsi ressentir les cauchemars d'Onuphrius ou les voyages dans le temps (*Arria Marcella*, *Le pied de momie*). Le fantastique apparaît donc comme un moyen pour accéder à l'univers de l'inconscient et pour exprimer les angoisses ou les désirs interdits de l'être humain, comme la nécrophilie dans *La morte amoureuse* ou le fétichisme* dans *La cafetière*.

Fétichisme

Vénération exagérée, portée à un objet. Perversion où l'on recherche le contact ou la vue d'objets normalement dénués de signification érotique.

* : *Cf.* Glossaire

L'œuvre

- Le personnage masculin central est traité comme un héros romantique mais, dans certains cas, de façon caricaturale.
- Le fantastique a des thèmes en commun avec le romantisme : la libération du sentiment, le goût de la rêverie, la propension au mystère, l'exotisme, le mal du siècle, la nostalgie.
- La forme du récit est proche de celle des parnassiens, notamment le refus de l'effusion lyrique, le souci de la perfection et le choix des mots.

Gautier en son temps

Chronologie

	Vie et œuvre de Théophile Gautier	Événements historiques	Événements culturels et scientifiques
1789		Révolution française. Déclaration des droits de l'homme et du citoyen.	
1792		Proclamation de la Iʳᵉ République.	
1793		Exécution par guillotine de Louis XVI et de Marie-Antoinette.	
1795			Adoption en France du système métrique.
1799		Coup d'État de Napoléon Iᵉʳ.	
1800			Développement de l'électricité avec Volta et Ohm.
1802		Bonaparte devient consul.	Naissance de Victor Hugo. Chateaubriand, *Génie du christianisme*.
1804		Napoléon devient empereur. Début du Premier Empire.	
1807			Mᵐᵉ de Staël, *Corinne*.
1808			Naissance de Gérard de Nerval. Goethe, *Faust*.
1811	Naissance à Tarbes de Pierre-Jules-Théophile Gautier.		

	Vie et œuvre de Théophile Gautier	Événements historiques	Événements culturels et scientifiques
1814	Sa famille déménage à Paris.	Défaite de Napoléon face aux armées de Russie, de Prusse, d'Autriche et de Suède. Abdication de l'Empereur (4 avril). Louis XVIII rentre d'exil : Restauration (retour de la monarchie).	
1815		Retour triomphal de Napoléon (les Cent-Jours). Défaite de Waterloo. Exil définitif de Napoléon sur l'île de Sainte-Hélène.	
1819			Géricault, *Le radeau de la Méduse*.
1820			Lamartine, *Méditations poétiques*.
1821		Mort de Napoléon sur l'île de Sainte-Hélène.	Naissance de Charles Baudelaire.
1822	Gautier entre comme interne au collège Louis-le-Grand. Il part après un trimestre.	Guerre gréco-turque. Congrès de Vérone.	Delacroix, *Dante et Virgile aux enfers*.

	Vie et œuvre de Théophile Gautier	Événements historiques	Événements culturels et scientifiques
1823			Lamartine, *Nouvelles méditations poétiques*.
1824		Mort de Louis XVIII, couronnement de Charles X.	Beethoven, *IXe symphonie*.
1827			Hugo, préface de *Cromwell*. Mort de Beethoven.
1829	Gautier renonce rapidement à la peinture. Nerval l'introduit dans les milieux romantiques. Il le présente à Victor Hugo.		Mise au point par Braille d'un système de lecture et d'écriture pour les aveugles.
1830	Gautier participe à la «bataille d'*Hernani*», vêtu de son fameux gilet rouge. Publication de ses premiers poèmes: *Poésies*.	Trois Glorieuses: chute de Charles X. Début du règne de Louis-Philippe, monarchie de Juillet. Prise d'Alger.	Berlioz, *Symphonie fantastique*. Traduction française des *Contes* d'Hoffmann. Hugo, *Hernani*. Stendhal, *Le rouge et le noir*.
1831	*La cafetière* (conte).		Balzac, *La peau de chagrin*. Delacroix, *La liberté guidant le peuple*. Hugo, *Notre-Dame de Paris*.

	Vie et œuvre de Théophile Gautier	Événements historiques	Événements culturels et scientifiques
1832	Albertus ou l'âme et le péché (poèmes). Onuphrius (conte).	Grave épidémie de choléra à Paris. Quelques barricades dans les rues de Paris.	George Sand, Indiana.
1833	Les Jeunes-France.		Balzac, Eugénie Grandet.
1834	Omphale (conte).		Musset, Lorenzaccio.
1835	Mademoiselle de Maupin. Ce roman est précédé d'une préface célèbre, manifeste de liberté esthétique.	Loi restreignant la liberté de presse.	Vigny, Chatterton. Tocqueville, De la démocratie en Amérique. Hugo, Les chants du crépuscule. Balzac, Le père Goriot.
1836	Début dans le journalisme. Gautier s'éloigne des milieux bohèmes de sa jeunesse. La morte amoureuse (conte). Naissance de son premier enfant: Théophile Gautier fils.		Musset, La confession d'un enfant du siècle.

	Vie et œuvre de Théophile Gautier	Événements historiques	Événements culturels et scientifiques
1837		Début du règne (1837-1901) de la reine Victoria en Angleterre. Rébellion des Patriotes (1837-1838) dans le Bas-Canada.	Hugo, *Ruy Blas*. Invention du télégraphe électrique par Samuel Morse.
1838	*La pipe d'opium* (conte).		Invention du premier procédé photographique par Daguerre.
1839	*Une nuit de Cléopâtre* (conte).		Stendhal, *La chartreuse de Parme*.
1840	*Le pied de momie* (conte). *Le chevalier double* (conte). Voyage en Espagne.	Retour en France des cendres de Napoléon Ier.	Traduction par de Nerval du *Second Faust* de Goethe. Mérimée, *Colomba*.
1841	Création du ballet *Giselle*. *Deux acteurs pour un rôle* (conte).		Wagner, *Le vaisseau fantôme*.
1842	Voyage à Londres.		Aloysius Bertrand, *Gaspard de la nuit* (posthume).
1844	*Les grotesques*. Voyage en Espagne.		Vigny, *La maison du berger*. Dumas (père), *Les trois mousquetaires*.

	Vie et œuvre de Théophile Gautier	Événements historiques	Événements culturels et scientifiques
1845	*Espana* (poésie). Séances de haschisch à l'Hôtel Pimodan. Première rencontre avec Charles Baudelaire. Naissance de sa fille Judith. Voyage en Algérie.		Hugo, *Le Rhin*. Mérimée, *Carmen*. Dumas (père), *Le comte de Monte Cristo*.
1846	*Le club des haschischins* (conte). Voyage à Londres et en Espagne.	Crise économique en Europe.	Berlioz, *La damnation de Faust*. George Sand, *La mare au diable*.
1848		Révolution de 1848. IIe République.	Marx et Engels, *Manifeste du Parti communiste*. Début du réalisme en peinture avec Daumier et Courbet.
1850	Voyage en Italie.		
1851		Coup d'État de Charles Louis Napoléon Bonaparte.	de Nerval, *Voyage en Orient*.

	Vie et œuvre de Théophile Gautier	Événements historiques	Événements culturels et scientifiques
1852	Arria Marcella (conte). Émaux et camées (poésie). Recueil de souvenirs. Voyage en Orient. Avatar (conte). Jettatura (conte).	Début du Second Empire. Napoléon III, empereur des Français.	Leconte de Lisle, Poèmes antiques. Premier dirigeable en France.
1853	Constantinople.	Début de la guerre de Crimée. Début de grands travaux à Paris dirigés par le baron Haussmann.	Michelet, Histoire de la Révolution française. Gérard de Nerval, Sylvie.
1854	Voyage en Allemagne. Mort de son père.		de Nerval, Les filles de feu.
1855			de Nerval, Aurélia.
1856	Premier échec à l'Académie française.	Fin de la guerre de Crimée : traité de Paris.	Hugo, Les contemplations.
1857			Baudelaire, Les fleurs du mal (dédiées à Gautier) et traduction des Histoires extraordinaires d'Edgar Allan Poe. Flaubert, Madame Bovary.

	Vie et œuvre de Théophile Gautier	Événements historiques	Événements culturels et scientifiques
1858	*Le roman de la momie.* *Histoire de l'art dramatique.* Voyage en Russie. Promu officier de la Légion d'honneur.		
1859		Guerre entre la France et l'Italie.	Darwin, *De l'origine des espèces.*
1860		Traité de Savoie: l'Italie cède la Savoie et Nice à la France.	Baudelaire, *Les paradis artificiels.*
1861	Voyage en Russie.	Expédition du Mexique. Début de la guerre de Sécession aux États-Unis.	
1862	Voyage en Algérie.		Hugo, *Les misérables.* Leconte de Lisle, *Poèmes barbares.* Flaubert, *Salammbô.*
1863	*Le capitaine Fracasse* (roman). Il reçoit une pension du ministère d'État.		Philippe Aubert de Gaspé (père), *Les anciens Canadiens.* Première automobile à pétrole par Lenoir.

	Vie et œuvre de Théophile Gautier	Événements historiques	Événements culturels et scientifiques
1864	Séjour en Espagne.	Obtention du droit de grève en France.	
1865	*Spirite* (conte).	Abolition de l'esclavage aux États-Unis.	Claude Bernard, *Introduction à la médecine expérimentale.*
1866	Séjour en Suisse. Mariage de Judith Gautier avec Catulle-Mendès, poète et écrivain.		Verlaine, *Poèmes saturniens.* Daudet, *Lettres de mon moulin.* Alfred Nobel invente la dynamite.
1867	Deuxième échec à l'Académie française.	Agitation sociale en France. Naissance de la Fédération canadienne. Exposition universelle à Paris.	Mort de Charles Baudelaire. Karl Marx, *Le capital.* Zola, *Thérèse Raquin.*
1868	Bibliothécaire de la princesse Mathilde. Troisième échec à l'Académie française.		
1869	Voyage en Égypte. Quatrième échec à l'Académie française.	Inauguration du canal de Suez.	Flaubert, *L'éducation sentimentale.* Verlaine, *Les fêtes galantes.* Jules Verne, *Vingt mille lieues sous les mers.*

	Vie et œuvre de Théophile Gautier	Événements historiques	Événements culturels et scientifiques
1870		Soulèvement et écrasement de la Commune. Guerre avec la Prusse. Défaite de Sedan. Exil de Napoléon III. IIIᵉ République.	
1871	Séjour en Belgique.		Zola, *La fortune des Rougon* (début du cycle des *Rougon-Macquart*).
1872	Mort de Gautier (23 octobre). Publication posthume de son *Histoire du romantisme* (inachevé).		
1885			Mort de Victor Hugo.

L'île des morts, tableau de Arnold Böcklin, 1883.

Contes fantastiques

Gautier

BIBL. NAT. EST.

E.T.A. Hoffmann, gravure de Passini d'après le dessin de Wilhelm Hansel.

Onuphrius

ou les vexations fantastiques
d'un admirateur d'Hoffmann[1]

Croyoit que nues feussent paelles d'arin,
et que vessies feussent lanternes[2].

Gargantua, livre 1, chap. XI.

—**K**ling, kling, kling ! – Pas de réponse. – Est-ce qu'il n'y serait pas ? dit la jeune fille.

Elle tira une seconde fois le cordon de la sonnette ; aucun bruit ne se fit entendre dans l'appartement : il n'y avait personne.

5 – C'est étrange !

Elle se mordit la lèvre, une rougeur de dépit passa de sa joue à son front ; elle se mit à descendre les escaliers un à un, bien lentement, comme à regret, retournant la tête pour voir si la porte fatale s'ouvrait. – Rien.

notes ....

1. E. T. A. Hoffmann (1776-1822), compositeur et écrivain allemand, dont les contes fantastiques, traduits en français à partir de 1830, influencèrent beaucoup les romantiques.

2. Croyoit […] lanternes : « Prenait les nues pour des poêlons de bronze et les vessies pour des lanternes » (traduction de la citation de Rabelais).

10   Au détour de la rue, elle aperçut de loin Onuphrius, qui marchait du côté du soleil, avec l'air le plus inoccupé du monde, s'arrêtant à chaque carreau, regardant les chiens se battre et les polissons jouer au palet, lisant les inscriptions de la muraille, épelant les enseignes, comme un homme qui a une heure devant
15   lui et n'a aucun besoin de se presser.

Quand il fut auprès d'elle, l'ébahissement lui fit écarquiller les prunelles : il ne comptait guère la trouver là.

– Quoi ! c'est vous, déjà ! – Quelle heure est-il donc ?

– Déjà ? le mot est galant. Quant à l'heure, vous devriez la savoir,
20   et ce n'est guère à moi à vous l'apprendre, répondit d'un ton boudeur la jeune fille, tout en prenant son bras ; il est onze heures et demie.

– Impossible, fit Onuphrius. Je viens de passer devant Saint-Paul, il n'était que dix heures ; il n'y a pas cinq minutes, j'en met-
25   trais la main au feu ; je parie.

– Ne mettez rien du tout et ne pariez pas, vous perdriez.

Onuphrius s'entêta ; comme l'église n'était qu'à une cinquantaine de pas, Jacintha, pour le convaincre, voulut bien aller jusque-là avec lui. Onuphrius était triomphant. Quand ils furent devant
30   le portail : – Eh bien ! lui dit Jacintha.

On eût mis le soleil ou la lune en place du cadran qu'il n'eût pas été plus stupéfait. Il était onze heures et demie passées ; il tira son lorgnon[1], en essuya le verre avec son mouchoir, se frotta les yeux pour s'éclaircir la vue ; l'aiguille aînée allait rejoindre sa
35   petite sœur sur l'X de midi.

– Midi ! murmura-t-il entre ses dents ; il faut que quelque diablotin se soit amusé à pousser ces aiguilles ; c'est bien dix heures que j'ai vu !

Jacintha était bonne ; elle n'insista pas, et reprit avec lui le
40   chemin de son atelier, car Onuphrius était peintre, et, en ce

note ....

| **1. lorgnon :** lunettes sans branches.

moment, faisait son portrait. Elle s'assit dans la pose convenue. Onuphrius alla chercher sa toile, qui était tournée au mur, et la mit sur son chevalet.

Au-dessus de la petite bouche de Jacintha, une main inconnue avait dessiné une paire de moustaches qui eussent fait honneur à un tambour-major[1]. La colère de notre artiste, en voyant son esquisse[2] ainsi barbouillée, n'est pas difficile à imaginer; il aurait crevé la toile sans les exhortations[3] de Jacintha. Il effaça donc comme il put ces insignes virils, non sans jurer plus d'une fois après le drôle[4] qui avait fait cette belle équipée[5]; mais, quand il voulut se remettre à peindre, ses pinceaux, quoiqu'il les eût trempés dans l'huile, étaient si roides[6] et si hérissés, qu'il ne put s'en servir. Il fut obligé d'en envoyer chercher d'autres: en attendant qu'ils fussent arrivés, il se mit à faire sur sa palette[7] plusieurs tons qui lui manquaient.

Autre tribulation[8]. Les vessies[9] étaient dures comme si elles eussent renfermé des balles de plomb, il avait beau les presser, il ne pouvait en faire sortir la couleur; ou bien elles éclataient tout à coup comme de petites bombes, crachant à droite, à gauche, l'ocre, la laque ou le bitume.

S'il eût été seul, je crois qu'en dépit du premier commandement du Décalogue[10], il aurait attesté[11] le nom du Seigneur plus

notes

1. tambour-major: sous-officier qui commande les tambours et les clairons au sein d'un régiment. Les termes «tambours» et «clairons» renvoient aux soldats jouant de ces instruments dans l'armée pour marquer le pas, notamment lors des défilés militaires.
2. esquisse: première étape d'un tableau.
3. exhortations: conseils, demandes pressantes.
4. drôle: ici, au sens péjoratif de «personnage rusé».
5. équipée: ici, au sens de «farce».

6. roide: graphie de l'adjectif «raide» encore utilisée au XIXᵉ siècle.
7. palette: petite planche sur laquelle le peintre mélange les couleurs.
8. tribulation: épreuve, aventure plus ou moins désagréable.
9. vessies: ici, petits sacs contenant de la peinture.
10. Décalogue: code formé par les Dix Commandements, gravés sur des tables que Dieu a remises à Moïse sur le mont Djebel Mousa, situé dans le désert du Sinaï.
11. attesté: pris à témoin.

d'une fois. Il se contint, les pinceaux arrivèrent, il se mit à l'œuvre ; pendant une heure environ tout alla bien.

65 Le sang commençait à courir sous les chairs, les contours se dessinaient, les formes se modelaient, la lumière se débrouillait de l'ombre, une moitié de la toile vivait déjà.

Les yeux surtout étaient admirables ; l'arc des sourcils était parfaitement bien indiqué, et se fondait moelleusement vers les
70 tempes en tons bleuâtres et veloutés ; l'ombre des cils adoucissait merveilleusement bien l'éclatante blancheur de la cornée, la prunelle regardait bien, l'iris et la pupille ne laissaient rien à désirer ; il n'y manquait plus que ce petit diamant de lumière, cette paillette de jour que les peintres nomment point visuel.

75 Pour l'enchâsser[1] dans son disque de jais[2] (Jacintha avait les yeux noirs), il prit le plus fin, le plus mignon de ses pinceaux, trois poils pris à la queue d'une martre zibeline[3].

Il le trempa vers le sommet de sa palette dans le blanc d'argent qui s'élevait, à côté des ocres et des terres de Sienne, comme un
80 piton couvert de neige à côté de rochers noirs.

Vous eussiez dit, à voir trembler le point brillant au bout du pinceau, une gouttelette de rosée au bout d'une aiguille ; il allait le déposer sur la prunelle, quand un coup violent dans le coude fit dévier sa main, porter le point blanc dans les sourcils, et traîner
85 le parement[4] de son habit sur la joue encore fraîche qu'il venait de terminer. Il se détourna si brusquement à cette nouvelle catastrophe, que son escabeau roula à dix pas. Il ne vit personne. Si quelqu'un se fût trouvé là par hasard, il l'aurait certainement tué.

– C'est vraiment inconcevable ! dit-il en lui-même tout trou-
90 blé ; Jacintha, je ne me sens pas en train ; nous ne ferons plus rien aujourd'hui.

notes ....

1. **enchâsser** : placer au milieu.
2. **jais** : variété de lignite, roche d'un beau noir brillant.
3. **martre zibeline** : petit mammifère dont on utilise les poils pour faire des pinceaux.

4. **parement** : étoffe qui orne le bas des manches.

Jacintha se leva pour sortir.

Onuphrius voulut la retenir ; il lui passa le bras autour du corps. La robe de Jacintha était blanche ; les doigts d'Onuphrius, qui n'avait pas songé à les essuyer, y firent un arc-en-ciel.

– Maladroit ! dit la petite, comme vous m'avez arrangée ! et ma tante qui ne veut pas que je vienne vous voir seule, qu'est-ce qu'elle va dire ?

– Tu changeras de robe, elle n'en verra rien.

Et il l'embrassa. Jacintha ne s'y opposa pas.

– Que faites-vous demain ? dit-elle après un silence.

– Moi, rien ; et vous ?

– Je vais dîner avec ma tante chez le vieux M. de ★★★, que vous connaissez, et j'y passerai peut-être la soirée.

– J'y serai, dit Onuphrius ; vous pouvez compter sur moi.

– Ne venez pas plus tard que six heures, vous savez, ma tante est poltronne[1], et si nous ne trouvons pas chez M. de ★★★ quelque galant chevalier pour nous reconduire, elle s'en ira avant la nuit tombée.

– Bon, j'y serai à cinq. À demain, Jacintha, à demain.

Et il se penchait sur la rampe pour regarder la svelte jeune fille qui s'en allait. Les derniers plis de sa robe disparurent sous l'arcade, et il rentra.

Avant d'aller plus loin, quelques mots sur Onuphrius. C'était un jeune homme de vingt à vingt-deux ans, quoique au premier abord il parût en avoir davantage. On distinguait ensuite à travers ses traits blêmes et fatigués quelque chose d'enfantin et de peu arrêté, quelques formes de transition de l'adolescence à la virilité. Ainsi tout le haut de la tête était grave et réfléchi comme un front de vieillard, tandis que la bouche était à peine noircie à ses coins d'une ombre bleuâtre, et qu'un sourire jeune errait sur deux

note ....

| **1. poltronne :** peureuse.

lèvres d'un rose assez vif qui contrastait étrangement avec la pâleur des joues et du reste de la physionomie.

Ainsi fait, Onuphrius ne pouvait manquer d'avoir l'air assez
125 singulier, mais sa bizarrerie naturelle était encore augmentée par sa mise[1] et sa coiffure. Ses cheveux, séparés sur le front comme des cheveux de femme, descendaient symétriquement le long de ses tempes jusqu'à ses épaules, sans frisure aucune, aplatis et lustrés[2] à la mode gothique[3], comme on en voit aux anges de Giotto[4] et
130 de Cimabuë[5]. Une ample simarre[6] de couleur obscure tombait à plis roides et droits autour de son corps souple et mince, d'une manière toute dantesque[7]. Il est vrai de dire qu'il ne sortait pas encore avec ce costume; mais c'est la hardiesse plutôt que l'envie qui lui manquait; car je n'ai pas besoin de vous le dire, Onuphrius
135 était Jeune-France[8] et romantique forcené.

Dans la rue, et il n'y allait pas souvent, pour ne pas être obligé de se souiller de l'ignoble accoutrement bourgeois, ses mouvements étaient heurtés, saccadés; ses gestes anguleux, comme s'ils eussent été produits par des ressorts d'acier; sa démarche incer-
140 taine, entrecoupée d'élans subits, de zigzags, ou suspendue tout à coup; ce qui, aux yeux de bien des gens, le faisait passer pour un fou ou du moins pour un original, ce qui ne vaut guère mieux.

Onuphrius ne l'ignorait pas, et c'était peut-être ce qui lui faisait éviter ce qu'on nomme le monde et donnait à sa conver-

notes

1. **mise**: habillement.
2. **lustrés**: brillants.
3. **gothique**: architecture de la seconde moitié du Moyen Âge qui se caractérise notamment par l'élévation de la voûte dans les cathédrales et par un art du vitrail très sophistiqué. L'épithète s'applique aussi au roman noir anglais du XVIIIe siècle, précurseur de la littérature fantastique en Europe. Enfin, dans les années 1970, une mode gothique s'inspirant du roman macabre et favorisant le vêtement d'allure vampirique s'est propagée dans la jeunesse occidentale.

4. Giotto di Bondone (1266-1337), peintre italien.
5. Cimabuë (v. 1240 ou 1250-v. 1302), peintre italien, maître de Giotto.
6. **simarre**: longue robe d'apparat.
7. **dantesque**: qui évoque le caractère épique et fantastique de l'œuvre de l'Italien Dante Alighieri (1265-1321), auteur de *La divine comédie*.
8. **Jeune-France**: nom donné, vers 1830, à certains jeunes romantiques. Gautier avait inséré son récit dans un recueil intitulé *Les Jeunes-France, romans goguenards*.

145 sation un ton d'humeur et de causticité[1] qui ne ressemblait pas mal à de la vengeance ; aussi, quand il était forcé de sortir de sa retraite, n'importe pour quel motif[2], il apportait dans la société une gaucherie[3] sans timidité, une absence de toute forme convenue, un dédain si parfait de ce qu'on y admire, qu'au bout de
150 quelques minutes, avec trois ou quatre syllabes, il avait trouvé moyen de se faire une meute d'ennemis acharnés.

Ce n'est pas qu'il ne fût très aimable lorsqu'il voulait, mais il ne le voulait pas souvent, et il répondait à ses amis qui lui en faisaient des reproches : À quoi bon ? Car il avait des amis ; pas beaucoup,
155 deux ou trois au plus, mais qui l'aimaient de tout l'amour que lui refusaient les autres, qui l'aimaient comme des gens qui ont une injustice à réparer. – À quoi bon ? ceux qui sont dignes de moi et me comprennent ne s'arrêtent pas à cette écorce noueuse : ils savent que la perle est cachée dans une coquille grossière ; les sots
160 qui ne savent pas sont rebutés et s'éloignent : où est le mal ? Pour un fou, ce n'était pas trop mal raisonné.

Onuphrius, comme je l'ai déjà dit, était peintre, il était de plus poète[4] ; il n'y avait guère moyen que sa cervelle en réchappât, et ce qui n'avait pas peu contribué à l'entretenir dans cette exalta-
165 tion fébrile[5], dont Jacintha n'était pas toujours maîtresse, c'étaient ses lectures. Il ne lisait que des légendes merveilleuses et d'anciens romans de chevalerie, des poésies mystiques[6], des traités de cabale[7], des ballades allemandes, des livres de sorcellerie et de démonographie[8] ; avec cela il se faisait, au milieu du monde réel

notes

1. **causticité** : caractère blessant et ironique des propos.
2. **n'importe pour quel motif** : pour n'importe quel motif, quel que soit le motif.
3. **gaucherie** : maladresse.
4. **poète** : avant d'être poète et écrivain, Gautier s'était essayé à la peinture. On peut donc en déduire que le personnage d'Onuphrius est partiellement autobiographique.

5. **fébrile** : pleine de fièvre.
6. **mystiques** : en relation avec le divin, le spirituel.
7. **cabale** : science occulte, de tradition hébraïque, dont un des objets est la communication avec des êtres surnaturels.
8. **livres [...] de démonographie** : ouvrages traitant de la nature et du pouvoir des démons.

170 bourdonnant autour de lui, un monde d'extase et de vision où il était donné à bien peu d'entrer. Du détail le plus commun et le plus positif[1], par l'habitude qu'il avait de chercher le côté surnaturel, il savait faire jaillir quelque chose de fantastique et d'inattendu. Vous l'auriez mis dans une chambre carrée et blanchie à la

175 chaux sur toutes ses parois, et vitrée de carreaux dépolis[2], il aurait été capable de voir quelque apparition étrange tout aussi bien que dans un intérieur de Rembrandt[3] inondé d'ombres et illuminé de fauves[4] lueurs, tant les yeux de son âme et de son corps avaient la faculté de déranger les lignes les plus droites et de

180 rendre compliquées les choses les plus simples, à peu près comme les miroirs courbes ou à facettes qui trahissent les objets qui leur sont présentés, et les font paraître grotesques[5] ou terribles.

Aussi Hoffmann et Jean-Paul[6] le trouvèrent admirablement disposé ; ils achevèrent à eux deux ce que les légendaires avaient

185 commencé. L'imagination d'Onuphrius s'échauffa et se déprava[7] de plus en plus, ses compositions peintes et écrites s'en ressentirent, la griffe ou la queue du diable y perçait toujours par quelque endroit : et sur la toile, à côté de la tête suave et pure de Jacintha, grimaçait fatalement quelque figure monstrueuse, fille

190 de son cerveau en délire.

Il y avait deux ans qu'il avait fait la connaissance de Jacintha, et c'était à une époque de sa vie où il était si malheureux, que je ne souhaiterais pas d'autre supplice à mon plus fier ennemi : il était dans cette situation atroce où se trouve tout homme qui a

195 inventé quelque chose et qui ne rencontre personne pour y croire.

notes...

1. **positif** : réel.
2. **dépolis** : qui ont perdu leur transparence.
3. Rembrandt (1606-1669), peintre hollandais, maître du clair-obscur.
4. **fauves** : brunes de nuance rouge.
5. **grotesques** : qui prêtent à rire par leur côté invraisemblable, excentrique ou bizarre.

6. Johann Paul Friedrich Richter, dit Jean-Paul (1763-1825), écrivain romantique allemand.
7. **se déprava** : s'affaiblit, se dégrada.

Jacintha crut à ce qu'il disait sur sa parole, car l'œuvre était encore en lui, et il l'aima comme Christophe Colomb dut aimer le premier qui ne lui rit pas au nez lorsqu'il parla du nouveau monde qu'il avait deviné. Jacintha l'aimait comme une mère aime son fils, et il se mêlait à son amour une pitié profonde ; car, elle excepté, qui l'aurait aimé comme il fallait qu'il le fût ?

Qui l'eût consolé dans ses malheurs imaginaires, les seuls réels pour lui, qui ne vivait que d'imaginations ? Qui l'eût rassuré, soutenu, exhorté ? Qui eût calmé cette exclamation maladive qui touchait à la folie par plus d'un point, en la partageant plutôt qu'en la combattant ? Personne, à coup sûr.

Et puis lui dire de quelle manière il pourrait la voir, lui donner elle-même les rendez-vous, lui faire mille de ces avances que le monde condamne, l'embrasser de son propre mouvement, lui en fournir l'occasion quand elle la lui voyait chercher, une coquette ne l'eût pas fait ; mais elle savait combien tout cela coûtait au pauvre Onuphrius, et elle lui en épargnait la peine.

Aussi peu accoutumé qu'il était à vivre de la vie réelle, il ne savait comment s'y prendre pour mettre son idée en action, et il se faisait des monstres de la moindre chose.

Ses longues méditations, ses voyages dans les mondes métaphysiques[1] ne lui avaient pas laissé le temps de s'occuper de celui-ci. Sa tête avait trente ans, son corps avait six mois ; il avait si totalement négligé de dresser sa bête[2], que, si Jacintha et ses amis n'eussent pris soin de la diriger, elle eût commis d'étranges bévues. En un mot, il fallait vivre pour lui, il lui fallait un intendant pour son corps, comme il en faut aux grands seigneurs pour leurs terres.

notes..

1. **métaphysiques :** qui dépassent les limites de la physique, de l'expérience sensible.

2. **dresser sa bête :** ici, prendre soin de son corps.

225 Puis, je n'ose l'avouer qu'en tremblant, dans ce siècle d'incrédulité, cela pourrait faire passer mon pauvre ami pour un imbécile : il avait peur. De quoi ? Je vous le donne à deviner en cent ; il avait peur du diable, des revenants, des esprits et de mille autres billevesées[1] ; du reste, il se moquait d'un homme, et de deux, comme vous d'un fantôme.

230 Le soir il ne se fût pas regardé dans une glace pour un empire, de peur d'y voir autre chose que sa propre figure ; il n'eût pas fourré sa main sous son lit pour y prendre ses pantoufles ou quelque autre ustensile, parce qu'il craignait qu'une main froide et moite ne vînt au-devant de la sienne, et ne l'attirât dans la
235 ruelle[2] ; ni jeté les yeux dans les encoignures[3] sombres, tremblant d'y apercevoir de petites têtes de vieilles ratatinées emmanchées sur des manches à balai.

Quand il était seul dans son grand atelier, il voyait tourner autour de lui une ronde fantastique, le conseiller Tusmann, le
240 docteur Tabraccio, le digne Peregrinus Tyss, Crespel avec son violon et sa fille Antonia[4], l'inconnue de la maison déserte et toute la famille étrange du château de Bohème ; c'était un sabbat[5] complet, et il ne se fût pas fait prier pour avoir peur de son chat comme d'un autre Mürr[6].

245 Dès que Jacintha fut partie, il s'assit devant sa toile, et se prit à réfléchir sur ce qu'il appelait les événements de la matinée. Le cadran de Saint-Paul, les moustaches, les pinceaux durcis, les vessies crevées, et surtout le point visuel, tout cela se représenta à sa mémoire avec un air fantastique et surnaturel ; il se creusa la
250 tête pour y trouver une explication plausible ; il bâtit là-dessus un

notes ....

1. billevesées : paroles, idées frivoles, vides de sens.
2. ruelle : espace entre un côté du lit et le mur.
3. encoignures : coins des murs.
4. Tusmann, Tabraccio, Peregrinus Tyss, Crespel, Antonia : personnages des *Contes* d'Hoffmann.

5. sabbat : dans la religion juive, jour de repos (samedi) consacré à Dieu ; par une interprétation malveillante, assemblée nocturne de sorcières et de démons.
6. Mürr : chat doué de raison et de parole, héros d'un conte d'Hoffmann.

volume in-octavo[1] des suppositions les plus extravagantes, les plus invraisemblables qui soient jamais entrées dans un cerveau malade. Après avoir longtemps cherché, ce qu'il rencontra de mieux, c'est que la chose était tout à fait inexplicable… à moins que ce ne fût le diable en personne… Cette idée, dont il se moqua d'abord lui-même, prit racine dans son esprit, et lui semblant moins ridicule à mesure qu'il se familiarisait avec elle, il finit par en être convaincu.

Qu'y avait-il au fond de déraisonnable dans cette supposition ? L'existence du diable est prouvée par les autorités les plus respectables, tout comme celle de Dieu. C'est même un article de foi, et Onuphrius, pour s'empêcher d'en douter, compulsa[2] sur les registres de sa vaste mémoire tous les endroits des auteurs profanes ou sacrés dans lesquels on traite de cette matière importante.

Le diable rôde autour de l'homme ; Jésus lui-même n'a pas été à l'abri de ses embûches[3] ; la tentation de saint Antoine[4] est populaire ; Martin Luther[5] fut aussi tourmenté par Satan, et, pour s'en débarrasser, fut obligé de lui jeter son écritoire à la tête. On voit encore la tache d'encre sur le mur de la cellule[6].

Il se rappela toutes les histoires d'obsession, depuis le possédé de la Bible jusqu'aux religieuses de Loudun[7] ; tous les livres de sorcellerie qu'il avait lus : Bodin, Delrio, Le Loyer, Bordelon, le *Monde invisible* de Bekker[8], l'*Infernalia*[9], les *Farfadets* de M. de

---

notes

1. **in-octavo** : format d'un cahier ou d'un livre résultant du pliage en huit d'une ou de plusieurs feuilles de grandes dimensions.
2. **compulsa** : consulta.
3. Allusion à l'épisode des Évangiles où le Christ est tenté par Satan.
4. Saint Antoine (251-356), ermite célèbre pour ses luttes contre le démon.
5. Martin Luther (1483-1546), théologien allemand et fondateur du protestantisme, mouvement chrétien qui s'est opposé au catholicisme.

6. **cellule** : chambre d'un moine.
7. Cas célèbre de possession diabolique qui concerna, en 1634, les religieuses d'un couvent de Loudun.
8. **Bodin, Delrio, Le Loyer, Bordelon, Bekker** : auteurs des XVIe et XVIIe siècles, qui ont évoqué les démons, les spectres, les mondes invisibles.
9. *Infernalia* : contes attribués à Charles Nodier (1780-1844).

275 Berbiguier de Terre-Neuve du Thym[1], le *Grand* et le *Petit Albert*[2],
et tout ce qui lui parut obscur devint clair comme le jour; c'était
le diable qui avait fait avancer l'aiguille, qui avait mis des moustaches à son portrait, changé le crin de ses brosses en fils d'archal[3]
et rempli ses vessies de poudre fulminante[4]. Le coup dans le coude

280 s'expliquait tout naturellement; mais quel intérêt Belzébuth[5]
pouvait-il avoir à le persécuter? Était-ce pour avoir son âme! ce
n'est pas la manière dont on s'y prend; enfin il se rappela qu'il
avait fait, il n'y a pas bien longtemps, un tableau de saint Dunstan[6]
tenant le Diable par le nez avec des pincettes rouges; il ne douta

285 pas que ce ne fût pour avoir été représenté par lui dans une position aussi humiliante que le diable lui faisait ces petites niches[7]. Le
jour tombait, de longues ombres bizarres se découpaient sur le
plancher de l'atelier. Cette idée grandissant dans sa tête, le frisson
commençait à lui courir le long du dos, et la peur l'aurait bien-

290 tôt pris, si un de ses amis n'eût fait, en entrant, diversion à toutes
ses visions cornues. Il sortit avec lui, et comme personne au
monde n'était plus impressionnable, et que son ami était gai, un
essaim de pensées folâtres eut bientôt chassé ces rêveries lugubres.
Il oublia totalement ce qui était arrivé, ou, s'il s'en ressouvenait,

295 il riait tout bas en lui-même. Le lendemain il se remit à l'œuvre.
Il travailla trois ou quatre heures avec acharnement. Quoique
Jacintha fût absente, ses traits étaient si profondément gravés dans
son cœur, qu'il n'avait pas besoin d'elle pour terminer son portrait. Il était presque fini, il n'y avait plus que deux ou trois

300 dernières touches à poser, et la signature à mettre, quand une

notes

1. Berbiguier de Terre-Neuve du Thym (1776-1851), auteur des *Farfadets* ou *Tous les démons ne sont pas dans l'autre monde*. Il se croyait persécuté par des esprits et mourut fou.
2. Saint Albert le Grand (v. 1193-1280), savant, théologien et alchimiste du XIIIe siècle, qui écrivit des traités de sorcellerie et de magie.
3. **fils d'archal**: fils de fer ou de laiton très fins.
4. **fulminante**: qui a la propriété d'exploser.
5. **Belzébuth**: un des noms du diable.
6. Saint Dunstan (924-988), prélat et homme d'État anglais dont l'influence sur le royaume britannique fut considérable.
7. **niches**: farces.

petite peluche, qui dansait avec ses frères les atomes dans un beau rayon jaune, par une fantaisie inexplicable, quitta tout à coup sa lumineuse salle de bal, se dirigea en se dandinant vers la toile d'Onuphrius, et vint s'abattre sur un rehaut[1], qu'il venait de poser.

305   Onuphrius retourna son pinceau et, avec le manche, l'enleva le plus délicatement possible. Cependant il ne put le faire si légèrement qu'il ne découvrit le champ de la toile en emportant un peu de couleur. Il refit une teinte pour réparer le dommage : la teinte était trop foncée, et faisait tache ; il ne put rétablir l'harmonie

310 qu'en remaniant tout le morceau ; mais, en le faisant, il perdit son contour, et le nez devint aquilin[2], de presque à la Roxelane[3] qu'il était, ce qui changea tout à fait le caractère de la tête ; ce n'était plus Jacintha, mais bien une de ses amies avec qui elle s'était brouillée, parce qu'Onuphrius la trouvait jolie.

315   L'idée du Diable revint à Onuphrius à cette métamorphose étrange ; mais, en regardant plus attentivement, il vit que ce n'était qu'un jeu de son imagination, et comme la journée s'avançait, il se leva et sortit pour rejoindre sa maîtresse chez M. de ★★★. Le cheval allait comme le vent : bientôt Onuphrius vit poindre au

320 dos de la colline la maison de M. de ★★★, blanche entre les marronniers. Comme la grande route faisait un détour, il la quitta pour un chemin de traverse, un chemin creux qu'il connaissait très bien, où tout enfant il venait cueillir des mûres et chasser aux hannetons[4].

325   Il était à peu près au milieu quand il se trouva derrière une charrette à foin, que les détours du sentier l'avaient empêché d'apercevoir. Le chemin était si étroit, la charrette si large, qu'il était impossible de passer devant : il remit son cheval au pas,

notes ....

1. rehaut : touche de couleur faisant contraste.
2. aquilin : fin et recourbé en forme de bec d'aigle.

3. à la Roxelane : retroussé.
4. hannetons : gros insectes que les enfants s'amusent à attraper.

espérant que la route, en s'élargissant, lui permettrait un peu plus
330 loin de le faire. Son espérance fut trompée ; c'était comme un
mur qui reculait imperceptiblement. Il voulut retourner sur ses
pas, une autre charrette de foin le suivait par-derrière et le faisait
prisonnier. Il eut un instant la pensée d'escalader les bords du
ravin, mais ils étaient à pic et couronnés d'une haie vive ; il fallut
335 donc se résigner : le temps coulait, les minutes lui semblaient des
éternités, sa fureur était au comble, ses artères palpitaient, son front
était perlé de sueur.

Une horloge à la voix fêlée, celle du village voisin, sonna six
heures ; aussitôt qu'elle eut fini, celle du château, dans un ton
340 différent, sonna à son tour ; puis une autre, puis une autre encore ;
toutes les horloges de la banlieue d'abord successivement, ensuite
toutes à la fois. C'était un tutti[1] de cloches, un concerto de
timbres flûtés, ronflants, glapissants[2], criards, un carillon à vous
fendre la tête. Les idées d'Onuphrius se confondirent, le vertige
345 le prit. Les clochers s'inclinaient sur le chemin creux pour le
regarder passer, ils le montraient au doigt, lui faisaient la nique[3] et
lui tendaient par dérision leurs cadrans dont les aiguilles étaient
perpendiculaires. Les cloches lui tiraient la langue et lui faisaient
la grimace, sonnant toujours les six coups maudits. Cela dura
350 longtemps, six heures sonnèrent ce jour-là jusqu'à sept.

Enfin, la voiture déboucha dans la plaine. Onuphrius enfonça
ses éperons dans le ventre de son cheval : le jour tombait, on eût
dit que sa monture comprenait combien il lui était important
d'arriver. Ses pieds touchaient à peine la terre, et, sans les aigrettes[4]
355 d'étincelles qui jaillissaient de loin en loin de quelque caillou
heurté, on eût pu croire qu'elle volait. Bientôt une blanche écume
enveloppa comme une housse d'argent son poitrail d'ébène : il

---

notes

1. tutti : ensemble des instruments de l'orchestre (mot italien signifiant « tous »).
2. glapissants : criant d'une façon aiguë et désagréable.

3. faisaient la nique : se moquaient.
4. aigrettes : ornements (de plumes, de bijoux...) en forme de faisceaux.

68

était plus de sept heures quand Onuphrius arriva. Jacintha était partie. M. de ★★★ lui fit les plus grandes politesses, se mit à causer littérature avec lui, et finit par lui proposer une partie de dames.

Onuphrius ne put faire autrement que d'accepter, quoique toute espèce de jeux, et en particulier celui-là, l'ennuyât mortellement. On apporta le damier. M. de ★★★ prit les noires, Onuphrius les blanches : la partie commença, les joueurs étaient à peu près de même force ; il se passa quelque temps avant que la balance penchât d'un côté ou de l'autre.

Tout à coup elle tourna du côté du vieux gentilhomme ; ses pions avançaient avec une inconcevable rapidité, sans qu'Onuphrius, malgré tous les efforts qu'il faisait, pût y apporter aucun obstacle. Préoccupé qu'il était d'idées diaboliques, cela ne lui parut pas naturel ; il redoubla donc d'attention, et finit par découvrir, à côté du doigt dont il se servait pour remuer ses pions, un autre doigt maigre, noueux, terminé par une griffe (que d'abord il avait pris pour l'ombre du sien), qui poussait ses dames sur la ligne blanche, tandis que celles de son adversaire défilaient processionnellement[1] sur la ligne noire. Il devint pâle, ses cheveux se hérissèrent sur sa tête. Cependant il remit ses pions en place, et continua de jouer. Il se persuada que ce n'était que l'ombre, et, pour s'en convaincre, il changea la bougie de place : l'ombre passa de l'autre côté, et se projeta en sens inverse ; mais le doigt à griffe resta ferme à son poste, déplaçant les dames d'Onuphrius, et employant tous les moyens pour le faire perdre.

D'ailleurs, il n'y avait aucun doute à avoir, le doigt était orné d'un gros rubis. Onuphrius n'avait pas de bague.

— Pardieu ! c'est trop fort ! s'écria-t-il en donnant un grand coup de poing dans le damier et en se levant brusquement ; vieux scélérat ! vieux gredin !

note ....

| **1. processionnellement** : en procession, en ligne.

M. de ★★★, qui le connaissait d'enfance et qui attribuait cette algarade[1] au dépit d'avoir perdu, se mit à rire aux éclats et à lui offrir d'ironiques consolations. La colère et la terreur se disputaient l'âme d'Onuphrius : il prit son chapeau et sortit.

La nuit était si noire qu'il fut obligé de mettre son cheval au pas. À peine une étoile passait-elle çà et là le nez hors de sa mantille[2] de nuages ; les arbres de la route avaient l'air de grands spectres tendant les bras ; de temps en temps un feu follet[3] traversait le chemin, le vent ricanait dans les branches d'une façon singulière. L'heure s'avançait, et Onuphrius n'arrivait pas ; cependant les fers de son cheval sonnant sur le pavé montraient qu'il ne s'était pas fourvoyé[4].

Une rafale déchira le brouillard, la lune reparut ; mais, au lieu d'être ronde, elle était ovale. Onuphrius, en la considérant plus attentivement, vit qu'elle avait un serre-tête de taffetas[5] noir, et qu'elle s'était mis de la farine sur les joues ; ses traits se dessinèrent plus distinctement, et il reconnut, à n'en pouvoir douter, la figure blême et allongée de son ami intime Jean-Gaspard Deburau[6], le grand paillasse[7] des Funambules, qui le regardait avec une expression indéfinissable de malice et de bonhomie[8].

Le ciel clignait aussi ses yeux bleus aux cils d'or, comme s'il eût été d'intelligence[9] ; et, comme à la clarté des étoiles on pouvait distinguer les objets, il entrevit quatre personnages de mauvaise

notes ....

1. algarade : altercation vive et soudaine avec quelqu'un.
2. mantille : longue et large écharpe de soie ou de dentelle, le plus souvent noire, couvrant la tête et les épaules, qui fait partie du costume traditionnel des Espagnoles.
3. feu follet : petite flamme fugitive produite par la combustion spontanée de certains gaz qui se dégagent de la décomposition de matières organiques.
4. fourvoyé : trompé de route.
5. taffetas : étoffe de soie à l'aspect craquant quand on la froisse.

6. Jean-Baptiste Deburau (1796-1846), mime célèbre qui créa le personnage de Pierrot au théâtre des Funambules.
7. paillasse : mot d'origine italienne désignant un personnage de théâtre qui portait un vêtement de toile écrue rappelant un sac de paille ; par extension, personne qui porte ce costume.
8. bonhomie : bienveillance.
9. d'intelligence : secrètement d'accord, complice.

Dans *Vampyr* (1932), un classique du cinéma réalisé par le cinéaste danois Carl Theodor Dreyer, le personnage principal vit le même cauchemar que dans *Onuphrius* : assister à son propre enterrement.

mine, habillés mi-partie[1] rouge et noir, qui portaient quelque chose de blanchâtre par les quatre coins, comme des gens qui changeraient un tapis de place ; ils passèrent rapidement à côté de lui, et jetèrent ce qu'ils portaient sous les pieds de son cheval.

415 Onuphrius, malgré sa frayeur, n'eut pas de peine à voir que c'était le chemin qu'il avait déjà parcouru, et que le Diable remettait devant lui pour lui faire pièce[2]. Il piqua des deux[3] ; son cheval fit une ruade et refusa d'avancer autrement qu'au pas ; les quatre démons continuèrent leur manège.

420 Onuphrius vit que l'un d'eux avait au doigt un rubis pareil à celui du doigt qui l'avait si fort effrayé sur le damier : l'identité du personnage n'était plus douteuse. La terreur d'Onuphrius était si grande, qu'il ne sentait plus, qu'il ne voyait ni n'entendait ; ses dents claquaient comme dans la fièvre, un rire convulsif[4] tordait

425 sa bouche. Une fois, il essaya de dire ses prières et de faire un signe de croix, il ne put en venir à bout. La nuit s'écoula ainsi.

Enfin, une raie bleuâtre se dessina sur le bord du ciel : son cheval huma bruyamment par ses naseaux l'air balsamique[5] du matin, le coq de la ferme voisine fit entendre sa voix grêle et éraillée, les

430 fantômes disparurent, le cheval prit de lui-même le galop, et, au point du jour, Onuphrius se trouva devant la porte de son atelier.

Harassé de fatigue, il se jeta sur un divan et ne tarda pas à s'endormir : son sommeil était agité ; le cauchemar lui avait mis

435 le genou sur l'estomac. Il fit une multitude de rêves incohérents, monstrueux, qui ne contribuèrent pas peu à déranger sa raison déjà ébranlée. En voici un qui l'avait frappé, et qu'il m'a raconté plusieurs fois depuis.

notes

1. **mi-partie :** à moitié.
2. **lui faire pièce :** lui jouer un mauvais tour, le contrecarrer dans ses projets.
3. **piqua des deux :** fit accélérer son cheval en le piquant avec les éperons.

4. **convulsif :** involontaire et violent.
5. **balsamique :** qui a les propriétés du baume, résine odoriférante ; par extension, bénéfique, régénérateur.

«J'étais dans une chambre qui n'était pas la mienne ni celle d'aucun de mes amis, une chambre où je n'étais jamais venu, et que cependant je connaissais parfaitement bien : les jalousies[1] étaient fermées, les rideaux tirés ; sur la table de nuit une pâle veilleuse jetait sa lueur agonisante. On ne marchait que sur la pointe du pied, le doigt sur la bouche ; des fioles[2], des tasses encombraient la cheminée. Moi, j'étais au lit comme si j'eusse été malade, et pourtant je ne m'étais jamais mieux porté. Les personnes qui traversaient l'appartement avaient un air triste et affairé qui semblait extraordinaire.

«Jacintha était à la tête de mon lit, qui tenait sa petite main sur mon front, et se penchait vers moi pour écouter si je respirais bien. De temps en temps une larme tombait de ses cils sur mes joues, et elle l'essuyait légèrement avec un baiser.

«Ses larmes me fendaient le cœur, et j'aurais bien voulu la consoler ; mais il m'était impossible de faire le plus petit mouvement, ou d'articuler une seule syllabe : ma langue était clouée à mon palais, mon corps était comme pétrifié.

«Un monsieur vêtu de noir entra, me tâta le pouls, hocha la tête d'un air découragé, et dit tout haut : "C'est fini !" Alors Jacintha se prit à sangloter, à se tordre les mains, et à donner toutes les démonstrations de la plus violente douleur : tous ceux qui étaient dans la chambre en firent autant. Ce fut un concert de pleurs et de soupirs à apitoyer un roc.

«J'éprouvais un secret plaisir d'être regretté ainsi. On me présenta une glace devant la bouche[3] ; je fis des efforts prodigieux pour la ternir de mon souffle, afin de montrer que je n'étais pas mort : je ne pus en venir à bout. Après cette épreuve on me jeta le drap par-dessus la tête ; j'étais au désespoir, je voyais bien qu'on

---

notes

1. **jalousies** : volets.
2. **fioles** : petits flacons.

3. **une glace devant la bouche** : un miroir devant la bouche pour vérifier s'il respirait encore.

me croyait trépassé et que l'on allait m'enterrer tout vivant. Tout le monde sortit : il ne resta qu'un prêtre qui marmotta[1] des prières et qui finit par s'endormir.

470

« Le croque-mort vint, qui me prit mesure d'une bière[2] et d'un linceul[3] ; j'essayai encore de me remuer et de parler, ce fut inutile, un pouvoir invincible m'enchaînait : force me fut de me résigner. Je restai ainsi beaucoup de temps en proie aux plus douloureuses réflexions. Le croque-mort revint avec mes derniers vêtements, les derniers de tout homme, la bière et le linceul : il n'y avait plus qu'à m'en accoutrer.

475

« Il m'entortilla dans le drap, et se mit à me coudre sans précaution comme quelqu'un qui a hâte d'en finir : la pointe de son aiguille m'entrait dans la peau, et me faisait des milliers de piqûres ; ma situation était insupportable. Quand ce fut fait, un de ses camarades me prit par les pieds, lui par la tête, ils me déposèrent dans la boîte : elle était un peu juste pour moi, de sorte qu'ils furent obligés de me donner de grands coups sur les genoux pour pouvoir enfoncer le couvercle.

480

485

« Ils en vinrent à bout à la fin, et l'on planta le premier clou. Cela faisait un bruit horrible. Le marteau rebondissait sur les planches, et j'en sentais le contrecoup. Tant que l'opération dura, je ne perdis pas tout à fait l'espérance ; mais au dernier clou je me sentis défaillir, mon cœur se serra, car je compris qu'il n'y avait plus rien de commun entre le monde et moi : ce dernier clou me rivait[4] au néant pour toujours. Alors seulement je compris toute l'horreur de ma position.

490

« On m'emporta ; le roulement sourd des roues m'apprit que j'étais dans le corbillard ; car bien que je ne pusse manifester mon existence d'aucune manière, je n'étais privé d'aucun de mes sens.

495

notes..................

1. **marmotta** : dit d'une manière confuse ou indistincte.
2. **bière** : cercueil.

3. **linceul** : drap dont on enveloppe les morts.
4. **rivait** : fixait, enchaînait.

74

La voiture s'arrêta, on retira le cercueil. J'étais à l'église, j'entendais parfaitement le chant nasillard[1] des prêtres, et je voyais briller à travers les fentes de la bière la lueur jaune des cierges. La messe finie, on partit pour le cimetière ; quand on me descendit dans la fosse, je ramassai toutes mes forces, et je crois que je parvins à pousser un cri ; mais le fracas de la terre qui roulait sur le cercueil le couvrit entièrement : je me trouvais dans une obscurité palpable et compacte, plus noire que celle de la nuit. Du reste, je ne souffrais pas, corporellement du moins ; quant à mes souffrances morales, il faudrait un volume pour les analyser. L'idée que j'allais mourir de faim ou être mangé aux vers sans pouvoir l'empêcher se présenta la première ; ensuite je pensai aux événements de la veille, à Jacintha, à mon tableau qui aurait eu tant de succès au Salon, à mon drame qui allait être joué, à une partie que j'avais projetée avec mes camarades, à un habit que mon tailleur devait me rapporter ce jour-là ; que sais-je, moi ? à mille choses dont je n'aurais guère dû m'inquiéter ; puis revenant à Jacintha, je réfléchis sur la manière dont elle s'était conduite ; je repassai chacun de ses gestes, chacune de ses paroles, dans ma mémoire ; je crus me rappeler qu'il y avait quelque chose d'outré[2] et d'affecté[3] dans ses larmes, dont je n'aurais pas dû être la dupe : cela me fit ressouvenir de plusieurs choses que j'avais totalement oubliées ; plusieurs détails auxquels je n'avais pas pris garde, considérés sous un nouveau jour, me parurent d'une haute importance ; des démonstrations que j'aurais juré sincères me semblèrent louches ; il me revint dans l'esprit qu'un jeune homme, un[4] espèce de fat[5] moitié cravate, moitié éperons, lui avait autrefois fait la cour. Un soir, nous jouions ensemble, Jacintha m'avait appelé du nom de ce jeune homme au lieu du mien, signe certain de

passage analysé

500

505

510

515

520

525

---

notes

1. **nasillard** : qui vient du nez.
2. **outré** : excessif, exagéré.
3. **affecté** : qui n'est pas sincère.
4. On écrit normalement « une espèce de ».

5. **fat** : médiocre mais très satisfait de soi ; en particulier, qui se croit irrésistible auprès des femmes.

préoccupation ; d'ailleurs je savais qu'elle en avait parlé favorablement dans le monde à plusieurs reprises, et comme de quelqu'un qui ne lui déplairait pas.

530 « Cette idée s'empara de moi, ma tête commença à fermenter[1] ; je fis des rapprochements, des suppositions, des interprétations : comme on doit bien le penser, elles ne furent pas favorables à Jacintha. Un sentiment inconnu se glissa dans mon cœur, et m'apprit ce que c'était que souffrir ; je devins horriblement jaloux, et je ne doutai pas que ce ne fût Jacintha qui, de concert avec[2] son 535 amant, ne m'eût fait enterrer tout vif pour se débarrasser de moi. Je pensai que peut-être en ce moment même ils riaient à gorge déployée du succès de leur stratagème, et que Jacintha livrait aux baisers de l'autre cette bouche qui m'avait juré tant de fois n'avoir jamais été touchée par d'autres lèvres que les miennes.

540 « À cette idée, j'entrai dans une fureur telle que je repris la faculté de me mouvoir ; je fis un soubresaut si violent, que je rompis d'un seul coup les coutures de mon linceul. Quand j'eus les jambes et les bras libres, je donnai de grands coups de coudes et de genoux au couvercle de la bière pour le faire sauter et aller 545 tuer mon infidèle aux bras de son lâche et misérable galant. Sanglante dérision, moi, enterré, je voulais donner la mort ! Le poids énorme de la terre qui pesait sur les planches rendit mes efforts inutiles. Épuisé de fatigue, je retombai dans ma première torpeur[3], mes articulations s'ossifièrent[4] : de nouveau je redevins 550 cadavre. Mon agitation mentale se calma, je jugeai plus sainement les choses : les souvenirs de tout ce que la jeune femme avait fait pour moi, son dévouement, ses soins qui ne s'étaient jamais démentis, eurent bientôt fait évanouir ces ridicules soupçons.

« Ayant usé tous mes sujets de méditation, et ne sachant comment 555 ment tuer le temps, je me mis à faire des vers ; dans ma triste

notes

1. fermenter : être dans un état d'agitation ou de tension.	**3. torpeur :** engourdissement.
2. de concert avec : en s'entendant avec.	**4. s'ossifièrent :** devinrent dures et rigides comme des os.

situation, ils ne pouvaient pas être fort gais : ceux du nocturne Young[1] et du sépulcral Hervey[2] ne sont que des bouffonneries, comparés à ceux-là. J'y dépeignais les sensations d'un homme conservant sous terre toutes les passions qu'il avait eues dessus, et j'intitulai cette rêverie cadavéreuse : *La vie dans la mort*[3]. Un beau titre, sur ma foi ! et ce qui me désespérait, c'était de ne pouvoir les réciter à personne.

« J'avais à peine terminé la dernière strophe, que j'entendis piocher avec ardeur au-dessus de ma tête. Un rayon d'espérance illumine ma nuit. Les coups de pioche se rapprochaient rapidement. La joie que je ressentis ne fut pas de longue durée : les coups de pioche cessèrent. Non, l'on ne peut rendre avec des mots humains l'angoisse abominable que j'éprouvai en ce moment ; la mort réelle n'est rien en comparaison. Enfin j'entendis encore du bruit : les fossoyeurs, après s'être reposés, avaient repris leur besogne. J'étais au ciel : je sentais ma délivrance s'approcher. Le dessus du cercueil sauta. Je sentis l'air froid de la nuit. Cela me fit grand bien, car je commençais à étouffer. Cependant mon immobilité continuait ; quoique vivant, j'avais toutes les apparences d'un mort. Deux hommes me saisirent : voyant les coutures du linceul rompues, ils échangèrent en ricanant quelques plaisanteries grossières, me chargèrent sur leurs épaules et m'emportèrent. Tout en marchant ils chantonnaient à demi-voix des couplets obscènes. Cela me fit penser à la scène des fossoyeurs, dans *Hamlet*[4], et je me dis en moi-même que Shakespeare était un bien grand homme.

« Après m'avoir fait passer par bien des ruelles détournées, ils entrèrent dans une maison que je reconnus pour être celle de

notes

1. Edward Young (1683-1765), poète anglais dont le long poème *Nuits*, sombre et mélancolique, fût précurseur du romantisme.
2. James Hervey, théologien et moraliste du XVIIIe siècle.

3. En 1838, Gautier écrira *La comédie de la mort*, long poème dont la première partie s'intitule aussi « La vie dans la mort ».
4. *Hamlet*, pièce de Shakespeare (1564-1616), dans laquelle on voit des fossoyeurs plaisanter dans un cimetière.

585 mon médecin; c'était lui qui m'avait fait déterrer afin de savoir de quoi j'étais mort. On me déposa sur une table de marbre. Le docteur entra avec une trousse d'instruments; il les étala complaisamment sur une commode. À la vue de ces scalpels, de ces bistouris, de ces lancettes[1], de ces scies d'acier luisantes et polies, j'éprouvai une frayeur horrible, car je compris qu'on allait me

590 disséquer; mon âme, qui jusque-là n'avait pas abandonné mon corps, n'hésita plus à me quitter: au premier coup de scalpel elle était tout à fait dégagée de ses entraves. Elle aimait mieux subir tous les désagréments d'une intelligence dépossédée de ses moyens de manifestation physique, que de partager avec mon corps ces

595 effroyables tortures. D'ailleurs, il n'y avait plus espérance de le conserver, il allait être mis en pièces, et n'aurait pu servir à grand'chose quand même ce déchiquètement ne l'eût pas tué tout de bon. Ne voulant pas assister au dépècement[2] de sa chère enveloppe, mon âme se hâta de sortir.

600 «Elle traversa rapidement une enfilade de chambres, et se trouva sur l'escalier. Par habitude, je descendis les marches une à une; mais j'avais besoin de me retenir, car je me sentais une légèreté merveilleuse. J'avais beau me cramponner au sol, une force invincible m'attirait en haut; c'était comme si j'eusse été attaché à un

605 ballon gonflé de gaz: la terre fuyait mes pieds, je n'y touchais que par l'extrémité des orteils; je dis des orteils, car bien que je ne fusse qu'un pur esprit, j'avais conservé le sentiment des membres que je n'avais plus, à peu près comme un amputé qui souffre de son bras ou de sa jambe absente. Lassé de ces efforts pour rester

610 dans une attitude normale, et, du reste, ayant fait réflexion que mon âme immatérielle ne devait pas se voiturer[3] d'un lieu à l'autre par les mêmes procédés que ma misérable guenille[4] de corps,

notes

1. **lancettes**: instruments de chirurgie ayant la forme de petites lances.
2. **dépècement**: action d'enlever la peau.

3. **se voiturer**: se déplacer.
4. **guenille**: morceau d'étoffe sans valeur.

je me laissai faire à cet ascendant, et je commençai à quitter terre sans pourtant m'élever trop, et me maintenant dans la région moyenne. Bientôt je m'enhardis, et je volai tantôt haut, tantôt bas, comme si je n'eusse fait autre chose de ma vie. Il commençait à faire jour : je montai, je montai, regardant aux vitres des mansardes des grisettes[1] qui se levaient et faisaient leur toilette, me servant des cheminées comme de tubes acoustiques[2] pour entendre ce qu'on disait dans les appartements. Je dois dire que je ne vis rien de bien beau, et que je ne recueillis rien de piquant. M'accoutumant à ces façons d'aller, je planai sans crainte dans l'air libre, au-dessus du brouillard, et je considérai de haut cette immense étendue de toits qu'on prendrait pour une mer figée au moment d'une tempête, ce chaos hérissé de tuyaux, de flèches, de dômes, de pignons, baigné de brume et de fumée, si beau, si pittoresque, que je ne regrettai pas d'avoir perdu mon corps. Le Louvre m'apparut blanc et noir, son fleuve à ses pieds, ses jardins verts à l'autre bout. La foule s'y portait ; il y avait exposition : j'entrai. Les murailles flamboyaient diaprées[3] de peintures nouvelles, chamarrées[4] de cadres d'or richement sculptés. Les bourgeois allaient, venaient, se coudoyaient[5], se marchaient sur les pieds, ouvraient des yeux hébétés, se consultaient les uns les autres comme des gens dont on n'a pas encore fait l'avis, et qui ne savent ce qu'ils doivent penser et dire. Dans la grand'salle, au milieu des tableaux de nos jeunes grands maîtres, Delacroix[6], Ingres[7], Decamps[8], j'aperçus mon tableau à moi : la foule se serrait autour, c'était un rugissement d'admiration ; ceux qui étaient derrière et ne voyaient rien

notes

1. **grisettes** : étoffes communes de couleur grise ; par métonymie, jeunes filles qui la portent, de milieu pauvre, souvent ouvrières dans les maisons de couture.
2. **tubes acoustiques** : appareils qui portent la voix à distance.
3. **diaprées** : qui chatoient, scintillent.
4. **chamarrées** : décorées.
5. **se coudoyaient** : se touchaient du coude.

6. Eugène Delacroix (1798-1863), peintre français, chef de file de l'école romantique.
7. Dominique Ingres (1780-1867), peintre français.
8. Alexandre Gabriel Decamps (1803-1860), peintre français, spécialiste des vues d'Orient.

criaient deux fois plus fort : Prodigieux ! prodigieux ! Mon tableau
640 me sembla à moi-même beaucoup mieux qu'auparavant, et je me
sentis saisi d'un profond respect pour ma propre personne. Cependant, à toutes ces formules admiratives se mêlait un nom qui
n'était pas le mien ; je vis qu'il y avait là-dessous quelque supercherie[1]. J'examinai la toile avec attention : un nom en petits
645 caractères rouges était écrit à l'un de ses coins. C'était celui d'un
de mes amis qui, me voyant mort, ne s'était pas fait scrupule de
s'approprier mon œuvre. Oh ! alors, que je regrettai mon pauvre
corps ! Je ne pouvais ni parler, ni écrire ; je n'avais aucun moyen
de réclamer ma gloire et de démasquer l'infâme plagiaire[2]. Le
650 cœur navré, je me retirai tristement pour ne pas assister à ce
triomphe qui m'était dû. Je voulus voir Jacintha. J'allai chez elle,
je ne la trouvai pas ; je la cherchai vainement dans plusieurs
maisons où je pensais qu'elle pourrait être. Ennuyé d'être seul,
quoiqu'il fût déjà tard, l'envie me prit d'aller au spectacle ; j'en-
655 trai à la Porte-Saint-Martin[3], je fis réflexion que mon nouvel état
avait cela d'agréable que je passais partout sans payer. La pièce
finissait, c'était la catastrophe[4]. Dorval[5], l'œil sanglant, noyée de
larmes, les lèvres bleues, les tempes livides, échevelée, à moitié
nue, se tordait sur l'avant-scène à deux pas de la rampe. Bocage[6],
660 fatal et silencieux, se tenait debout dans le fond : tous les mou-
choirs étaient en jeu ; les sanglots brisaient les corsets[7] ; un
tonnerre d'applaudissements entrecoupait chaque râle de la tragé-
dienne ; le parterre, noir de têtes, houlait comme une mer ; les
loges se penchaient sur les galeries, les galeries sur le balcon. La

notes

1. **supercherie** : tromperie impliquant généralement la substitution du faux au vrai.
2. **plagiaire** : qui copie l'œuvre d'un autre.
3. **Porte-Saint-Martin** : théâtre du boulevard Saint-Martin, à Paris, où ont été joués beaucoup de drames romantiques.
4. **catastrophe** : ici, au sens étymologique de « fin, dénouement ».

5. Marie Dorval (1798-1849), célèbre comédienne qui s'illustra dans les drames romantiques.
6. Pierre Bocage (1797-1863), comédien français qui, en 1831, venait de jouer *Antony* de Dumas, avec Marie Dorval.
7. **corsets** : sous-vêtements féminins destinés à soutenir la poitrine, à serrer la taille et le ventre.

665 toile tomba : je crus que la salle allait crouler : c'étaient des battements de mains, des trépignements, des hurlements ; or, cette pièce était ma pièce : jugez ! J'étais grand à toucher le plafond. Le rideau se leva, on jeta à cette foule le nom de l'auteur.

670 « Ce n'était pas le mien, c'était le nom de l'ami qui m'avait déjà volé mon tableau. Les applaudissements redoublèrent. On voulait traîner l'auteur sur le théâtre : le monstre était dans une loge obscure avec Jacintha. Quand on proclama son nom, elle se jeta à son cou, et lui appuya sur la bouche le baiser le plus enragé que jamais femme ait donné à un homme. Plusieurs personnes la

675 virent ; elle ne rougit même pas : elle était si enivrée, si folle et si fière de son succès, qu'elle se serait, je crois, prostituée à lui dans cette loge et devant tout le monde. Plusieurs voix crièrent : Le voilà ! le voilà ! Le drôle prit un air modeste, et salua profondément. Le lustre, qui s'éteignit, mit fin à cette scène. Je n'essayerai

680 pas de décrire ce qui se passait dans moi ; la jalousie, le mépris, l'indignation se heurtaient dans mon âme ; c'était un orage d'autant plus furieux que je n'avais aucun moyen de le mettre audehors : la foule s'écoula, je sortis du théâtre : j'errai quelque temps dans la rue, ne sachant où aller. La promenade ne me réjouissait

685 guère. Il sifflait une bise piquante : ma pauvre âme, frileuse comme l'était mon corps, grelottait et mourait de froid. Je rencontrai une fenêtre ouverte, j'entrai, résolu de gîter[1] dans cette chambre jusqu'au lendemain. La fenêtre se ferma sur moi : j'aperçus assis dans une grande bergère à ramages[2] un personnage des plus sin-

690 guliers. C'était un grand homme, maigre, sec, poudré à frimas[3], la figure ridée comme une vieille pomme, une énorme paire de besicles[4] à cheval sur un maître-nez, baisant presque le menton. Une petite estafilade[5] transversale, semblable à une ouverture de

---

notes

1. gîter : loger.
2. bergère à ramages : fauteuil large et profond dont le tissu est orné de motifs de fleurs.

3. poudré à frimas : dont la perruque est légèrement poudrée de blanc.
4. besicles : lunettes rondes.
5. estafilade : coupure, entaille.

695 tirelire, enfouie sous une infinité de plis et de poils roides comme des soies[1] de sanglier, représentait tant bien que mal ce que nous appellerons une bouche, faute d'autre terme. Un antique habit noir, limé[2] jusqu'à la corde, blanc sur toutes les coutures, une veste d'étoffe changeante, une culotte courte, des bas chinés[3] et des souliers à boucles : voilà pour le costume. À mon arrivée, ce digne 700 personnage se leva, et alla prendre dans une armoire deux brosses faites d'une manière spéciale : je n'en pus deviner d'abord l'usage ; il en prit une dans chaque main, et se mit à parcourir la chambre avec une agilité surprenante comme s'il poursuivait quelqu'un, et choquant ses brosses l'une contre l'autre du côté des barbes[4] ; je 705 compris alors que c'était le fameux M. Berbiguier de Terre-Neuve du Thym, qui faisait la chasse aux farfadets[5] ; j'étais fort inquiet de ce qui allait arriver, il semblait que cet hétéroclite[6] individu eût la faculté de voir l'invisible, il me suivait exactement, et j'avais toutes les peines du monde à lui échapper. Enfin, il m'accula dans une 710 encoignure, il brandit ses deux fatales brosses, des millions de dards me criblèrent l'âme, chaque crin faisait un trou, la douleur était insoutenable : oubliant que je n'avais ni langue, ni poitrine, je fis de merveilleux efforts pour crier ; et… »

Onuphrius en était là de son rêve lorsque j'entrai dans l'atelier ; 715 il criait effectivement à pleine gorge, je le secouai, il se frotta les yeux et me regarda d'un air hébété ; enfin il me reconnut, et me raconta, ne sachant trop s'il avait veillé ou dormi, la série de ses tribulations que l'on vient de lire ; ce n'était pas, hélas ! les dernières qu'il devait éprouver réellement ou non. Depuis cette 720 nuit fatale, il resta dans un état d'hallucination presque perpétuel qui ne lui permettait pas de distinguer ses rêveries d'avec le vrai. Pendant qu'il dormait, Jacintha avait envoyé chercher le portrait ;

notes ....

1. **soies** : poils.
2. **limé** : usé.
3. **chinés** : dont la couleur n'est pas uniforme.

4. **barbes** : poils durs.
5. **farfadets** : petits lutins.
6. **hétéroclite** : singulier, fait d'éléments disparates.

elle aurait bien voulu y aller elle-même, mais sa robe tachée l'avait trahie auprès de sa tante, dont elle n'avait pu tromper la
725 surveillance.

Onuphrius, on ne peut plus désappointé de ce contretemps, se jeta dans un fauteuil, et, les coudes sur la table, se prit tristement à réfléchir ; ses regards flottaient devant lui sans se fixer particulièrement sur rien : le hasard fit qu'ils tombèrent sur une grande
730 glace de Venise à bordure de cristal, qui garnissait le fond de l'atelier ; aucun rayon de jour ne venait s'y briser, aucun objet ne s'y réfléchissait assez exactement pour que l'on pût en apercevoir les contours : cela faisait un espace vide dans la muraille, une fenêtre ouverte sur le néant, d'où l'esprit pouvait plonger dans les mondes
735 imaginaires. Les prunelles d'Onuphrius fouillaient ce prisme[1] profond et sombre, comme pour en faire jaillir quelque apparition. Il se pencha, il vit son reflet double, il pensa que c'était une illusion d'optique ; mais, en examinant plus attentivement, il trouva que le second reflet ne lui ressemblait en aucune façon ; il crut
740 que quelqu'un était entré dans l'atelier sans qu'il l'eût entendu : il se retourna. Personne. L'ombre continuait cependant à se projeter dans la glace, c'était un homme pâle, ayant au doigt un gros rubis, pareil au mystérieux rubis qui avait joué un rôle dans les fantasmagories[2] de la nuit précédente. Onuphrius commençait à se
745 sentir mal à l'aise. Tout à coup, le reflet sortit de la glace, descendit dans la chambre, vint droit à lui, le força à s'asseoir, et, malgré sa résistance, lui enleva le dessus de la tête comme on ferait de la calotte d'un pâté. L'opération finie, il mit le morceau dans sa poche, et s'en retourna par où il était venu. Onuphrius, avant de
750 le perdre tout à fait de vue dans les profondeurs de la glace, apercevait encore à une distance incommensurable son rubis qui brillait comme une comète. Du reste, cette espèce de trépan[3] ne

notes ....

1. **prisme** : ici, miroir.
2. **fantasmagories** : apparitions surnaturelles, représentations imaginaires.
3. **trépan** : instrument de chirurgie permettant de percer la boîte crânienne ; ici, l'opération elle-même (trépanation).

lui avait fait aucun mal. Seulement, au bout de quelques minutes, il entendit un bourdonnement étrange au-dessus de sa tête ; il leva les yeux, et vit que c'étaient ses idées qui, n'étant plus contenues par la voûte du crâne, s'échappaient en désordre comme des oiseaux dont on ouvre la cage. Chaque idéal de femme qu'il avait rêvé sortit avec son costume, son parler, son attitude (nous devons dire à la louange d'Onuphrius qu'elles avaient l'air de sœurs jumelles de Jacintha), les héroïnes des romans qu'il avait projetés ; chacune de ces dames avait son cortège d'amants, les unes en cotte armoriée[1] du Moyen Âge, les autres en chapeaux et en robe de dix-huit cent trente-deux. Les types qu'il avait créés grandioses, grotesques ou monstrueux, les esquisses de ses tableaux à faire, de toute nation et de tout temps, ses idées métaphysiques sous la forme de petites bulles de savon, les réminiscences[2] de ses lectures, tout cela sortit pendant une heure au moins : l'atelier en était plein. Ces dames et ces messieurs se promenaient en long et en large sans se gêner le moins du monde, causant, riant, se disputant, comme s'ils eussent été chez eux.

Onuphrius, abasourdi, ne sachant où se mettre, ne trouva rien de mieux à faire que de leur céder la place ; lorsqu'il passa sous la porte, le concierge lui remit deux lettres ; deux lettres de femmes, bleues, ambrées[3], l'écriture petite, le pli long, le cachet rose.

La première était de Jacintha, elle était conçue ainsi :

« Monsieur, vous pouvez bien avoir mademoiselle de ★★★ pour maîtresse si cela vous fait plaisir ; quant à moi, je ne veux plus l'être, tout mon regret est de l'avoir été. Vous m'obligerez beaucoup de ne pas chercher à me revoir. »

Onuphrius était anéanti ; il comprit que c'était la maudite ressemblance du portrait qui était cause de tout ; ne se sentant

notes

1. cotte armoriée : vêtement orné de blasons, d'armoiries.
2. réminiscences : souvenirs.

3. ambrées : parfumées à l'ambre.

84

pas coupable, il espéra qu'avec le temps tout s'éclaircirait à son avantage. La seconde lettre était une invitation de soirée.

— Bon! dit-il, j'irai, cela me distraira un peu et dissipera toutes

785 ces vapeurs noires. L'heure vint; il s'habilla, la toilette fut longue; comme tous les artistes (quand ils ne sont pas sales à faire peur). Onuphrius était recherché dans sa mise, non que ce fût un fashionable[1], mais il cherchait à donner à nos pitoyables vêtements un galbe[2] pittoresque, une tournure moins prosaïque[3]. Il se modelait

790 sur un beau Van Dyck[4] qu'il avait dans son atelier, et vraiment il y ressemblait à s'y méprendre. On eût dit le portrait descendu du cadre ou la réflexion de la peinture dans un miroir.

Il y avait beaucoup de monde; pour arriver à la maîtresse de la maison il lui fallut fendre un flot de femmes, et ce ne fut pas sans

795 froisser plus d'une dentelle, aplatir plus d'une manche, noircir plus d'un soulier, qu'il y put parvenir; après avoir échangé les deux ou trois banalités d'usage, il tourna sur ses talons, et se mit à chercher quelque figure amie dans toute cette cohue. Ne trouvant personne de connaissance, il s'établit dans une causeuse[5] à l'embrasure

800 d'une croisée[6], d'où, à demi caché par les rideaux, il pouvait voir sans être vu, car depuis la fantastique évaporation de ses idées, il ne se souciait pas d'entrer en conversation; il se croyait stupide quoiqu'il n'en fût rien; le contact du monde l'avait remis dans la réalité.

805 La soirée était des plus brillantes. Un coup d'œil magnifique! cela reluisait, chatoyait, scintillait; cela bourdonnait, papillonnait, tourbillonnait. Des gazes comme des ailes d'abeilles, des tulles[7], des

notes

1. **fashionable**: terme anglais signifiant « à la mode ».
2. **galbe**: ici, tournure, forme.
3. **moins prosaïque**: moins banale, moins commune.
4. Anton Van Dyck, peintre flamand du XVIIe siècle, célèbre pour ses portraits.

5. **causeuse**: petit canapé bas.
6. **embrasure d'une croisée**: renfoncement pratiqué dans un mur pour y placer une fenêtre.
7. **gazes, tulles**: tissus très légers, à l'aspect presque transparent.

crêpes[1], des blondes[2], lamés[3], côtelés, ondés[4], découpés, déchiquetés à jour ; toiles d'araignée, air filé, brouillard tissu[5] ; de l'or et
810 de l'argent, de la soie et du velours, des paillettes, du clinquant[6],
des fleurs, des plumes, des diamants et des perles ; tous les écrins
vidés, le luxe de tous les mondes à contribution. Un beau tableau,
sur ma foi ! les girandoles[7] de cristal étincelaient comme des
étoiles ; des gerbes de lumière, des iris[8] prismatiques[9] s'échappaient
815 des pierreries ; les épaules des femmes, lustrées, satinées, trempées
d'une molle sueur, semblaient des agates ou des onyx[10] dans l'eau ;
les yeux papillotaient, les gorges battaient la campagne, les mains
s'étreignaient, les têtes penchaient, les écharpes allaient au vent,
c'était le beau moment : la musique étouffée par les voix, les voix
820 par le frôlement des petits pieds sur le parquet et le frou-frou des
robes, tout cela formait une harmonie de fête, un bruissement
joyeux à enivrer le plus mélancolique, à rendre fou tout autre
qu'un fou.

Pour Onuphrius, il n'y prenait pas garde, il songeait à Jacintha.
825 Tout à coup son œil s'alluma, il avait vu quelque chose
d'extraordinaire : un jeune homme qui venait d'entrer ; il pouvait
avoir vingt-cinq ans, un frac[11] noir, le pantalon pareil, un gilet de
velours rouge taillé en pourpoint[12], des gants blancs, un binocle[13]
d'or, des cheveux en brosse, une barbe rousse à la Saint-Mégrin[14],
830 il n'y avait là rien d'étrange, plusieurs merveilleux[15] avaient le

notes

1. **crêpes** : étoffes généralement de laine ou de soie, plus ou moins légères et transparentes, à l'aspect ondulé.
2. **blondes** : dentelles de soie de couleur écrue.
3. **lamés** : tissés avec des fils de métal.
4. **ondés** : dont la surface présente une succession alternative de nuances ou de reflets.
5. **tissu** : ici, mis pour *tissé*.
6. **clinquant** : qui a un éclat très voyant.
7. **girandoles** : chandeliers à plusieurs branches, souvent en cristal.
8. **iris** : spectres lumineux produits par une diffraction de la lumière blanche.
9. **prismatiques** : qui rappellent les couleurs aperçues à travers le prisme optique.
10. **agates, onyx** : pierres semi-précieuses.
11. **frac** : habit noir de cérémonie.
12. **pourpoint** : partie du vêtement qui couvre le torse.
13. **binocle** : lunettes sans branches que l'on fixait au nez.
14. Saint-Mégrin, favori d'Henri III, mort en 1578.
15. **merveilleux** : au début du XIXe siècle, jeunes élégants à la tenue excentrique.

même costume ; ses traits étaient parfaitement réguliers, son profil fin et correct eût fait envie à plus d'une petite-maîtresse[1], mais il y avait tant d'ironie dans cette bouche pâle et mince, dont les coins fuyaient perpétuellement sous l'ombre de leurs mous-
835 taches fauves, tant de méchanceté dans cette prunelle qui flamboyait à travers la glace du lorgnon comme l'œil d'un vampire, qu'il était impossible de ne pas le distinguer entre mille.

Il se déganta. Lord Byron[2] ou Bonaparte se fussent honorés de sa petite main aux doigts ronds et effilés, si frêle, si blanche, si
840 transparente, qu'on eût craint de la briser en la serrant ; il portait un gros anneau à l'index, le chaton[3] était le fatal rubis ; il brillait d'un éclat si vif, qu'il vous forçait à baisser les yeux.

Un frisson courut dans les cheveux d'Onuphrius.

La lumière des candélabres devint blafarde et verte ; les yeux des
845 femmes et les diamants s'éteignirent ; le rubis radieux étincelait seul au milieu du salon obscurci comme un soleil dans la brume.

L'enivrement de la fête, la folie du bal étaient au plus haut degré ; personne, Onuphrius excepté, ne fit attention à cette circonstance ; ce singulier personnage se glissait comme une
850 ombre entre les groupes, disant un mot à celui-ci, donnant une poignée de main à celui-là, saluant les femmes avec un air de respect dérisoire et de galanterie exagérée qui faisait rougir les unes et mordre les lèvres aux autres ; on eût dit que son regard de lynx et de loup-cervier[4] plongeait au profond de leur cœur ; un
855 satanique dédain perçait dans ses moindres mouvements, un imperceptible clignement d'œil, un pli du front, l'ondulation des sourcils, la proéminence[5] que conservait toujours sa lèvre inférieure, même dans son détestable demi-sourire, tout trahissait

notes ....

1. **petite-maîtresse** : jeune élégante aux allures et aux manières affectées et prétentieuses.
2. Lord Byron (1788-1824), poète romantique anglais.

3. **chaton** : partie de la bague dans laquelle la pierre est enchâssée.
4. **loup-cervier** : autre nom du lynx européen.
5. **proéminence** : gonflement.

en lui, malgré la politesse de ses manières et l'humilité de ses
860 discours, des pensées d'orgueil qu'il aurait voulu réprimer.

Onuphrius, qui le couvait des yeux, ne savait que penser ; s'il
n'eût pas été en si nombreuse compagnie, il aurait eu grand'peur.

Il s'imagina même un instant reconnaître le personnage qui lui
avait enlevé le dessus de la tête ; mais il se convainquit bientôt que
865 c'était une erreur. Plusieurs personnes s'approchèrent, la conversation s'engagea ; la persuasion où il était qu'il n'avait plus d'idées
les lui ôtait effectivement ; inférieur à lui-même, il était au niveau
des autres ; on le trouva charmant et beaucoup plus spirituel qu'à
l'ordinaire. Le tourbillon emporta ses interlocuteurs, il resta seul ;
870 ses idées prirent un autre cours ; il oublia le bal, l'inconnu, le bruit
lui-même et tout ; il était à cent lieues.

Un doigt se posa sur son épaule, il tressaillit comme s'il se fût
réveillé en sursaut. Il vit devant lui madame de ★★★, qui depuis un
quart d'heure se tenait debout sans pouvoir attirer son attention.
875 — Eh bien ! monsieur, à quoi pensez-vous donc ? À moi, peut-
être ?

— À rien, je vous jure.

Il se leva, madame de ★★★ prit son bras ; ils firent quelques tours.
Après plusieurs propos :
880 — J'ai une grâce à vous demander.

— Parlez, vous savez bien que je ne suis pas cruel, surtout avec
vous.

— Récitez à ces dames la pièce de vers que vous m'avez dite
l'autre jour, je leur en ai parlé, elles meurent d'envie de l'entendre.
885 À cette proposition, le front d'Onuphrius se rembrunit[1], il
répondit par un non bien accentué ; madame de ★★★ insista
comme les femmes savent insister. Onuphrius résista autant qu'il
le fallait pour se justifier à ses propres yeux de ce qu'il appelait une
faiblesse, et finit par céder, quoique d'assez mauvaise grâce.

note ....

| **1. se rembrunit** : prit une expression triste, inquiète, contrariée.

890 Madame de ★★★, triomphante, le tenant par le bout du doigt pour qu'il ne pût s'esquiver, l'amena au milieu du cercle, et lui lâcha la main ; la main tomba comme si elle eût été morte. Onuphrius, décontenancé, promenait autour de lui des regards mornes et effarés comme un taureau sauvage que le picador[1] vient
895 de lancer dans le cirque. Le dandy[2] à barbe rouge était là, retroussant ses moustaches et considérant Onuphrius d'un air de méchanceté satisfaite. Pour faire cesser cette situation pénible, madame de ★★★ lui fit signe de commencer. Il exposa le sujet de sa pièce, et en dit le titre d'une voix assez mal assurée. Le bour-
900 donnement cessa, les chuchotements se turent, on se disposa à écouter, un grand silence se fit.

Onuphrius était debout, la main sur le dos d'un fauteuil qui lui servait comme de tribune. Le dandy vint se placer tout à côté, si près qu'il le touchait. Quand il vit qu'Onuphrius allait ouvrir la
905 bouche, il tira de sa poche une spatule d'argent et un réseau de gaze[3], emmanché à l'un de ses bouts d'une petite baguette d'ébène ; la spatule était chargée d'une substance mousseuse et rosâtre, assez semblable à la crème qui remplit les meringues, qu'Onuphrius reconnut aussitôt pour des vers de Dorat, de
910 Boufflers, de Bernis et de M. le chevalier de Pezay[4], réduits à l'état de bouillie ou de gélatine. Le réseau était vide.

Onuphrius, craignant que le dandy ne lui jouât quelque tour, changea le fauteuil de place, et s'assit dedans ; l'homme aux yeux verts vint se planter juste derrière lui ; ne pouvant plus reculer,
915 Onuphrius commença. À peine la dernière syllabe du premier

notes

1. **picador** : cavalier armé d'une pique qui fatigue le taureau au début d'une corrida.
2. **dandy** : en Angleterre, au début du XIXe siècle, jeune homme appartenant à un groupe de la haute société qui réglait la mode ; en France, à l'époque romantique, personnage dont le raffinement témoigne d'un anticonformisme et d'une conduite fondée sur le mépris des conventions sociales et de la morale bourgeoise.

3. **réseau de gaze** : filet.
4. **Dorat, Boufflers, Bernis, le chevalier de Pezay** : poètes légers de la fin du XVIIIe siècle.

vers s'était-elle envolée de sa lèvre, que le dandy, allongeant son réseau avec une dextérité[1] merveilleuse, la saisit au vol, et l'intercepta avant que le son eût le temps de parvenir à l'oreille de l'assemblée ; et puis, brandissant sa spatule, il lui fourra dans la
920 bouche une cuillerée de son insipide mélange. Onuphrius eût bien voulu s'arrêter ou se sauver ; mais une chaîne magique le clouait au fauteuil. Il lui fallut continuer et cracher cette odieuse mixture en friperies[2] mythologiques et en madrigaux quintessenciés[3]. Le manège se renouvelait à chaque vers ; personne,
925 cependant, n'avait l'air de s'en apercevoir.

Les pensées neuves, les belles rimes d'Onuphrius, diaprées de mille couleurs romantiques, se débattaient et sautelaient[4] dans la résille[5] comme des poissons dans un filet ou des papillons sous un mouchoir.

930 Le pauvre poète était à la torture, des gouttes de sueur ruisse-laient de ses tempes. Quand tout fut fini, le dandy prit délicate-ment les rimes et les pensées d'Onuphrius par les ailes et les serra dans son portefeuille.

— Bien, très bien, dirent quelques hommes poètes ou artistes en
935 se rapprochant d'Onuphrius, un délicieux pastiche[6], un admirable pastel, du Watteau[7] tout pur, de la régence[8] à s'y tromper, des mouches[9], de la poudre et du fard, comment diable as-tu fait pour

notes

1. **dextérité** : adresse.
2. **friperies** : vieux vêtements.
3. **madrigaux quintessenciés** : petits poèmes galants d'une subtilité excessive, trop recherchés.
4. **sautelaient** : sautillaient.
5. **résille** : filet.
6. **pastiche** : œuvre qui en imite ouvertement une autre.
7. Antoine Watteau (1684-1721), peintre français dont les tableaux évoquent souvent des fêtes dans des parcs.

8. Période de la régence (1715-1723) exercée à la mort de Louis XIV par son neveu Philippe II d'Orléans et marquée par des mœurs dissolues.
9. **mouches** : petits ronds de taffetas ou de velours noir ou faits d'un point de crayon spécial, imitant le grain de beauté, que les femmes se mettaient parfois sur le visage ou sur le décolleté par coquetterie ou pour rehausser la blancheur de leur peau.

grimer[1] ainsi ta poésie ? C'est d'un rococo[2] admirable ; bravo, bravo, d'honneur[3], une plaisanterie fort spirituelle ! Quelques
940 dames l'entourèrent et dirent aussi : Délicieux ! en ricanant d'une manière à montrer qu'elles étaient au-dessus de semblables bagatelles[4] quoique au fond du cœur elles trouvassent cela charmant et se fussent très fort accommodées d'une pareille poésie pour leur consommation particulière.

945 —Vous êtes tous des brigands ! s'écria Onuphrius d'une voix de tonnerre en renversant sur le plateau le verre d'eau sucrée qu'on lui présentait. C'est un coup monté, une mystification[5] complète ; vous m'avez fait venir ici pour être le jouet du Diable, oui, de Satan en personne, ajouta-t-il en désignant du doigt le fashionable
950 à gilet écarlate.

Après cette algarade, il enfonça son chapeau sur ses yeux et sortit sans saluer.

—Vraiment, dit le jeune homme en refourrant sous les basques[6] de son habit une demi-aune[7] de queue velue qui venait de s'échap-
955 per et qui se déroulait en frétillant, me prendre pour le diable, l'invention est plaisante ! Décidément, ce pauvre Onuphrius est fou. Me ferez-vous l'honneur de danser cette contredanse avec moi, mademoiselle ? reprit-il, un instant après, en baisant la main d'une angélique créature de quinze ans, blonde et nacrée, un idéal
960 de Lawrence[8].

---

notes

1. grimer : maquiller de façon outrancière.
2. rococo : style en vogue au XVIIIe siècle notamment et caractérisé par une ornementation surchargée, par le goût d'une fantaisie débordante, d'une grâce maniérée.
3. d'honneur : formule abrégée pour *parole d'honneur.*
4. bagatelles : choses qui ne méritent pas qu'on leur accorde une grande importance.

5. mystification : tromperie.
6. basques : parties découpées du vêtement qui descendent au-dessous de la taille.
7. L'aune est une ancienne mesure de longueur.
8. Thomas Lawrence (1769-1830), peintre et portraitiste anglais.

— Oh! mon Dieu, oui, dit la jeune fille avec son sourire ingénu, levant ses longues paupières soyeuses laissant nager vers lui ses beaux yeux couleur du ciel.

Au mot Dieu, un long jet sulfureux s'échappa du rubis, la pâleur du réprouvé[1] doubla; la jeune fille n'en vit rien: et quand elle l'aurait vu? elle l'aimait!

Quand Onuphrius fut dans la rue, il se mit à courir de toutes ses forces; il avait la fièvre, il délirait, il parcourut au hasard une infinité de ruelles et de passages. Le ciel était orageux, les girouettes grinçaient, les volets battaient les murs, les marteaux des portes retentissaient, les vitrages s'éteignaient successivement; le roulement des voitures se perdait dans le lointain, quelques piétons attardés longeaient les maisons, quelques filles de joie traînaient leurs robes de gaze dans la boue; les réverbères, bercés par le vent, jetaient des lueurs rouges et échevelées sur les ruisseaux gonflés de pluie; les oreilles d'Onuphrius tintaient; toutes les rumeurs étouffées de la nuit, le ronflement d'une ville qui dort, l'aboi d'un chien, le miaulement d'un matou, le son de la goutte d'eau tombant du toit, le quart sonnant à l'horloge gothique, les lamentations de la bise, tous ces bruits du silence agitaient convulsivement ses fibres, tendues à rompre par les événements de la soirée. Chaque lanterne était un œil sanglant qui l'espionnait; il croyait voir grouiller dans l'ombre des formes sans nom, pulluler sous ses pieds des reptiles immondes; il entendait des ricanements diaboliques, des chuchotements mystérieux. Les maisons valsaient autour de lui; le pavé ondait[2], le ciel s'abaissait comme une coupole dont on aurait brisé les colonnes; les nuages couraient, couraient, couraient, comme si le Diable les eût emportés; une grande cocarde[3] tricolore avait remplacé la lune.

notes

1. **réprouvé**: damné.
2. **ondait**: ondulait.

3. **cocarde**: insigne d'étoffe ou de métal, généralement rond, de couleurs variées indiquant un grade, l'appartenance à une nation, à une armée ou à un parti.

990 Les rues et les ruelles s'en allaient bras dessus bras dessous, caquetant[1] comme de vieilles portières[2] ; il en passa beaucoup de la sorte. La maison de Mme de ★★★ passa. On sortait du bal, il y avait encombrement à la porte ; on jurait, on appelait les équipages[3]. Le jeune homme au réseau descendit ; il donnait le
995 bras à une dame ; cette dame n'était autre que Jacintha ; le marchepied de la voiture s'abaissa, le dandy lui présenta la main ; ils montèrent ; la fureur d'Onuphrius était au comble ; décidé à éclaircir cette affaire, il croisa ses bras sur sa poitrine, et se planta au milieu du chemin. Le cocher fit claquer son fouet, une
1000 myriade[4] d'étincelles jaillit du pied des chevaux. Ils partirent au galop ; le cocher cria : Gare ! il ne se dérangea pas : les chevaux étaient lancés trop fort pour qu'on pût les retenir. Jacintha poussa un cri ; Onuphrius crut que c'était fait de lui ; mais chevaux, cocher, voiture, n'étaient qu'une vapeur que son corps divisa
1005 comme l'arche d'un pont fait d'une masse d'eau qui se rejoint ensuite. Les morceaux du fantastique équipage se réunirent à quelques pas derrière lui, et la voiture continua à rouler comme s'il ne fût rien arrivé. Onuphrius, atterré, la suivit des yeux : il entrevit Jacintha, qui, ayant levé le store, le regardait d'un air triste
1010 et doux, et le dandy à barbe rouge qui riait comme une hyène ; un angle de la rue l'empêcha d'en voir davantage ; inondé de sueur, pantelant[5], crotté jusqu'à l'échine, pâle, harassé de fatigue et vieilli de dix ans, Onuphrius regagna péniblement le logis. Il
1015 faisait grand jour comme la veille ; en mettant le pied sur le seuil il tomba évanoui. Il ne sortit de sa pâmoison[6] qu'au bout d'une heure ; une fièvre furieuse y succéda. Sachant Onuphrius en danger, Jacintha oublia bien vite sa jalousie et sa promesse de ne plus le voir ; elle vint s'établir au chevet de son lit, et lui prodigua

notes

1. caquetant : bavardant à tort et à travers.
2. portières : concierges.
3. équipages : voitures à chevaux, avec le personnel qui les conduit.
4. myriade : multitude.
5. pantelant : à bout de souffle, bouleversé.
6. pâmoison : évanouissement.

les soins et les caresses les plus tendres. Il ne la reconnaissait pas ;
1020 huit jours se passèrent ainsi ; la fièvre diminua ; son corps se
rétablit, mais non pas sa raison ; il s'imaginait que le Diable lui
avait escamoté**1** son corps, se fondant sur ce qu'il n'avait rien senti
lorsque la voiture lui avait passé dessus.

L'histoire de Pierre Schlemil**2**, dont le diable avait pris l'ombre ;
1025 celle de la nuit de Saint-Sylvestre**3**, où un homme perd son reflet,
lui revinrent en mémoire ; il s'obstinait à ne pas voir son image
dans les glaces et son ombre sur le plancher, chose toute naturelle,
puisqu'il n'était qu'une substance impalpable ; on avait beau le
frapper, le pincer, pour lui démontrer le contraire, il était dans un
1030 état de somnambulisme et de catalepsie**4** qui ne lui permettait pas
de sentir même les baisers de Jacintha.

La lumière s'était éteinte dans la lampe ; cette belle imagination,
surexcitée par des moyens factices**5**, s'était usée en de vaines
débauches ; à force d'être spectateur de son existence, Onuphrius
1035 avait oublié celle des autres, et les liens qui le rattachaient au
monde s'étaient brisés un à un.

Sorti de l'arche**6** du réel, il s'était lancé dans les profondeurs
nébuleuses**7** de la fantaisie et de la métaphysique ; mais il n'avait pu
revenir avec le rameau d'olive**8** ; il n'avait pas rencontré la terre
1040 sèche où poser le pied et n'avait pas su retrouver le chemin par où
il était venu ; il ne put, quand le vertige le prit d'être si haut et si

notes

1. escamoté : fait disparaître.
2. Peter Schlemil, personnage d'un conte
de l'écrivain romantique allemand
Adelbert von Chamisso (1781-1838), qui a
vendu son ombre au Diable.
3. la nuit de Saint-Sylvestre : allusion à
un conte d'Hoffmann, dans lequel un
personnage a perdu son reflet.
4. catalepsie : état de quasi-paralysie dans
lequel la sensibilité extérieure et les
mouvements volontaires sont suspendus.
5. factices : qui ne sont pas réels, faux.

6. arche : allusion à l'épisode de l'arche de
Noé, dans la *Genèse*, au cours duquel, pour
échapper au Déluge, Noé s'embarque dans
une arche ; au bout de quarante jours, la
colombe qu'il a envoyée revient portant
un rameau d'olivier, lui indiquant ainsi la
fin du cataclysme.
7. nébuleuses : qui sont voilées ou
couvertes par des nuages ou du brouillard.
8. rameau d'olive : symbole de paix.

loin, redescendre comme il l'aurait souhaité, et renouer avec le monde positif[1]. Il eût été capable, sans cette tendance funeste, d'être le plus grand des poètes ; il ne fut que le plus singulier des fous. Pour avoir trop regardé sa vie à la loupe, car son fantastique, il le prenait presque toujours dans les événements ordinaires, il lui arriva ce qui arrive à ces gens qui aperçoivent, à l'aide du microscope, des vers dans les aliments les plus sains, des serpents dans les liqueurs les plus limpides. Ils n'osent plus manger ; la chose la plus naturelle, grossie par son imagination, lui paraissait monstrueuse.

M. le docteur Esquirol fit, l'année passée, un tableau statistique de la folie.

Fous par amour.........	Hommes	2	Femmes	60
— par dévotion......	—	6	—	20
— par politique......	—	43	—	3
— perte de fortune.	—	27	—	24
Pour cause inconnue.	—	1	—	

Celui-là, c'est notre pauvre ami.

Et Jacintha ? Ma foi, elle pleura quinze jours, fut triste quinze autres, et, au bout d'un mois, elle prit plusieurs amants, cinq ou six, je crois, pour faire la monnaie d'Onuphrius ; un an après, elle l'avait totalement oublié, et ne se souvenait même plus de son nom. N'est-ce pas, lecteur, que cette fin est bien commune pour une histoire extraordinaire ? Prenez-la ou laissez-la, je me couperais la gorge plutôt que de mentir d'une syllabe.[2]

---

notes

1. **le monde positif** : la réalité.

2. Texte conforme à celui paru dans le recueil *Les Jeunes-France*.

L'île des morts, tableau de Arnold Böcklin, 1883.

La Morte amoureuse

Vous me demandez, frère, si j'ai aimé ; oui. C'est une histoire singulière et terrible, et, quoique j'aie soixante-dix ans, j'ose à peine remuer la cendre de ce souvenir. Je ne veux rien vous refuser, mais je ne ferais pas à une âme moins éprouvée un pareil
5 récit. Ce sont des événements si étranges, que je ne puis croire qu'ils me soient arrivés. J'ai été pendant plus de trois ans le jouet d'une illusion singulière et diabolique. Moi, pauvre prêtre de campagne, j'ai mené en rêve toutes les nuits (Dieu veuille que ce soit un rêve !) une vie de damné, une vie de mondain et de
10 Sardanapale[1]. Un seul regard trop plein de complaisance jeté sur une femme pensa causer la perte de mon âme ; mais enfin, avec l'aide de Dieu et de mon saint patron[2], je suis parvenu à chasser l'esprit malin qui s'était emparé de moi. Mon existence s'était

notes

1. Sardanapale : souverain assyrien fictif, symbole d'une vie de débauche.

2. mon saint patron : saint Romuald ou Romuald de Ravenne (951-1027) fut un moine ermite. C'est un saint guérisseur que l'on invoque afin de guérir les troubles psychiques. Le nom apparaît très bien choisi pour le personnage de Gautier : il permet d'y ajouter un peu plus d'ambiguïté.

compliquée d'une existence nocturne entièrement différente. Le jour, j'étais un prêtre du Seigneur, chaste, occupé de la prière et des choses saintes ; la nuit, dès que j'avais fermé les yeux, je devenais un jeune seigneur, fin connaisseur en femmes, en chiens et en chevaux, jouant aux dés, buvant et blasphémant[1] ; et lorsqu'au lever de l'aube je me réveillais, il me semblait au contraire que je m'endormais et que je rêvais que j'étais prêtre. De cette vie somnambulique il m'est resté des souvenirs d'objets et de mots dont je ne puis pas me défendre, et, quoique je ne sois jamais sorti des murs de mon presbytère[2], on dirait plutôt, à m'entendre, un homme ayant usé de tout et revenu du monde, qui est entré en religion et qui veut finir dans le sein de Dieu des jours trop agités, qu'un humble séminariste qui a vieilli dans une cure[3] ignorée, au fond d'un bois et sans aucun rapport avec les choses du siècle[4].

Oui, j'ai aimé comme personne au monde n'a aimé, d'un amour insensé et furieux, si violent que je suis étonné qu'il n'ait pas fait éclater mon cœur. Ah ! quelles nuits ! quelles nuits !

Dès ma plus tendre enfance, je m'étais senti de la vocation pour l'état de prêtre ; aussi toutes mes études furent-elles dirigées dans ce sens-là, et ma vie, jusqu'à vingt-quatre ans, ne fut-elle qu'un long noviciat[5]. Ma théologie achevée, je passai successivement par tous les petits ordres[6], et mes supérieurs me jugèrent digne, malgré ma grande jeunesse, de franchir le dernier et redoutable degré. Le jour de mon ordination[7] fut fixé à la semaine de Pâques.

notes

1. **blasphémant :** tenant des propos qui insultent la religion.
2. **presbytère :** habitation du prêtre.
3. **cure :** paroisse.
4. **siècle :** dans un sens religieux, ce mot désigne le monde et ses préoccupations, opposés aux valeurs spirituelles.
5. **noviciat :** période d'apprentissage et de préparation à la vie monastique ou à la fonction de prêtre.

6. **petits ordres :** premiers degrés dans la hiérarchie ecclésiastique, avant de devenir prêtre.
7. **ordination :** cérémonie au cours de laquelle on consacre un prêtre.

Je n'étais jamais allé dans le monde ; le monde, c'était pour moi
40   l'enclos du collège et du séminaire[1]. Je savais vaguement qu'il y
avait quelque chose que l'on appelait femme, mais je n'y arrêtais
pas ma pensée ; j'étais d'une innocence parfaite. Je ne voyais ma
mère vieille et infirme que deux fois l'an. C'étaient là toutes mes
relations avec le dehors.

45   Je ne regrettais rien, je n'éprouvais pas la moindre hésitation
devant cet engagement irrévocable ; j'étais plein de joie et d'impatience. Jamais jeune fiancé n'a compté les heures avec une ardeur
plus fiévreuse ; je n'en dormais pas, je rêvais que je disais la messe ;
être prêtre, je ne voyais rien de plus beau au monde : j'aurais re-
50   fusé d'être roi ou poète. Mon ambition ne concevait pas au-delà.

Ce que je dis là est pour vous montrer combien ce qui m'est
arrivé ne devait pas m'arriver, et de quelle fascination inexplicable j'ai été la victime.

Le grand jour venu, je marchai à l'église d'un pas si léger, qu'il
55   me semblait que je fusse soutenu en l'air ou que j'eusse des
ailes aux épaules. Je me croyais un ange, et je m'étonnais de la
physionomie sombre et préoccupée de mes compagnons ; car
nous étions plusieurs. J'avais passé la nuit en prières, et j'étais dans
un état qui touchait presque à l'extase. L'évêque, vieillard véné-
60   rable, me paraissait Dieu le Père penché sur son éternité, et je
voyais le ciel à travers les voûtes du temple.

Vous savez les détails de cette cérémonie : la bénédiction, la
communion sous les deux espèces[2], l'onction de la paume des
mains avec l'huile des catéchumènes[3], et enfin le saint sacrifice[4]
65   offert de concert avec[5] l'évêque. Je ne m'appesantirai pas sur cela.

passage analysé

notes

1. séminaire : lieu d'études pour les futurs
prêtres.
2. communion sous les deux espèces :
goûter le pain et le vin consacrés pendant
la messe.
3. catéchumènes : personnes qui reçoivent
une instruction religieuse en vue du
baptême.

4. le saint sacrifice : désigne le moment où
le prêtre consacre le pain et le vin.
5. de concert avec : en compagnie de.

Oh ! que Job[1] a raison, et que celui-là est imprudent qui ne conclut pas un pacte avec ses yeux ! Je levai par hasard ma tête, que j'avais jusque-là tenue inclinée, et j'aperçus devant moi, si près que j'aurais pu la toucher, quoique en réalité elle fût à une assez

70 grande distance et de l'autre côté de la balustrade, une jeune femme d'une beauté rare et vêtue avec une magnificence royale. Ce fut comme si des écailles me tombaient des prunelles. J'éprouvai la sensation d'un aveugle qui recouvrerait subitement la vue. L'évêque, si rayonnant tout à l'heure, s'éteignit tout à coup, les

75 cierges pâlirent sur leurs chandeliers d'or comme les étoiles au matin, et il se fit par toute l'église une complète obscurité. La charmante créature se détachait sur ce fond d'ombre comme une révélation angélique ; elle semblait éclairée d'elle-même et donner le jour plutôt que le recevoir.

80 Je baissai la paupière, bien résolu à ne plus la relever pour me soustraire à l'influence des objets extérieurs ; car la distraction m'envahissait de plus en plus, et je savais à peine ce que je faisais.

Une minute après, je rouvris les yeux, car à travers mes cils je la voyais étincelante des couleurs du prisme[2], et dans une pénombre

85 bre pourprée[3] comme lorsqu'on regarde le soleil.

Oh ! comme elle était belle ! Les plus grands peintres, lorsque, poursuivant dans le ciel la beauté idéale, ils ont rapporté sur la terre le divin portrait de la Madone[4], n'approchent même pas de cette fabuleuse réalité. Ni les vers du poète ni la palette[5] du

90 peintre n'en peuvent donner une idée. Elle était assez grande, avec une taille et un port de déesse ; ses cheveux, d'un blond doux, se séparaient sur le haut de sa tête et coulaient sur ses tempes comme deux fleuves d'or ; on aurait dit une reine avec son diadème[6] ; son

passage analysé

notes ....

1. Allusion au *Livre de Job*, dans la Bible :
« J'avais fait un pacte avec mes yeux au
point de ne fixer aucune vierge »
(chap. XXXI, verset 1).
2. prisme : arc-en-ciel.
3. pourprée : de nuance rouge.

4. Madone : Marie, la Sainte Vierge.
5. palette : petite planche sur laquelle le
peintre mélange les couleurs.
6. diadème : parure féminine en forme de
couronne, posée sur les cheveux.

front, d'une blancheur bleuâtre et transparente, s'étendait large et
serein sur les arcs de deux cils presque bruns, singularité qui
ajoutait encore à l'effet de prunelles vert de mer d'une vivacité et
d'un éclat insoutenables. Quels yeux ! avec un éclair ils décidaient
de la destinée d'un homme ; ils avaient une vie, une limpidité,
une ardeur, une humidité brillante que je n'ai jamais vues à un œil
humain ; il s'en échappait des rayons pareils à des flèches et que
je voyais distinctement aboutir à mon cœur. Je ne sais si la flamme
qui les illuminait venait du ciel ou de l'enfer, mais à coup sûr elle
venait de l'un ou de l'autre. Cette femme était un ange ou un
démon, et peut-être tous les deux ; elle ne sortait certainement
pas du flanc d'Ève, la mère commune. Des dents du plus bel
orient[1] scintillaient dans son rouge sourire, et de petites fossettes
se creusaient à chaque inflexion de sa bouche dans le satin rose
de ses adorables joues. Pour son nez, il était d'une finesse et d'une
fierté toute royale, et décelait la plus noble origine. Des luisants
d'agate[2] jouaient sur la peau unie et lustrée[3] de ses épaules à demi
découvertes, et des rangs de grosses perles blondes, d'un ton
presque semblable à son cou, lui descendaient sur la poitrine.
De temps en temps elle redressait sa tête avec un mouvement
onduleux de couleuvre ou de paon qui se rengorge, et imprimait
un léger frisson à la haute fraise[4] brodée à jour[5] qui l'entourait
comme un treillis d'argent.

Elle portait une robe de velours nacarat[6], et de ses larges
manches doublées d'hermine[7] sortaient des mains patriciennes[8]
d'une délicatesse infinie, aux doigts longs et potelés, et d'une si

notes

1. **orient** : éclat nacré propre aux perles.
2. **agate** : pierre semi-précieuse.
3. **lustrée** : brillante.
4. **fraise** : collerette de tissu plissée sur plusieurs rangs, portée autour du cou.
5. **brodée à jour** : brodée de façon à ménager des vides dans le tissu.
6. **nacarat** : rouge orangé avec des reflets nacrés.
7. **hermine** : fourrure blanche très onéreuse et prestigieuse. Elle est ici symbole de pureté et de richesse.
8. **patriciennes** : nobles.

101

120 idéale transparence qu'ils laissaient passer le jour comme ceux de l'Aurore.

Tous ces détails me sont encore aussi présents que s'ils dataient d'hier, et, quoique je fusse dans un trouble extrême, rien ne m'échappait : la plus légère nuance, le petit point noir au coin du
125 menton, l'imperceptible duvet aux commissures[1] des lèvres, le velouté du front, l'ombre tremblante des cils sur les joues, je saisissais tout avec une lucidité étonnante.

À mesure que je la regardais, je sentais s'ouvrir dans moi des portes qui jusqu'alors avaient été fermées ; des soupiraux obstrués
130 se débouchaient dans tous les sens et laissaient entrevoir des perspectives inconnues ; la vie m'apparaissait sous un aspect tout autre ; je venais de naître à un nouvel ordre d'idées. Une angoisse effroyable me tenaillait le cœur ; chaque minute qui s'écoulait me semblait une seconde et un siècle. La cérémonie avançait cepen-
135 dant, et j'étais emporté bien loin du monde dont mes désirs naissants assiégeaient furieusement l'entrée. Je dis oui cependant, lorsque je voulais dire non, lorsque tout en moi se révoltait et protestait contre la violence que ma langue faisait à mon âme : une force occulte[2] m'arrachait malgré moi les mots du gosier.
140 C'est là peut-être ce qui fait que tant de jeunes filles marchent à l'autel avec la ferme résolution de refuser d'une manière éclatante l'époux qu'on leur impose, et que pas une seule n'exécute son projet. C'est là sans doute ce qui fait que tant de pauvres novices prennent le voile, quoique bien décidées à le déchirer en
145 pièces au moment de prononcer leurs vœux. On n'ose causer un tel scandale devant tout le monde ni tromper l'attente de tant de personnes ; toutes ces volontés, tous ces regards semblent peser sur vous comme une chape[3] de plomb ; et puis les mesures sont si bien prises, tout est si bien réglé à l'avance, d'une façon si

passage analysé

notes

1. **commissures** : coins.
2. **occulte** : cachée, secrète.

3. **chape** : cape, manteau (ici, au sens figuré).

150 évidemment irrévocable, que la pensée cède au poids de la chose et s'affaisse complètement.

Le regard de la belle inconnue changeait d'expression selon le progrès de la cérémonie. De tendre et caressant qu'il était d'abord, il prit un air de dédain et de mécontentement comme de ne pas 155 avoir été compris.

Je fis un effort suffisant pour arracher une montagne, pour m'écrier que je ne voulais pas être prêtre ; mais je ne pus en venir à bout ; ma langue resta clouée à mon palais, et il me fut impossible de traduire ma volonté par le plus léger mouvement négatif. 160 J'étais, tout éveillé, dans un état pareil à celui du cauchemar, où l'on veut crier un mot dont votre vie dépend, sans en pouvoir venir à bout.

Elle parut sensible au martyre que j'éprouvais, et, comme pour m'encourager, elle me lança une œillade pleine de divines 165 promesses. Ses yeux étaient un poème dont chaque regard formait un chant.

Elle me disait :

« Si tu veux être à moi, je te ferai plus heureux que Dieu lui-même dans son paradis ; les anges te jalouseront. Déchire ce 170 funèbre linceul[1] où tu vas t'envelopper ; je suis la beauté, je suis la jeunesse, je suis la vie ; viens à moi, nous serons l'amour. Que pourrait t'offrir Jéhovah[2] pour compensation ? Notre existence coulera comme un rêve et ne sera qu'un baiser éternel.

« Répands le vin de ce calice, et tu es libre. Je t'emmènerai vers 175 les îles inconnues ; tu dormiras sur mon sein, dans un lit d'or massif et sous un pavillon[3] d'argent ; car je t'aime et je veux te prendre à ton Dieu, devant qui tant de nobles cœurs répandent des flots d'amour qui n'arrivent pas jusqu'à lui. »

notes ....

1. linceul : drap dont on enveloppe les morts.
2. Jéhovah : nom de Dieu dans l'Ancien Testament.

3. pavillon : tente.

Il me semblait entendre ces paroles sur un rythme d'une douceur infinie, car son regard avait presque de la sonorité, et les phrases que ses yeux m'envoyaient retentissaient au fond de mon cœur comme si une bouche invisible les eût soufflées dans mon âme. Je me sentais prêt à renoncer à Dieu, et cependant mon cœur accomplissait machinalement les formalités de la cérémonie. La belle me jeta un second coup d'œil si suppliant, si désespéré, que des lames acérées me traversèrent le cœur, que je me sentis plus de glaives dans la poitrine que la mère de douleurs[1].

C'en était fait, j'étais prêtre.

Jamais physionomie humaine ne peignit une angoisse aussi poignante ; la jeune fille qui voit tomber son fiancé mort subitement à côté d'elle, la mère auprès du berceau vide de son enfant, Ève assise sur le seuil de la porte du paradis, l'avare qui trouve une pierre à la place de son trésor, le poète qui a laissé rouler dans le feu le manuscrit unique de son plus bel ouvrage, n'ont point un air plus atterré et plus inconsolable. Le sang abandonna complètement sa charmante figure, et elle devint d'une blancheur de marbre ; ses beaux bras tombèrent le long de son corps, comme si les muscles en avaient été dénoués, et elle s'appuya contre un pilier, car ses jambes fléchissaient et se dérobaient sous elle. Pour moi, livide, le front inondé d'une sueur plus sanglante que celle du Calvaire[2], je me dirigeai en chancelant vers la porte de l'église ; j'étouffais ; les voûtes s'aplatissaient sur mes épaules, et il me semblait que ma tête soutenait seule tout le poids de la coupole.

Comme j'allais franchir le seuil, une main s'empara brusquement de la mienne ; une main de femme ! Je n'en avais jamais touché. Elle était froide comme la peau d'un serpent[3], et

notes ....

1. mère de douleurs : image traditionnelle de la Vierge que l'on représente transpercée de sept épées.
2. Calvaire : lieu où le Christ a été crucifié.

3. serpent : allusion au péché originel dans la *Genèse*. C'est le serpent qui convainc Ève de manger le fruit défendu. Le serpent est symboliquement lié à la tentation et à la fourberie.

l'empreinte m'en resta brûlante comme la marque d'un fer rouge. C'était elle. «Malheureux! malheureux! qu'as-tu fait?» me dit-elle à voix basse; puis elle disparut dans la foule.

210   Le vieil évêque passa; il me regarda d'un air sévère. Je faisais la plus étrange contenance[1] du monde; je pâlissais, je rougissais, j'avais des éblouissements. Un de mes camarades eut pitié de moi, il me prit et m'emmena; j'aurais été incapable de retrouver tout seul le chemin du séminaire. Au détour d'une rue, pendant que le
215   jeune prêtre tournait la tête d'un autre côté, un page nègre[2], bizarrement vêtu, s'approcha de moi, et me remit, sans s'arrêter dans sa course, un petit portefeuille à coins d'or ciselés, en me faisant signe de le cacher; je le fis glisser dans ma manche et l'y tins jusqu'à ce que je fusse seul dans ma cellule[3]. Je fis sauter le
220   fermoir, il n'y avait que deux feuilles avec ces mots: «Clarimonde, au palais Concini.» J'étais alors si peu au courant des choses de la vie, que je ne connaissais pas Clarimonde, malgré sa célébrité, et que j'ignorais complètement où était situé le palais Concini. Je fis mille conjectures[4], plus extravagantes les unes que les autres; mais
225   à la vérité, pourvu que je pusse la revoir, j'étais fort peu inquiet de ce qu'elle pouvait être, grande dame ou courtisane[5].

    Cet amour né tout à l'heure s'était indestructiblement enraciné; je ne songeai même pas à essayer de l'arracher, tant je sentais que c'était là chose impossible. Cette femme s'était complètement
230   emparée de moi, un seul regard avait suffi pour me changer; elle m'avait soufflé sa volonté; je ne vivais plus dans moi, mais dans elle et par elle. Je faisais mille extravagances, je baisais sur ma main la place qu'elle avait touchée, et je répétais son nom des heures

notes ....

1. contenance: attitude.
2. page nègre: un page est un jeune homme attaché au service d'un roi, d'un seigneur ou d'une grande dame; l'adjectif «nègre» n'a ici aucune connotation péjorative.

3. cellule: chambre d'un moine.
4. conjectures: suppositions.
5. courtisane: femme aux mœurs légères.

entières. Je n'avais qu'à fermer les yeux pour la voir aussi distinc-
235   tement que si elle eût été présente en réalité, et je me redisais ces
mots, qu'elle m'avait dits sous le portail de l'église : « Malheureux !
malheureux ! qu'as-tu fait ? » Je comprenais toute l'horreur de ma
situation, et les côtés funèbres et terribles de l'état que je venais
d'embrasser se révélaient clairement à moi. Être prêtre ! c'est-à-
240   dire chaste, ne pas aimer, ne distinguer ni le sexe ni l'âge, se
détourner de toute beauté, se crever les yeux, ramper sous
l'ombre glaciale d'un cloître ou d'une église, ne voir que des
mourants, veiller auprès de cadavres inconnus et porter soi-même
son deuil sur sa soutane[1] noire, de sorte que l'on peut faire de
245   votre habit un drap pour votre cercueil !

Et je sentais la vie monter en moi comme un lac intérieur qui
s'enfle et qui déborde ; mon sang battait avec force dans mes
artères ; ma jeunesse, si longtemps comprimée, éclatait tout d'un
coup comme l'aloès[2] qui met cent ans à fleurir et qui éclôt avec
250   un coup de tonnerre.

Comment faire pour revoir Clarimonde ? Je n'avais aucun
prétexte pour sortir du séminaire, ne connaissant personne dans
la ville ; je n'y devais même pas rester, et j'y attendais seulement
que l'on me désignât la cure[3] que je devais occuper. J'essayai de
255   desceller les barreaux de la fenêtre ; mais elle était à une hauteur
effrayante, et n'ayant pas d'échelle, il n'y fallait pas penser. Et
d'ailleurs je ne pouvais descendre que de nuit ; et comment me
serais-je conduit dans l'inextricable dédale des rues ? Toutes ces
difficultés, qui n'eussent rien été pour d'autres, étaient immenses
260   pour moi, pauvre séminariste, amoureux d'hier, sans expérience,
sans argent et sans habits.

notes

1. **soutane** : vêtement noir des prêtres, descendant jusqu'aux pieds.
2. **aloès** : plante grasse.
3. **cure** : lieu de résidence du curé, le prêtre qui a la charge d'une paroisse.

Ah ! si je n'eusse pas été prêtre, j'aurais pu la voir tous les jours ; j'aurais été son amant, son époux, me disais-je dans mon aveuglement ; au lieu d'être enveloppé dans mon triste suaire[1], j'aurais des habits de soie et de velours, des chaînes d'or, une épée et des plumes comme les beaux jeunes cavaliers. Mes cheveux, au lieu d'être déshonorés par une large tonsure[2], se joueraient autour de mon cou en boucles ondoyantes. J'aurais une belle moustache cirée, je serais un vaillant. Mais une heure passée devant un autel, quelques paroles à peine articulées, me retranchaient à tout jamais du nombre des vivants, et j'avais scellé moi-même la pierre de mon tombeau, j'avais poussé de ma main le verrou de ma prison !

Je me mis à la fenêtre. Le ciel était admirablement bleu, les arbres avaient mis leur robe de printemps, la nature faisait parade d'une joie ironique. La place était pleine de monde ; les uns allaient, les autres venaient ; de jeunes muguets[3] et de jeunes beautés, couple par couple, se dirigeaient du côté du jardin et des tonnelles[4]. Des compagnons passaient en chantant des refrains à boire ; c'était un mouvement, une vie, un entrain, une gaieté qui faisaient péniblement ressortir mon deuil et ma solitude. Une jeune mère, sur le pas de la porte, jouait avec son enfant ; elle baisait sa petite bouche rose, encore emperlée de gouttes de lait, et lui faisait, en l'agaçant, mille de ces divines puérilités que les mères seules savent trouver. Le père, qui se tenait debout à quelque distance, souriait doucement à ce charmant groupe, et ses bras croisés pressaient sa joie sur son cœur. Je ne pus supporter ce spectacle ; je fermai la fenêtre, et je me jetai sur mon lit avec une haine et une jalousie effroyables dans le cœur, mordant mes doigts et ma couverture comme un tigre à jeun depuis trois jours.

notes

1. suaire : linceul ; désignant ici la soutane noire du prêtre.
2. tonsure : rond de cheveux rasés au sommet du crâne, marque des prêtres ou des moines.

3. muguets : jeunes hommes élégants.
4. tonnelles : petites constructions sur lesquelles on fait grimper des plantes.

Je ne sais pas combien de jours je restai ainsi ; mais, en me retournant dans un mouvement de spasme[1] furieux, j'aperçus l'abbé Sérapion[2] qui se tenait debout au milieu de la chambre et qui me considérait attentivement. J'eus honte de moi-même, et, laissant tomber ma tête sur ma poitrine, je voilai mes yeux avec mes mains.

« Romuald, mon ami, il se passe quelque chose d'extraordinaire en vous, me dit Sérapion au bout de quelques minutes de silence ; votre conduite est vraiment inexplicable ! Vous, si pieux, si calme et si doux, vous vous agitez dans votre cellule comme une bête fauve. Prenez garde, mon frère, et n'écoutez pas les suggestions du diable ; l'esprit malin, irrité de ce que vous vous êtes à tout jamais consacré au Seigneur, rôde autour de vous comme un loup ravissant[3] et fait un dernier effort pour vous attirer à lui. Au lieu de vous laisser abattre, mon cher Romuald, faites-vous une cuirasse de prières, un bouclier de mortifications[4] et combattez vaillamment l'ennemi ; vous le vaincrez. L'épreuve est nécessaire à la vertu et l'or sort plus fin de la coupelle[5]. Ne vous effrayez ni ne vous découragez ; les âmes les mieux gardées et les plus affermies ont eu de ces moments. Priez, jeûnez, méditez, et le mauvais esprit se retirera. »

Le discours de l'abbé Sérapion me fit rentrer en moi-même, et je devins un peu plus calme. « Je venais vous annoncer votre nomination à la cure de C★★★ ; le prêtre qui la possédait vient de mourir, et monseigneur l'évêque m'a chargé d'aller vous y installer ; soyez prêt pour demain. » Je répondis d'un signe de tête que je le serais, et l'abbé se retira. J'ouvris mon missel[6], et je commençai à lire des prières ; mais ces lignes se confondirent

---

notes

1. spasme : contraction musculaire involontaire.
2. Sérapion : nom emprunté aux *Contes des frères Sérapion* d'Hoffmann.
3. ravissant : ici, au sens de « qui veut entraîner, emporter ».

4. mortifications : privations ou souffrances que l'on s'inflige dans un souci de pénitence.
5. coupelle : allusion au creuset des alchimistes dans lequel l'or est purifié.
6. missel : livre de prières.

bientôt sous mes yeux ; le fil des idées s'enchevêtra dans mon
320 cerveau, et le volume me glissa des mains sans que j'y prisse garde.

Partir demain sans l'avoir revue ! ajouter encore une impossi-
bilité à toutes celles qui étaient déjà entre nous ! perdre à tout
jamais l'espérance de la rencontrer, à moins d'un miracle ! Lui
écrire ? par qui ferais-je parvenir ma lettre ? Avec le sacré caractère
325 dont j'étais revêtu, à qui s'ouvrir, se fier ? J'éprouvais une anxiété
terrible. Puis, ce que l'abbé Sérapion m'avait dit des artifices du
diable me revenait en mémoire ; l'étrangeté de l'aventure, la beauté
surnaturelle de Clarimonde, l'éclat phosphorique[1] de ses yeux,
l'impression brûlante de sa main, le trouble où elle m'avait jeté, le
330 changement subit qui s'était opéré en moi, ma piété évanouie en
un instant, tout cela prouvait clairement la présence du diable,
et cette main satinée n'était peut-être que le gant dont il avait
recouvert sa griffe. Ces idées me jetèrent dans une grande frayeur,
je ramassai le missel qui de mes genoux était roulé à terre, et je me
335 remis en prières.

Le lendemain Sérapion me vint prendre ; deux mules nous
attendaient à la porte, chargées de nos maigres valises ; il monta
l'une et moi l'autre tant bien que mal.

Tout en parcourant les rues de la ville, je regardais à toutes les
340 fenêtres et à tous les balcons si je ne verrais pas Clarimonde ; mais
il était trop matin, et la ville n'avait pas encore ouvert les yeux.
Mon regard tâchait de plonger derrière les stores et à travers les
rideaux de tous les palais devant lesquels nous passions. Sérapion
attribuait sans doute cette curiosité à l'admiration que me causait
345 la beauté de l'architecture, car il ralentissait le pas de sa monture
pour me donner le temps de voir. Enfin nous arrivâmes à la porte
de la ville et nous commençâmes à gravir la colline. Quand je fus
tout en haut, je me retournai pour regarder une fois encore les
lieux où vivait Clarimonde. L'ombre d'un nuage couvrait

note ....

| **1. phosphorique** : synonyme de *phosphorescent*.

109

entièrement la ville ; ses toits bleus et rouges étaient confondus dans une demi-teinte générale, où surnageaient çà et là, comme de blancs flocons d'écume, les fumées du matin. Par un singulier effet d'optique, se dessinait, blond et doré sous un rayon unique de lumière, un édifice qui surpassait en hauteur les constructions voisines, complètement noyées dans la vapeur ; quoiqu'il fût à plus d'une lieue, il paraissait tout proche. On en distinguait les moindres détails, les tourelles, les plates-formes, les croisées, et jusqu'aux girouettes en queue d'aronde[1].

« Quel est donc ce palais que je vois tout là-bas éclairé d'un rayon du soleil ? » demandai-je à Sérapion. Il mit sa main au-dessus de ses yeux, et, ayant regardé, il me répondit : « C'est l'ancien palais que le prince Concini a donné à la courtisane Clarimonde ; il s'y passe d'épouvantables choses. »

En ce moment, je ne sais encore si c'est une réalité ou une illusion, je crus voir y glisser sur la terrasse une forme svelte et blanche qui étincela une seconde et s'éteignit. C'était Clarimonde !

Oh ! savait-elle qu'à cette heure, du haut de cet âpre chemin qui m'éloignait d'elle, et que je ne devais plus redescendre, ardent et inquiet, je couvais de l'œil le palais qu'elle habitait, et qu'un jeu dérisoire de lumière semblait rapprocher de moi, comme pour m'inviter à y entrer en maître ? Sans doute, elle le savait, car son âme était trop sympathiquement[2] liée à la mienne pour n'en point ressentir les moindres ébranlements, et c'était ce sentiment qui l'avait poussée, encore enveloppée de ses voiles de nuit, à monter sur le haut de la terrasse, dans la glaciale rosée du matin.

L'ombre gagna le palais, et ce ne fut plus qu'un océan immobile de toits et de combles où l'on ne distinguait rien qu'une

notes..

1. en queue d'aronde : qui a la forme d'une queue d'hirondelle.

2. sympathie : union, correspondance entre deux êtres.

ondulation montueuse[1]. Sérapion toucha sa mule, dont la mienne
prit aussitôt l'allure, et un coude du chemin me déroba pour
toujours la ville de S..., car je n'y devais pas revenir. Au bout de
trois journées de route par des campagnes assez tristes, nous vîmes
poindre à travers les arbres le coq du clocher de l'église que je
devais desservir; et, après avoir suivi quelques rues tortueuses
bordées de chaumières et de courtils[2], nous nous trouvâmes
devant la façade, qui n'était pas d'une grande magnificence. Un
porche orné de quelques nervures et de deux ou trois piliers de
grès grossièrement taillés, un toit en tuiles et des contreforts du
même grès que les piliers, c'était tout; à gauche le cimetière tout
plein de hautes herbes, avec une grande croix de fer au milieu;
à droite et dans l'ombre de l'église, le presbytère. C'était une
maison d'une simplicité extrême et d'une propreté aride. Nous
entrâmes; quelques poules picotaient sur la terre de rares grains
d'avoine; accoutumées apparemment à l'habit noir des ecclésias-
tiques, elles ne s'effarouchèrent point de notre présence et se
dérangèrent à peine pour nous laisser passer. Un aboi éraillé et
enroué se fit entendre, et nous vîmes accourir un vieux chien.

C'était le chien de mon prédécesseur. Il avait l'œil terne, le poil
gris et tous les symptômes de la plus haute vieillesse où puisse
atteindre un chien. Je le flattai doucement de la main, et il se
mit aussitôt à marcher à côté de moi avec un air de satisfaction
inexprimable. Une femme assez âgée, et qui avait été la gouvernante de l'ancien curé, vint aussi à notre rencontre, et, après
m'avoir fait entrer dans une salle basse, me demanda si mon
intention était de la garder. Je lui répondis que je la garderais, elle
et le chien, et aussi les poules, et tout le mobilier que son maître
lui avait laissé à sa mort, ce qui la fit entrer dans un transport[3] de

notes ....

1. montueuse: formée de collines.
2. courtils: petits jardins attenants aux
maisons des paysans.

3. transport: manifestation vive d'un
sentiment.

joie, l'abbé Sérapion lui ayant donné sur-le-champ le prix qu'elle en voulait.

410 Mon installation faite, l'abbé Sérapion retourna au séminaire. Je demeurai donc seul et sans autre appui que moi-même. La pensée de Clarimonde recommença à m'obséder, et, quelque effort que je fisse pour la chasser, je n'y parvenais pas toujours. Un soir, en me promenant dans les allées bordées de buis de mon
415 petit jardin, il me sembla voir à travers la charmille[1] une forme de femme qui suivait tous mes mouvements, et entre les feuilles étinceler les deux prunelles vert de mer ; mais ce n'était qu'une illusion, et, ayant passé de l'autre côté de l'allée, je n'y trouvai rien qu'une trace de pied sur le sable, si petit qu'on eût dit un pied
420 d'enfant. Le jardin était entouré de murailles très hautes ; j'en visitai tous les coins et recoins, il n'y avait personne. Je n'ai jamais pu m'expliquer cette circonstance qui, du reste, n'était rien à côté des étranges choses qui me devaient arriver. Je vivais ainsi depuis un an, remplissant avec exactitude tous les devoirs de mon état,
425 priant, jeûnant, exhortant[2] et secourant les malades, faisant l'aumône jusqu'à me retrancher les nécessités les plus indispensables. Mais je sentais au-dedans de moi une aridité extrême, et les sources de la grâce m'étaient fermées. Je ne jouissais pas de ce bonheur que donne l'accomplissement d'une sainte mission ; mon
430 idée était ailleurs, et les paroles de Clarimonde me revenaient souvent sur les lèvres comme une espèce de refrain involontaire. Ô frère, méditez bien ceci ! Pour avoir levé une seule fois le regard sur une femme, pour une faute en apparence si légère, j'ai éprouvé pendant plusieurs années les plus misérables agitations :
435 ma vie a été troublée à tout jamais.

Je ne vous retiendrai pas plus longtemps sur ces défaites et sur ces victoires intérieures toujours suivies de rechutes plus

notes ......

1. charmille : haie constituée de charmes ou d'autres arbres taillés.

2. exhortant : parlant en donnant des conseils, des encouragements.

profondes, et je passerai sur-le-champ à une circonstance déci-
sive. Une nuit l'on sonna violemment à ma porte. La vieille
gouvernante alla ouvrir, et un homme au teint cuivré et richement vêtu, mais selon une mode étrangère, avec un long poignard,
se dessina sous les rayons de la lanterne de Barbara. Son premier
mouvement fut la frayeur ; mais l'homme la rassura, et lui dit qu'il
avait besoin de me voir sur-le-champ pour quelque chose qui
concernait mon ministère[1]. Barbara le fit monter. J'allais me
mettre au lit. L'homme me dit que sa maîtresse, une très grande
dame, était à l'article de la mort[2] et désirait un prêtre. Je répondis
que j'étais prêt à le suivre ; je pris avec moi ce qu'il fallait pour
l'extrême-onction[3] et je descendis en toute hâte. À la porte
piaffaient d'impatience deux chevaux noirs comme la nuit, et
soufflant sur leur poitrail deux longs flots de fumée. Il me tint
l'étrier et m'aida à monter sur l'un, puis il sauta sur l'autre en
appuyant seulement une main sur le pommeau de la selle. Il serra
les genoux et lâcha les guides à son cheval qui partit comme la
flèche. Le mien, dont il tenait la bride, prit aussi le galop et se
maintint dans une égalité parfaite. Nous dévorions le chemin ; la
terre filait sous nous grise et rayée, et les silhouettes noires des
arbres s'enfuyaient comme une armée en déroute. Nous traver-
sâmes une forêt d'un sombre si opaque et si glacial, que je me
sentis courir sur la peau un frisson de superstitieuse terreur. Les
aigrettes[4] d'étincelles que les fers de nos chevaux arrachaient aux
cailloux laissaient sur notre passage comme une traînée de feu, et
si quelqu'un, à cette heure de nuit, nous eût vus, mon conducteur
et moi, il nous eût pris pour deux spectres à cheval sur le

---

notes ....

1. ministère : fonction du prêtre.
2. à l'article de la mort : sur le point de
mourir.
3. extrême-onction : sacrement accordé
aux mourants.

4. aigrettes : ornements (de plumes, de
bijoux...) en forme de faisceaux.

465 cauchemar. Des feux follets[1] traversaient de temps en temps le chemin, et les choucas[2] piaulaient piteusement dans l'épaisseur du bois, où brillaient de loin en loin les yeux phosphoriques de quelques chats sauvages. La crinière des chevaux s'échevelait de plus en plus, la sueur ruisselait sur leurs flancs, et leur haleine 470 sortait bruyante et pressée de leurs narines. Mais, quand il les voyait faiblir, l'écuyer pour les ranimer poussait un cri guttural[3] qui n'avait rien d'humain, et la course recommençait avec furie. Enfin, le tourbillon s'arrêta ; une masse noire piquée de quelques points brillants se dressa subitement devant nous ; les pas de nos 475 montures sonnèrent plus bruyants sur un plancher ferré, et nous entrâmes sous une voûte qui ouvrait sa gueule sombre entre deux énormes tours. Une grande agitation régnait dans le château ; des domestiques avec des torches à la main traversaient les cours en tous sens, et des lumières montaient et descendaient de palier en 480 palier. J'entrevis confusément d'immenses architectures, des colonnes, des arcades, des perrons et des rampes, un luxe de construction tout à fait royal et féerique. Un page nègre, le même qui m'avait donné les tablettes de Clarimonde et que je reconnus à l'instant, me vint aider à descendre, et un majordome, vêtu de 485 velours noir avec une chaîne d'or au col et une canne d'ivoire à la main, s'avança au-devant de moi. De grosses larmes débordaient de ses yeux et coulaient le long de ses joues sur sa barbe blanche. « Trop tard ! fit-il en hochant la tête, trop tard ! seigneur prêtre ; mais, si vous n'avez pu sauver l'âme, venez veiller le pauvre corps. » 490 Il me prit par le bras et me conduisit à la salle funèbre ; je pleurais aussi fort que lui, car j'avais compris que la morte n'était autre que cette Clarimonde tant et si follement aimée. Un prie-Dieu était disposé à côté du lit ; une flamme bleuâtre

notes ....

1. feux follets : petites flammes fugitives produites par la combustion spontanée de certains gaz qui se dégagent de la décomposition de matières organiques.

2. choucas : petits corbeaux.
3. guttural : rauque, qui part du gosier.

voltigeant sur une patère[1] de bronze jetait par toute la chambre
un jour faible et douteux, et çà et là faisait papilloter dans l'ombre quelque arête saillante de meuble ou de corniche. Sur la table,
dans une urne ciselée, trempait une rose blanche fanée dont
les feuilles, à l'exception d'une seule qui tenait encore, étaient
toutes tombées au pied du vase comme des larmes odorantes ; un
masque noir brisé, un éventail, des déguisements de toute espèce,
traînaient sur les fauteuils et faisaient voir que la mort était
arrivée dans cette somptueuse demeure à l'improviste et sans se
faire annoncer. Je m'agenouillai sans oser jeter les yeux sur le lit,
et je me mis à réciter les psaumes avec une grande ferveur,
remerciant Dieu qu'il eût mis la tombe entre l'idée de cette
femme et moi, pour que je pusse ajouter à mes prières son nom
désormais sanctifié. Mais peu à peu cet élan se ralentit, et je
tombai en rêverie. Cette chambre n'avait rien d'une chambre de
mort. Au lieu de l'air fétide[2] et cadavéreux que j'étais accoutumé
à respirer en ces veilles funèbres, une langoureuse fumée d'essen-
ces orientales, je ne sais quelle amoureuse odeur de femme, nageait
doucement dans l'air attiédi. Cette pâle lueur avait plutôt l'air
d'un demi-jour ménagé pour la volupté que de la veilleuse au
reflet jaune qui tremblote près des cadavres. Je songeais au
singulier hasard qui m'avait fait retrouver Clarimonde au moment
où je la perdais pour toujours, et un soupir de regret s'échappa de
ma poitrine. Il me sembla qu'on avait soupiré aussi derrière moi,
et je me retournai involontairement. C'était l'écho. Dans ce
mouvement mes yeux tombèrent sur le lit de parade qu'ils avaient
jusqu'alors évité. Les rideaux de damas[3] rouge à grandes fleurs,
relevés par des torsades d'or, laissaient voir la morte couchée tout
de son long et les mains jointes sur la poitrine. Elle était couverte

passage analysé

notes

1. patère : support mural en forme de pied
de coupe.
2. fétide : qui répand une odeur
répugnante et malsaine.

3. damas : étoffe, généralement en soie,
ornée de dessins satinés.

d'un voile de lin d'une blancheur éblouissante, que le pourpre sombre de la tenture faisait encore mieux ressortir, et d'une telle finesse qu'il ne dérobait en rien la forme charmante de son corps et permettait de suivre ces belles lignes onduleuses comme le cou d'un cygne que la mort même n'avait pu roidir. On eût dit une statue d'albâtre[1] faite par quelque sculpteur habile pour mettre sur un tombeau de reine, ou encore une jeune fille endormie sur qui il aurait neigé.

Je ne pouvais plus y tenir ; cet air d'alcôve[2] m'enivrait, cette fébrile[3] senteur de rose à demi fanée me montait au cerveau, et je marchais à grands pas dans la chambre, m'arrêtant à chaque tour devant l'estrade pour considérer la gracieuse trépassée sous la transparence de son linceul. D'étranges pensées me traversaient l'esprit ; je me figurais qu'elle n'était point morte réellement, et que ce n'était qu'une feinte qu'elle avait employée pour m'attirer dans son château et me conter son amour. Un instant même je crus avoir vu bouger son pied dans la blancheur des voiles, et se déranger les plis droits du suaire.

Et puis je me disais : « Est-ce bien Clarimonde ? quelle preuve en ai-je ? Ce page noir ne peut-il être passé au service d'une autre femme ? Je suis bien fou de me désoler et de m'agiter ainsi. » Mais mon cœur me répondit avec un battement : « C'est bien elle, c'est bien elle. » Je me rapprochai du lit, et je regardai avec un redoublement d'attention l'objet de mon incertitude. Vous l'avouerai-je ? cette perfection de formes, quoique purifiée et sanctifiée par l'ombre de la mort, me troublait plus voluptueusement qu'il n'aurait fallu, et ce repos ressemblait tant à un sommeil que l'on s'y serait trompé. J'oubliais que j'étais venu là pour un office funèbre, et je m'imaginais que j'étais un jeune époux entrant dans la chambre de la fiancée qui cache sa figure par

525
530
535
540
545
550

passage analysé

notes
....

1. **albâtre** : espèce minérale, d'un blanc laiteux, semi-transparente.
2. **alcôve** : petit renfoncement dans une chambre où l'on plaçait le lit.

3. **fébrile** : accompagnée de fièvre, intense.

pudeur et qui ne se veut point laisser voir. Navré de douleur, éperdu de joie, frissonnant de crainte et de plaisir, je me penchai vers elle et je pris le coin du drap ; je le soulevai lentement en retenant mon souffle de peur de l'éveiller. Mes artères palpitaient avec une telle force, que je les sentais siffler dans mes tempes, et mon front ruisselait de sueur comme si j'eusse remué une dalle de marbre. C'était en effet la Clarimonde telle que je l'avais vue à l'église lors de mon ordination ; elle était aussi charmante, et la mort chez elle semblait une coquetterie de plus. La pâleur de ses joues, le rose moins vif de ses lèvres, ses longs cils baissés et découpant leur frange brune sur cette blancheur, lui donnaient une expression de chasteté mélancolique et de souffrance pensive d'une puissance de séduction inexprimable ; ses longs cheveux dénoués, où se trouvaient encore mêlées quelques petites fleurs bleues, faisaient un oreiller à sa tête et protégeaient de leurs boucles la nudité de ses épaules ; ses belles mains, plus pures, plus diaphanes[1] que des hosties[2], étaient croisées dans une attitude de pieux repos et de tacite[3] prière, qui corrigeait ce qu'auraient pu avoir de trop séduisant, même dans la mort, l'exquise rondeur et le poli d'ivoire de ses bras nus dont on n'avait pas ôté les bracelets de perles. Je restai longtemps absorbé dans une muette contemplation, et, plus je la regardais, moins je pouvais croire que la vie avait pour toujours abandonné ce beau corps. Je ne sais si cela était une illusion ou un reflet de la lampe, mais on eût dit que le sang recommençait à circuler sous cette mate pâleur ; cependant elle était toujours de la plus parfaite immobilité. Je touchai légèrement son bras ; il était froid, mais pas plus froid pourtant que sa main le jour qu'elle avait effleuré la mienne sous le portail de l'église. Je repris ma position, penchant ma figure sur la sienne et laissant pleuvoir sur ses joues la tiède rosée de mes larmes. Ah !

notes

1. diaphanes : qui laissent passer la lumière.
2. hosties : très fines rondelles de pain que le prêtre consacre pendant la messe.

3. tacite : silencieuse.

Vampire, tableau de Edvard Munch, 1894.

quel sentiment amer de désespoir et d'impuissance! quelle
agonie que cette veille! j'aurais voulu pouvoir ramasser ma vie
585 en un monceau pour la lui donner et souffler sur sa dépouille[1]
glacée la flamme qui me dévorait. La nuit s'avançait, et, sentant
approcher le moment de la séparation éternelle, je ne pus me
refuser cette triste et suprême douceur de déposer un baiser sur
les lèvres mortes de celle qui avait eu tout mon amour. Ô
590 prodige! un léger souffle se mêla à mon souffle, et la bouche
de Clarimonde répondit à la pression de la mienne: ses yeux
s'ouvrirent et reprirent un peu d'éclat, elle fit un soupir, et,
décroisant ses bras, elle les passa derrière mon cou avec un air de
ravissement ineffable[2]. «Ah! c'est toi, Romuald, dit-elle d'une
595 voix languissante et douce comme les dernières vibrations d'une
harpe; que fais-tu donc? Je t'ai attendu si longtemps, que je suis
morte; mais maintenant nous sommes fiancés, je pourrai te voir
et aller chez toi. Adieu, Romuald, adieu! je t'aime; c'est tout ce
que je voulais te dire, et je te rends la vie que tu as rappelée sur
600 moi une minute avec ton baiser; à bientôt.»

Sa tête retomba en arrière, mais elle m'entourait toujours de
ses bras comme pour me retenir. Un tourbillon de vent furieux
défonça la fenêtre et entra dans la chambre; la dernière feuille de
la rose blanche palpita quelque temps comme une aile au bout
605 de la tige, puis elle se détacha et s'envola par la croisée ouverte,
emportant avec elle l'âme de Clarimonde. La lampe s'éteignit et
je tombai évanoui sur le sein de la belle morte.

Quand je revins à moi, j'étais couché sur mon lit, dans ma petite chambre du presbytère, et le vieux chien de l'ancien curé
610 léchait ma main allongée hors de la couverture. Barbara s'agitait
dans la chambre avec un tremblement sénile[3], ouvrant et fermant

notes ....

1. **dépouille**: corps mort, auquel on rend   3. **sénile**: propre aux vieillards.
les honneurs funèbres.
2. **ineffable**: qui ne peut être exprimé par
le langage.

des tiroirs, ou remuant des poudres dans des verres. En me voyant ouvrir les yeux, la vieille poussa un cri de joie, le chien jappa et frétilla de la queue ; mais j'étais si faible, que je ne pus 615 prononcer une seule parole ni faire aucun mouvement. J'ai su depuis que j'étais resté trois jours ainsi, ne donnant d'autre signe d'existence qu'une respiration presque insensible. Ces trois jours ne comptent pas dans ma vie, et je ne sais où mon esprit était allé pendant tout ce temps ; je n'en ai gardé aucun souvenir. Barbara 620 m'a conté que le même homme au teint cuivré, qui m'était venu chercher pendant la nuit, m'avait ramené le matin dans une litière¹ fermée et s'en était retourné aussitôt. Dès que je pus rappeler mes idées, je repassai en moi-même toutes les circonstances de cette nuit fatale. D'abord je pensai que j'avais été le jouet d'une illusion 625 magique ; mais des circonstances réelles et palpables détruisirent bientôt cette supposition. Je ne pouvais croire que j'avais rêvé, puisque Barbara avait vu comme moi l'homme aux deux chevaux noirs et qu'elle en décrivait l'ajustement² et la tournure³ avec exactitude. Cependant personne ne connaissait dans les environs 630 un château auquel s'appliquât la description du château où j'avais retrouvé Clarimonde.

Un matin je vis entrer l'abbé Sérapion. Barbara lui avait mandé⁴ que j'étais malade, et il était accouru en toute hâte. Quoique cet empressement démontrât de l'affection et de l'intérêt pour ma 635 personne, sa visite ne me fit pas le plaisir qu'elle m'aurait dû faire. L'abbé Sérapion avait dans le regard quelque chose de pénétrant et d'inquisiteur⁵ qui me gênait. Je me sentais embarrassé et coupable devant lui. Le premier il avait découvert mon trouble intérieur, et je lui en voulais de sa clairvoyance.

notes

1. **litière** : lit généralement couvert et clos, posé sur deux brancards et porté soit à bras d'hommes, soit par des bêtes de somme.
2. **ajustement** : habillement.
3. **tournure** : allure.
4. **mandé** : fait savoir.
5. **inquisiteur** : qui cherche à découvrir quelque chose de façon insistante.

640   Tout en me demandant des nouvelles de ma santé d'un ton hypocritement mielleux, il fixait sur moi ses deux jaunes prunelles de lion et plongeait comme une sonde ses regards dans mon âme. Puis il me fit quelques questions sur la manière dont je dirigeais ma cure, si je m'y plaisais, à quoi je passais le temps que mon

645 ministère me laissait libre, si j'avais fait quelques connaissances parmi les habitants du lieu, quelles étaient mes lectures favorites, et mille autres détails semblables. Je répondais à tout cela le plus brièvement possible, et lui-même, sans attendre que j'eusse achevé, passait à autre chose. Cette conversation n'avait évidem-

650 ment aucun rapport avec ce qu'il voulait dire. Puis, sans préparation aucune, et comme une nouvelle dont il se souvenait à l'instant et qu'il eût craint d'oublier ensuite, il me dit d'une voix claire et vibrante qui résonna à mon oreille comme les trompettes du jugement dernier[1] :

655   « La grande courtisane Clarimonde est morte dernièrement, à la suite d'une orgie qui a duré huit jours et huit nuits. Ç'a été quelque chose d'infernalement splendide. On a renouvelé là les abominations[2] des festins de Balthazar[3] et de Cléopâtre[4]. Dans quel siècle vivons-nous, bon Dieu ! Les convives étaient servis par

660 des esclaves basanés[5] parlant un langage inconnu, et qui m'ont tout l'air de vrais démons ; la livrée[6] du moindre d'entre eux eût pu servir d'habit de gala à un empereur. Il a couru de tout temps sur cette Clarimonde de bien étranges histoires, et tous ses amants

notes

1. jugement dernier : dans la religion chrétienne, jugement par Dieu de toutes les âmes, après la destruction du monde.
2. abominations : actions qui inspirent l'horreur.
3. Balthazar (VIᵉ s. av. J.-C.), roi de Babylone à la vie dissolue. Il est évoqué dans la Bible (*Livre de Daniel*) où il est dit qu'au cours d'un festin, il vit apparaître sur le mur les trois mots « *Mané, Thécel, Pharès* » (« Compté, Pesé, Divisé »). Le lendemain, il périt lors de la prise de sa ville par Cyrus (539 av. J.-C.).

4. Cléopâtre VII (69 av. J.-C.-30 av. J.-C.), reine d'Égypte célèbre pour sa beauté et son luxe. Elle séduisit Antoine et César.
5. basanés : au teint brun.
6. livrée : habit d'un domestique.

ont fini d'une manière misérable ou violente. On a dit que
665 c'était une goule[1], un vampire femelle ; mais je crois que c'était
Belzébuth[2] en personne. »

Il se tut et m'observa plus attentivement que jamais, pour voir
l'effet que ses paroles avaient produit sur moi. Je n'avais pu me
défendre d'un mouvement en entendant nommer Clarimonde,
670 et cette nouvelle de sa mort, outre la douleur qu'elle me causait
par son étrange coïncidence avec la scène nocturne dont j'avais
été témoin, me jeta dans un trouble et un effroi qui parurent sur
ma figure, quoi que je fisse pour m'en rendre maître. Sérapion me
jeta un coup d'œil inquiet et sévère ; puis il me dit : « Mon fils, je
675 dois vous en avertir, vous avez le pied levé sur un abîme, prenez
garde d'y tomber. Satan a la griffe longue, et les tombeaux ne sont
pas toujours fidèles. La pierre de Clarimonde devrait être scellée
d'un triple sceau ; car ce n'est pas, à ce qu'on dit, la première fois
qu'elle est morte. Que Dieu veille sur vous, Romuald ! »

680 Après avoir dit ces mots, Sérapion regagna la porte à pas lents,
et je ne le revis plus ; car il partit pour S*** presque aussitôt.

J'étais entièrement rétabli et j'avais repris mes fonctions
habituelles. Le souvenir de Clarimonde et les paroles du vieil abbé
étaient toujours présents à mon esprit ; cependant aucun événe-
685 ment extraordinaire n'était venu confirmer les prévisions funèbres
de Sérapion, et je commençais à croire que ses craintes et mes
terreurs étaient trop exagérées ; mais une nuit je fis un rêve. J'avais
à peine bu les premières gorgées du sommeil, que j'entendis
ouvrir les rideaux de mon lit et glisser les anneaux sur les tringles
690 avec un bruit éclatant ; je me soulevai brusquement sur le coude,
et je vis une ombre de femme qui se tenait debout devant moi.
Je reconnus sur-le-champ Clarimonde. Elle portait à la main une

notes

1. **goule** : terme emprunté à l'arabe, désignant un vampire femelle dévorant les cadavres dans les cimetières.

2. **Belzébuth** : un des noms du diable.

petite lampe de la forme de celles qu'on met dans les tombeaux, dont la lueur donnait à ses doigts effilés une transparence rose qui se prolongeait par une dégradation insensible jusque dans la blancheur opaque et laiteuse de son bras nu. Elle avait pour tout vêtement le suaire de lin qui la recouvrait sur son lit de parade, dont elle retenait les plis sur sa poitrine, comme honteuse d'être si peu vêtue, mais sa petite main n'y suffisait pas ; elle était si blanche, que la couleur de la draperie se confondait avec celle des chairs sous le pâle rayon de la lampe. Enveloppée de ce fin tissu qui trahissait tous les contours de son corps, elle ressemblait à une statue de marbre de baigneuse antique plutôt qu'à une femme douée de vie. Morte ou vivante, statue ou femme, ombre ou corps, sa beauté était toujours la même ; seulement l'éclat vert de ses prunelles était un peu amorti, et sa bouche, si vermeille autrefois, n'était plus teintée que d'un rose faible et tendre presque semblable à celui de ses joues. Les petites fleurs bleues que j'avais remarquées dans ses cheveux étaient tout à fait sèches et avaient presque perdu toutes leurs feuilles ; ce qui ne l'empêchait pas d'être charmante, si charmante que, malgré la singularité de l'aventure et la façon inexplicable dont elle était entrée dans la chambre, je n'eus pas un instant de frayeur.

Elle posa la lampe sur la table et s'assit sur le pied de mon lit, puis elle me dit en se penchant vers moi avec cette voix argentine[1] et veloutée à la fois que je n'ai connue qu'à elle :

« Je me suis bien fait attendre, mon cher Romuald, et tu as dû croire que je t'avais oublié. Mais je viens de bien loin, et d'un endroit d'où personne n'est encore revenu ; il n'y a ni lune ni soleil au pays d'où j'arrive ; ce n'est que de l'espace et de l'ombre ; ni chemin, ni sentier ; point de terre pour le pied, point d'air pour

note ....

| **1. argentine :** qui vibre, résonne comme de l'argent.

l'aile ; et pourtant me voici, car l'amour est plus fort que la mort[1], et il finira par la vaincre. Ah ! que de faces mornes et de choses terribles j'ai vues dans mon voyage ! Que de peine mon âme,
725 rentrée dans ce monde par la puissance de la volonté, a eue pour retrouver son corps et s'y réinstaller ! Que d'efforts il m'a fallu faire avant de lever la dalle dont on m'avait couverte ! Tiens ! le dedans de mes pauvres mains en est tout meurtri. Baise-les pour les guérir, cher amour ! » Elle m'appliqua l'une après l'autre les
730 paumes froides de ses mains sur la bouche ; je les baisai en effet plusieurs fois, et elle me regardait faire avec un sourire d'ineffable complaisance.

Je l'avoue à ma honte, j'avais totalement oublié les avis de l'abbé Sérapion et le caractère dont j'étais revêtu. J'étais tombé sans
735 résistance et au premier assaut. Je n'avais pas même essayé de repousser le tentateur ; la fraîcheur de la peau de Clarimonde pénétrait la mienne, et je me sentais courir sur le corps de voluptueux frissons. La pauvre enfant ! malgré tout ce que j'en ai vu, j'ai peine à croire encore que ce fût un démon ; du moins elle
740 n'en avait pas l'air, et jamais Satan n'a mieux caché ses griffes et ses cornes. Elle avait reployé ses talons sous elle et se tenait accroupie sur le bord de la couchette dans une position pleine de coquetterie nonchalante[2]. De temps en temps elle passait sa petite main à travers mes cheveux et les roulait en boucles comme
745 pour essayer à mon visage de nouvelles coiffures. Je me laissais faire avec la plus coupable complaisance, et elle accompagnait tout cela du plus charmant babil[3]. Une chose remarquable, c'est que je n'éprouvais aucun étonnement d'une aventure aussi extraordinaire, et, avec cette facilité que l'on a dans la vision d'admettre

notes..

1. **l'amour est plus fort que la mort** : citation empruntée au *Cantique des cantiques*, poème biblique célébrant l'amour mystique entre l'âme et son Dieu.

2. **nonchalante** : pleine de lenteur, de mollesse mêlées d'indifférence.
3. **babil** : bavardage agréable et amusant.

750 comme fort simples les événements les plus bizarres, je ne voyais rien là que de parfaitement naturel.

«Je t'aimais bien longtemps avant de t'avoir vu, mon cher Romuald, et je te cherchais partout. Tu étais mon rêve, et je t'ai aperçu dans l'église au fatal moment; j'ai dit tout de suite: "C'est
755 lui!" Je te jetai un regard où je mis tout l'amour que j'avais eu, que j'avais et que je devais avoir pour toi; un regard à damner un cardinal, à faire agenouiller un roi à mes pieds devant toute sa cour. Tu restas impassible et tu me préféras ton Dieu.

«Ah! que je suis jalouse de Dieu, que tu as aimé et que tu aimes
760 encore plus que moi!

«Malheureuse, malheureuse que je suis! je n'aurai jamais ton cœur à moi toute seule, moi que tu as ressuscitée d'un baiser, Clarimonde la morte, qui force à cause de toi les portes du tombeau et qui vient te consacrer une vie qu'elle n'a reprise que
765 pour te rendre heureux!»

Toutes ces paroles étaient entrecoupées de caresses délirantes qui étourdirent mes sens et ma raison au point que je ne craignis point pour la consoler de proférer un effroyable blasphème[1], et de lui dire que je l'aimais autant que Dieu.

770 Ses prunelles se ravivèrent et brillèrent comme des chrysoprases[2]. «Vrai! bien vrai! autant que Dieu! dit-elle en m'enlaçant dans ses beaux bras. Puisque c'est ainsi, tu viendras avec moi, tu me suivras où je voudrai. Tu laisseras tes vilains habits noirs. Tu seras le plus fier et le plus envié des cavaliers, tu seras mon amant. Être l'amant
775 avoué de Clarimonde, qui a refusé un pape, c'est beau, cela! Ah! la bonne vie bien heureuse, la belle existence dorée que nous mènerons! Quand partons-nous, mon gentilhomme?

– Demain! demain! m'écriai-je dans mon délire.

notes ....

1. blasphème: parole outrageante à l'égard de la divinité, de la religion, de tout ce qui est considéré comme sacré.

2. chrysoprases: pierres de couleur vert pâle.

— Demain, soit ! reprit-elle. J'aurai le temps de changer de
toilette, car celle-ci est un peu succincte[1] et ne vaut rien pour le
voyage. Il faut aussi que j'aille avertir mes gens qui me croient
sérieusement morte et qui se désolent tant qu'ils peuvent.
L'argent, les habits, les voitures, tout sera prêt ; je te viendrai prendre à cette heure-ci. Adieu, cher cœur. » Et elle effleura mon front
du bout de ses lèvres. La lampe s'éteignit, les rideaux se refer-
mèrent, et je ne vis plus rien ; un sommeil de plomb, un sommeil
sans rêve s'appesantit[2] sur moi et me tint engourdi jusqu'au lendemain matin. Je me réveillai plus tard que de coutume, et le
souvenir de cette singulière vision m'agita toute la journée ;
je finis par me persuader que c'était une pure vapeur de mon
imagination échauffée. Cependant les sensations avaient été si
vives, qu'il était difficile de croire qu'elles n'étaient pas réelles, et
ce ne fut pas sans quelque appréhension de ce qui allait arriver
que je me mis au lit, après avoir prié Dieu d'éloigner de moi les
mauvaises pensées et de protéger la chasteté de mon sommeil.

Je m'endormis bientôt profondément, et mon rêve se continua.
Les rideaux s'écartèrent, et je vis Clarimonde, non pas, comme la
première fois, pâle dans son pâle suaire[3] et les violettes de la mort
sur les joues, mais gaie, leste[4] et pimpante[5], avec un superbe habit
de voyage en velours vert orné de ganses[6] d'or et retroussé sur le
côté pour laisser voir une jupe de satin. Ses cheveux blonds
s'échappaient en grosses boucles de dessous un large chapeau
de feutre noir chargé de plumes blanches capricieusement contournées[7] ; elle tenait à la main une petite cravache terminée par
un sifflet d'or. Elle m'en toucha légèrement et me dit : « Eh bien !
beau dormeur, est-ce ainsi que vous faites vos préparatifs ? Je

notes

1. **succincte** : réduite, limitée.
2. **s'appesantit** : pesa.
3. **suaire** : linceul, pièce de tissu dans laquelle on enveloppe un cadavre avant de l'enterrer.
4. **leste** : agile, alerte, léger.
5. **pimpante** : séduisante par son élégance et sa gaieté.
6. **ganses** : cordonnets employés pour attacher ou orner un vêtement.
7. **contournées** : déformées, tordues.

comptais vous trouver debout. Levez-vous bien vite, nous n'avons pas de temps à perdre. » Je sautai à bas du lit.

« Allons, habillez-vous et partons, dit-elle en me montrant du
810   doigt un petit paquet qu'elle avait apporté ; les chevaux s'ennuient et rongent leur frein à la porte. Nous devrions déjà être à dix lieues d'ici. »

Je m'habillai en hâte, et elle me tendait elle-même les pièces du vêtement, en riant aux éclats de ma gaucherie[1], et en m'indiquant
815   leur usage quand je me trompais. Elle donna du tour[2] à mes cheveux, et, quand ce fut fait, elle me tendit un petit miroir de poche en cristal de Venise, bordé d'un filigrane[3] d'argent, et me dit : « Comment te trouves-tu ? veux-tu me prendre à ton service comme valet de chambre ? »

820   Je n'étais plus le même, et je ne me reconnus pas. Je ne me ressemblais pas plus qu'une statue achevée ne ressemble à un bloc de pierre. Mon ancienne figure avait l'air de n'être que l'ébauche[4] grossière de celle que réfléchissait le miroir. J'étais beau, et ma vanité fut sensiblement chatouillée de cette métamorphose. Ces
825   élégants habits, cette riche veste brodée, faisaient de moi un tout autre personnage, et j'admirai la puissance de quelques aunes[5] d'étoffe taillées d'une certaine manière. L'esprit de mon costume me pénétrait la peau, et au bout de dix minutes j'étais passablement fat[6].

830   Je fis quelques tours par la chambre pour me donner de l'aisance. Clarimonde me regardait d'un air de complaisance maternelle et paraissait très contente de son œuvre. « Voilà bien assez d'enfantillage ; en route, mon cher Romuald ! nous allons

---

notes

1. **gaucherie** : maladresse.
2. **donna du tour** : fit boucler.
3. **filigrane** : fil très fin d'argent, d'or, de verre, etc., servant à décorer une pièce d'orfèvrerie.
4. **ébauche** : forme préparatoire donnée, ici, à une figure.

5. **aune** : ancienne unité de mesure employée pour les étoffes.
6. **fat** : satisfait de soi, en particulier qui se croit irrésistible auprès des femmes.

loin et nous n'arriverons pas. » Elle me prit la main et m'entraîna.
835 Toutes les portes s'ouvraient devant elle aussitôt qu'elle les touchait, et nous passâmes devant le chien sans l'éveiller.

À la porte, nous trouvâmes Margheritone ; c'était l'écuyer qui m'avait déjà conduit ; il tenait en bride trois chevaux noirs comme les premiers, un pour moi, un pour lui, un pour Clarimonde. Il
840 fallait que ces chevaux fussent des genets[1] d'Espagne, nés de juments fécondées par le zéphyr[2] ; car ils allaient aussi vite que le vent, et la lune, qui s'était levée à notre départ pour nous éclairer, roulait dans le ciel comme une roue détachée de son char ; nous la voyions à notre droite sauter d'arbre en arbre et s'essouffler
845 pour courir après nous. Nous arrivâmes bientôt dans une plaine où, auprès d'un bouquet d'arbres, nous attendait une voiture attelée de quatre vigoureuses bêtes ; nous y montâmes, et les postillons[3] leur firent prendre un galop insensé. J'avais un bras passé derrière la taille de Clarimonde et une de ses mains ployée
850 dans la mienne ; elle appuyait sa tête à mon épaule, et je sentais sa gorge demi-nue frôler mon bras. Jamais je n'avais éprouvé un bonheur aussi vif. J'avais oublié tout en ce moment-là, et je ne me souvenais pas plus d'avoir été prêtre que de ce que j'avais fait dans le sein de ma mère, tant était grande la fascination que l'esprit
855 malin exerçait sur moi. À dater de cette nuit, ma nature s'est en quelque sorte dédoublée, et il y eut en moi deux hommes dont l'un ne connaissait pas l'autre. Tantôt je me croyais un prêtre qui rêvait chaque soir qu'il était gentilhomme, tantôt un gentilhomme qui rêvait qu'il était prêtre. Je ne pouvais plus distinguer le songe
860 de la veille, et je ne savais pas où commençait la réalité et où finissait l'illusion. Le jeune seigneur fat et libertin[4] se raillait du prêtre, le prêtre détestait les dissolutions[5] du jeune seigneur. Deux spirales

notes..

1. genets : petits chevaux rapides.
2. zéphyr : vent d'ouest, doux et agréable.
3. postillons : conducteurs de voitures à chevaux.

4. libertin : qui a des mœurs très libres, affranchies de la morale et de la religion.
5. dissolutions : vie de débauche.

enchevêtrées l'une dans l'autre et confondues sans se toucher jamais représentent très bien cette vie bicéphale[1] qui fut la mienne. Malgré l'étrangeté de cette position, je ne crois pas avoir un seul instant touché à la folie. J'ai toujours conservé très nettes les perceptions de mes deux existences. Seulement, il y avait un fait absurde que je ne pouvais m'expliquer : c'est que le sentiment du même moi existât dans deux hommes si différents. C'était une anomalie dont je ne me rendais pas compte, soit que je crusse être le curé du petit village de ★★★, ou *il signor Romualdo*, amant en titre de la Clarimonde.

Toujours est-il que j'étais ou du moins que je croyais être à Venise ; je n'ai pu encore bien démêler ce qu'il y avait d'illusion et de réalité dans cette bizarre aventure. Nous habitions un grand palais de marbre sur le Canaleio[2], plein de fresques et de statues, avec deux Titiens[3] du meilleur temps dans la chambre à coucher de la Clarimonde, un palais digne d'un roi. Nous avions chacun notre gondole et nos barcarolles[4] à notre livrée, notre chambre de musique et notre poète. Clarimonde entendait la vie d'une grande manière, et elle avait un peu de Cléopâtre dans sa nature. Quant à moi, je menais un train de fils de prince, et je faisais une poussière comme si j'eusse été de la famille de l'un des douze apôtres ou des quatre évangélistes de la sérénissime république[5] ; je ne me serais pas détourné de mon chemin pour laisser passer le doge[6], et je ne crois pas que, depuis Satan qui tomba du ciel, personne ait été plus orgueilleux et plus insolent que moi. J'allais au Ridotto[7], et je jouais un jeu d'enfer. Je voyais la meilleure société du monde,

---

notes

1. bicéphale : à deux têtes, double.
2. Canaleio : Grand Canal de Venise, bordé de riches palais.
3. Titien (v. 1490-1576), peintre italien, qui exerça à Venise avec Giorgione. Il travailla pour des papes, François Ier, Charles Quint...
4. barcarolles : bateliers ; ici, conducteurs de gondoles.

5. sérénissime république : terme désignant la République de Venise.
6. doge : magistrat élu pour diriger la République de Venise.
7. Ridotto : célèbre salle de jeu de Venise.

des fils de famille ruinés, des femmes de théâtre, des escrocs, des
890   parasites et des spadassins[1]. Cependant, malgré la dissipation de
cette vie, je restai fidèle à la Clarimonde. Je l'aimais éperdument.
Elle eût réveillé la satiété[2] même et fixé l'inconstance[3]. Avoir
Clarimonde, c'était avoir vingt maîtresses, c'était avoir toutes les
femmes, tant elle était mobile, changeante et dissemblable d'elle-
895   même; un vrai caméléon! Elle vous faisait commettre avec elle
l'infidélité que vous eussiez commise avec d'autres, en prenant
complètement le caractère, l'allure et le genre de beauté de la
femme qui paraissait vous plaire. Elle me rendait mon amour au
centuple, et c'est en vain que les jeunes patriciens et même les
900   vieux du conseil des Dix lui firent les plus magnifiques propositions. Un Foscari[4] alla même jusqu'à lui proposer de l'épouser;
elle refusa tout. Elle avait assez d'or; elle ne voulait plus que de
l'amour, un amour jeune, pur, éveillé par elle, et qui devait être
le premier et le dernier. J'aurais été parfaitement heureux sans
905   un maudit cauchemar qui revenait toutes les nuits, et où je me
croyais un curé de village se macérant[5] et faisant pénitence de mes
excès du jour. Rassuré par l'habitude d'être avec elle, je ne
songeais plus à la façon étrange dont j'avais fait connaissance avec
Clarimonde. Cependant, ce qu'en avait dit l'abbé Sérapion me
910   revenait quelquefois en mémoire et ne laissait pas que de[6] me
donner de l'inquiétude.

    Depuis quelque temps la santé de Clarimonde n'était pas aussi
bonne; son teint s'amortissait[7] de jour en jour. Les médecins
qu'on fit venir n'entendaient rien à sa maladie, et ils ne savaient
915   qu'y faire. Ils prescrivirent quelques remèdes insignifiants et ne

notes..

1. **spadassins**: hommes habiles à l'épée.
2. **satiété**: état d'une personne rassasiée, dont les désirs sont comblés.
3. **inconstance**: infidélité.
4. **Foscari**: noble famille vénitienne.
5. **se macérant**: s'infligeant des souffrances et des privations par pénitence.

6. **ne laissait pas que de**: ne manquait pas de, ne cessait pas de.
7. **son teint s'amortissait**: l'éclat de son teint diminuait.

revinrent plus. Cependant elle pâlissait à vue d'œil et devenait de plus en plus froide. Elle était presque aussi blanche et aussi morte que la fameuse nuit dans le château inconnu. Je me désolais de la voir ainsi lentement dépérir. Elle, touchée de ma douleur, me

920 souriait doucement et tristement avec le sourire fatal des gens qui savent qu'ils vont mourir.

Un matin, j'étais assis auprès de son lit, et je déjeunais sur une petite table pour ne la pas quitter d'une minute. En coupant un fruit, je me fis par hasard au doigt une entaille assez profonde.

925 Le sang partit aussitôt en filets pourpres, et quelques gouttes rejaillirent sur Clarimonde. Ses yeux s'éclairèrent, sa physionomie prit une expression de joie féroce et sauvage que je ne lui avais jamais vue. Elle sauta à bas du lit avec une agilité animale, une agilité de singe ou de chat, et se précipita sur ma blessure qu'elle

930 se mit à sucer avec un air d'indicible[1] volupté. Elle avalait le sang par petites gorgées, lentement et précieusement, comme un gourmet qui savoure un vin de Xérès ou de Syracuse[2] ; elle clignait les yeux à demi, et la pupille de ses prunelles vertes était devenue oblongue[3] au lieu de ronde. De temps à autre elle s'interrompait

935 pour me baiser la main, puis elle recommençait à presser de ses lèvres les lèvres de la plaie pour en faire sortir encore quelques gouttes rouges. Quand elle vit que le sang ne venait plus, elle se releva l'œil humide et brillant, plus rose qu'une aurore de mai, la figure pleine, la main tiède et moite, enfin plus belle que jamais

940 et dans un état parfait de santé.

« Je ne mourrai pas ! je ne mourrai pas ! dit-elle à moitié folle de joie et en se pendant à mon cou : je pourrai t'aimer encore longtemps. Ma vie est dans la tienne, et tout ce qui est moi vient de toi. Quelques gouttes de ton riche et noble sang, plus précieux

notes

1. indicible : que l'on ne peut exprimer.
2. vin de Xérès ou de Syracuse : vins très réputés d'Espagne et de Sicile.

3. oblongue : allongée.

945 et plus efficace que tous les élixirs[1] du monde, m'ont rendu l'existence. »

Cette scène me préoccupa longtemps et m'inspira d'étranges doutes à l'endroit de Clarimonde, et le soir même, lorsque le sommeil m'eut ramené à mon presbytère, je vis l'abbé Sérapion 950 plus grave et plus soucieux que jamais. Il me regarda attentivement et me dit : « Non content de perdre votre âme, vous voulez aussi perdre votre corps. Infortuné jeune homme, dans quel piège êtes-vous tombé ! » Le ton dont il me dit ce peu de mots me frappa vivement ; mais, malgré sa vivacité, cette impression fut 955 bientôt dissipée, et mille autres soins l'effacèrent de mon esprit. Cependant, un soir, je vis dans ma glace, dont elle n'avait pas calculé la perfide position, Clarimonde qui versait une poudre dans la coupe de vin épicé qu'elle avait coutume de préparer après le repas. Je pris la coupe, je feignis d'y porter mes lèvres, et je la 960 posai sur quelque meuble comme pour l'achever plus tard à mon loisir, et, profitant d'un instant où la belle avait le dos tourné, j'en jetai le contenu sous la table ; après quoi je me retirai dans ma chambre et je me couchai, bien déterminé à ne pas dormir et à voir ce que tout cela deviendrait. Je n'attendis pas longtemps ; 965 Clarimonde entra en robe de nuit, et, s'étant débarrassée de ses voiles, s'allongea dans le lit auprès de moi. Quand elle se fut bien assurée que je dormais, elle découvrit mon bras et tira une épingle d'or de sa tête ; puis elle se mit à murmurer à voix basse :

« Une goutte, rien qu'une petite goutte rouge, un rubis au bout 970 de mon aiguille !... Puisque tu m'aimes encore, il ne faut pas que je meure... Ah ! pauvre amour ! son beau sang d'une couleur pourpre si éclatante, je vais le boire. Dors, mon seul bien ; dors, mon dieu, mon enfant ; je ne te ferai pas de mal, je ne prendrai de ta vie que ce qu'il faudra pour ne pas laisser éteindre la mienne. Si

note ....

1. **élixirs** : médicaments à base de plantes macérées dans l'alcool ; par extension, drogues aux pouvoirs magiques.

975 je ne t'aimais pas tant, je pourrais me résoudre à avoir d'autres amants dont je tarirais[1] les veines ; mais depuis que je te connais, j'ai tout le monde en horreur... Ah ! le beau bras ! comme il est rond ! comme il est blanc ! je n'oserai jamais piquer cette jolie veine bleue. » Et, tout en disant cela, elle pleurait, et je sentais
980 pleuvoir ses larmes sur mon bras qu'elle tenait entre ses mains. Enfin elle se décida, me fit une petite piqûre avec son aiguille et se mit à pomper le sang qui en coulait. Quoiqu'elle en eût bu à peine quelques gouttes, la crainte de m'épuiser la prenant, elle m'entoura avec soin le bras d'une petite bandelette après avoir
985 frotté la plaie d'un onguent[2] qui la cicatrisa sur-le-champ.

Je ne pouvais plus avoir de doutes, l'abbé Sérapion avait raison. Cependant, malgré cette certitude, je ne pouvais m'empêcher d'aimer Clarimonde, et je lui aurais volontiers donné tout le sang dont elle avait besoin pour soutenir son existence factice[3].
990 D'ailleurs, je n'avais pas grand-peur ; la femme me répondait du vampire[4], et ce que j'avais entendu et vu me rassurait complète- ment ; j'avais alors des veines plantureuses[5] qui ne seraient pas de sitôt épuisées, et je ne marchandais pas ma vie goutte à goutte. Je me serais ouvert le bras moi-même et je lui aurais dit : « Bois !
995 et que mon amour s'infiltre dans ton corps avec mon sang ! » J'évitais de faire la moindre allusion au narcotique[6] qu'elle m'avait versé et à la scène de l'aiguille, et nous vivions dans le plus parfait accord. Pourtant mes scrupules[7] de prêtre me tourmen- taient plus que jamais, et je ne savais quelle macération[8] nouvelle
1000 inventer pour mater et mortifier ma chair. Quoique toutes ces visions fussent involontaires et que je n'y participasse en rien, je

notes

1. **tarirais** : assécherais.
2. **onguent** : pommade.
3. **factice** : qui n'est pas réelle, fausse.
4. **la femme me répondait du vampire** : l'amour que lui porte Clarimonde protège Romuald du danger que pourrait représenter sa nature de vampire.
5. **plantureuses** : riches, abondantes.
6. **narcotique** : substance qui provoque l'assoupissement.
7. **scrupules** : troubles de conscience.
8. **macération** : privation ou souffrance que l'on s'inflige par pénitence.

n'osais pas toucher le Christ avec des mains aussi impures et un esprit souillé par de pareilles débauches réelles ou rêvées. Pour éviter de tomber dans ces fatigantes hallucinations, j'essayais de
1005 m'empêcher de dormir, je tenais mes paupières ouvertes avec les doigts et je restais debout au long des murs, luttant contre le sommeil de toutes mes forces ; mais le sable de l'assoupissement me roulait bientôt dans les yeux, et, voyant que toute lutte était inutile, je laissais tomber les bras de découragement et de lassi-
1010 tude, et le courant me rentraînait vers les rives perfides. Sérapion me faisait les plus véhémentes exhortations[1], et me reprochait durement ma mollesse et mon peu de ferveur. Un jour que j'avais été plus agité qu'à l'ordinaire, il me dit : « Pour vous débarrasser de cette obsession, il n'y a qu'un moyen, et, quoiqu'il soit extrême,
1015 il le faut employer : aux grands maux les grands remèdes. Je sais où Clarimonde a été enterrée ; il faut que nous la déterrions et que vous voyiez dans quel état pitoyable est l'objet de votre amour ; vous ne serez plus tenté de perdre votre âme pour un cadavre immonde dévoré des vers et près de tomber en poudre ; cela
1020 vous fera assurément rentrer en vous-même. » Pour moi, j'étais si fatigué de cette double vie, que j'acceptai ; voulant savoir, une fois pour toutes, qui du prêtre ou du gentilhomme était dupe d'une illusion, j'étais décidé à tuer au profit de l'un ou de l'autre un des deux hommes qui étaient en moi ou à les tuer tous deux, car une
1025 pareille vie ne pouvait durer. L'abbé Sérapion se munit d'une pioche, d'un levier et d'une lanterne, et à minuit nous nous dirigeâmes vers le cimetière de ★★★, dont il connaissait parfaitement le gisement[2] et la disposition. Après avoir porté la lumière de la lanterne sourde[3] sur les inscriptions de plusieurs tombeaux,
1030 nous arrivâmes enfin à une pierre à moitié cachée par les grandes

notes

1. **exhortations** : conseils, demandes pressantes.
2. **gisement** : position.

3. **lanterne sourde** : lanterne dont on peut cacher la source lumineuse à l'aide d'un volet.

134

herbes et dévorée de mousses et de plantes parasites, où nous déchiffrâmes ce commencement d'inscription :

> Ici gît Clarimonde
> Qui fut de son vivant
> La plus belle du monde.

1035

«C'est bien ici», dit Sérapion, et, posant à terre sa lanterne, il glissa la pince dans l'interstice de la pierre et commença à la soulever. La pierre céda, et il se mit à l'ouvrage avec la pioche. Moi, je le regardais faire, plus noir et plus silencieux que la nuit

1040 elle-même ; quant à lui, courbé sur son œuvre funèbre, il ruisselait de sueur, il haletait, et son souffle pressé avait l'air d'un râle d'agonisant. C'était un spectacle étrange, et qui nous eût vus du dehors nous eût plutôt pris pour des profanateurs[1] et des voleurs de linceuls, que pour des prêtres de Dieu. Le zèle de Sérapion

1045 avait quelque chose de dur et de sauvage qui le faisait ressembler à un démon plutôt qu'à un apôtre ou à un ange, et sa figure aux grands traits austères et profondément découpés par le reflet de la lanterne n'avait rien de très rassurant. Je me sentais perler sur les membres une sueur glaciale, et mes cheveux se redressaient

1050 douloureusement sur ma tête ; je regardais au fond de moi-même l'action du sévère Sérapion comme un abominable sacrilège[2], et j'aurais voulu que du flanc des sombres nuages qui roulaient pesamment au-dessus de nous sortît un triangle de feu qui le réduisît en poudre. Les hiboux perchés sur les cyprès, inquiétés

1055 par l'éclat de la lanterne, en venaient fouetter lourdement la vitre avec leurs ailes poussiéreuses, en jetant des gémissements plaintifs ;

---

notes

1. profanateurs : personnes portant atteinte à une chose revêtue d'un caractère sacré (ici, violer une tombe).

2. sacrilège : action qui méprise les lieux ou les choses revêtus d'un caractère sacré.

les renards glapissaient[1] dans le lointain, et mille bruits sinistres se dégageaient du silence. Enfin la pioche de Sérapion heurta le cercueil dont les planches retentirent avec un bruit sourd et sonore, avec ce terrible bruit que rend le néant quand on y touche ; il en renversa le couvercle, et j'aperçus Clarimonde pâle comme un marbre, les mains jointes ; son blanc suaire ne faisait qu'un seul pli de sa tête à ses pieds. Une petite goutte rouge brillait comme une rose au coin de sa bouche décolorée. Sérapion, à cette vue, entra en fureur : « Ah ! te voilà, démon, courtisane impudique, buveuse de sang et d'or ! » et il aspergea d'eau bénite le corps et le cercueil sur lequel il traça la forme d'une croix avec son goupillon[2]. La pauvre Clarimonde n'eut pas été plutôt touchée par la sainte rosée que son beau corps tomba en poussière ; ce ne fut plus qu'un mélange affreusement informe de cendres et d'os à demi calcinés. « Voilà votre maîtresse, seigneur Romuald, dit l'inexorable[3] prêtre en me montrant ces tristes dépouilles ; serez-vous encore tenté d'aller vous promener au Lido et à Fusine[4] avec votre beauté ? » Je baissai la tête ; une grande ruine venait de se faire au-dedans de moi. Je retournai à mon presbytère, et le seigneur Romuald, amant de Clarimonde, se sépara du pauvre prêtre, à qui il avait tenu pendant si longtemps une si étrange compagnie. Seulement, la nuit suivante, je vis Clarimonde ; elle me dit comme la première fois sous le portail de l'église : « Malheureux ! malheureux ! qu'as-tu fait ? Pourquoi as-tu écouté ce prêtre imbécile ? n'étais-tu pas heureux ? et que t'avais-je fait, pour violer ma pauvre tombe et mettre à nu les misères de mon néant ? Toute communication entre nos âmes et nos corps est rompue désormais. Adieu, tu me regretteras. » Elle se dissipa dans l'air comme une fumée, et je ne la revis plus.

---

notes..

1. glapissaient : criaient d'une façon aiguë et désagréable.
2. goupillon : petit bâton de métal dont on se sert pour asperger d'eau bénite.

3. inexorable : impitoyable, inflexible.
4. Lido, Fusine : lieux aux alentours de Venise.

Hélas! elle a dit vrai: je l'ai regrettée plus d'une fois et je la regrette encore. La paix de mon âme a été bien chèrement achetée; l'amour de Dieu n'était pas de trop pour remplacer le sien. Voilà, frère, l'histoire de ma jeunesse. Ne regardez jamais une femme, et marchez toujours les yeux fixés en terre, car, si chaste et si calme que vous soyez, il suffit d'une minute pour vous faire perdre l'éternité.

1090

Irène, tableau de William Adolphe Bouguereau, 1897.

Arria Marcella

souvenir de Pompéi

Trois jeunes gens, trois amis qui avaient fait ensemble le voyage d'Italie, visitaient l'année dernière[1] le musée des Studii[2], à Naples, où l'on a réuni les différents objets antiques exhumés[3] des fouilles de Pompéi et d'Herculanum[4].

5 Ils s'étaient répandus à travers les salles et regardaient les mosaïques, les bronzes, les fresques détachés des murs de la ville morte, selon que leur caprice les éparpillait, et quand l'un d'eux avait fait une rencontre curieuse, il appelait ses compagnons avec des cris de joie, au grand scandale des Anglais taciturnes[5] et des

10 bourgeois posés occupés à feuilleter leur livret.

Mais le plus jeune des trois, arrêté devant une vitrine, paraissait ne pas entendre les exclamations de ses camarades, absorbé qu'il était dans une contemplation profonde. Ce qu'il examinait avec

notes ....

1. C'est en 1850 que Gautier voyagea en Italie.
2. musée des Studii : musée archéologique de Naples.
3. exhumés : sortis du sol.

4. L'éruption du Vésuve, le 24 août 79, ensevelit sous la cendre et la lave plusieurs villes romaines : Pompéi, Herculanum, Stabies et Oplontis. Les fouilles commencèrent de façon systématique au XVIIIe siècle.
5. taciturnes : silencieux.

15 tant d'attention, c'était un morceau de cendre noire coagulée portant une empreinte creuse : on eût dit un fragment de moule de statue, brisé par la fonte ; l'œil exercé d'un artiste y eût aisément reconnu la coupe d'un sein admirable et d'un flanc aussi pur de style que celui d'une statue grecque. L'on sait, et le moindre guide du voyageur vous l'indique, que cette lave, refroidie au-

20 tour du corps d'une femme, en a gardé le contour charmant[1]. Grâce au caprice de l'éruption qui a détruit quatre villes, cette noble forme, tombée en poussière depuis deux mille ans bientôt, est parvenue jusqu'à nous ; la rondeur d'une gorge a traversé les siècles lorsque tant d'empires disparus n'ont pas laissé de trace ! Ce

25 cachet de beauté, posé par le hasard sur la scorie[2] d'un volcan, ne s'est pas effacé.

Voyant qu'il s'obstinait dans sa contemplation, les deux amis d'Octavien[3] revinrent vers lui, et Max, en le touchant à l'épaule, le fit tressaillir comme un homme surpris dans son secret.

30 Évidemment Octavien n'avait entendu venir ni Max ni Fabio.

« Allons, Octavien, dit Max, ne t'arrête pas ainsi des heures entières à chaque armoire, ou nous allons manquer l'heure du chemin de fer, et nous ne verrons pas Pompéi aujourd'hui.

— Que regarde donc le camarade ? ajouta Fabio, qui s'était

35 rapproché. Ah ! l'empreinte trouvée dans la maison d'Arrius Diomèdes. » Et il jeta sur Octavien un coup d'œil rapide et singulier.

Octavien rougit faiblement, prit le bras de Max, et la visite s'acheva sans autre incident. En sortant des Studii, les trois amis

notes..

1. Dans le corridor souterrain (cryptoportique) de la villa de Diomèdes, on découvrit, en 1772, dix-sept corps, dont celui de la jeune fille qui inspire Gautier dans cette nouvelle. Leur ensevelissement dans la boue cendreuse avait permis la conservation des formes. L'empreinte d'un sein de femme fut même découpée et exposée au musée archéologique.

2. **scorie** : matière d'origine volcanique.
3. **Octavien** : bien que le héros principal soit un Français, son prénom est d'origine latine. En effet, l'auteur fait une référence à l'empereur Auguste dont le prénom d'origine fut Octave, puis Octavien.

40 montèrent dans un corricolo[1] et se firent mener à la station du
chemin de fer. Le corricolo, avec ses grandes roues rouges, son
strapontin[2] constellé de clous de cuivre, son cheval maigre et plein
de feu, harnaché comme une mule d'Espagne, courant au galop
sur les larges dalles de lave, est trop connu pour qu'il soit besoin
45 d'en faire la description ici, et d'ailleurs nous n'écrivons pas
des impressions de voyage sur Naples, mais le simple récit d'une
aventure bizarre et peu croyable, quoique vraie.

Le chemin de fer par lequel on va à Pompéi longe presque
toujours la mer, dont les longues volutes[3] d'écume viennent se
50 dérouler sur un sable noirâtre qui ressemble à du charbon tamisé.
Ce rivage, en effet, est formé de coulées de lave et de cendres
volcaniques, et produit, par son ton foncé, un contraste avec le
bleu du ciel et le bleu de l'eau ; parmi tout cet éclat, la terre seule
semble retenir l'ombre.

55 Les villages que l'on traverse ou que l'on côtoie, Portici, rendu
célèbre par l'opéra de M. Auber[4], Resina, Torre del Greco, Torre
dell'Annunziata, dont on aperçoit en passant les maisons à arcades
et les toits en terrasses, ont, malgré l'intensité du soleil et le lait de
chaux méridional, quelque chose de plutonien[5] et de ferrugi-
60 neux[6] comme Manchester et Birmingham ; la poussière y est
noire, une suie impalpable s'y accroche à tout ; on sent que la
grande forge du Vésuve halète et fume à deux pas de là.

Les trois amis descendirent à la station de Pompéi, en riant entre
eux du mélange d'antique et de moderne que présentent
65 naturellement à l'esprit ces mots : *Station de Pompéi*. Une ville
gréco-romaine et un débarcadère de railway !

notes ....

1. **corricolo :** fiacre italien.
2. **strapontin :** siège d'appoint dont on peut abattre le dossier.
3. **volutes :** motifs d'ornementation formés d'un enroulement en spirale.
4. Daniel Auber (1782-1871) composa un opéra intitulé *La muette de Portici* (1828).

5. **plutonien :** qui est formé par l'action volcanique.
6. **ferrugineux :** qui contient une forte proportion de composés de fer.

Ils traversèrent le champ planté de cotonniers, sur lequel voltigeaient quelques bourres[1] blanches, qui sépare le chemin de fer de l'emplacement de la ville déterrée, et prirent un guide à
70 l'osteria[2] bâtie en dehors des anciens remparts, ou, pour parler plus correctement, un guide les prit. Calamité qu'il est difficile de conjurer[3] en Italie.

Il faisait une de ces heureuses journées si communes à Naples, où par l'éclat du soleil et la transparence de l'air les objets
75 prennent des couleurs qui semblent fabuleuses dans le Nord, et paraissent appartenir plutôt au monde du rêve qu'à celui de la réalité. Quiconque a vu une fois cette lumière d'or et d'azur en emporte au fond de sa brume une incurable nostalgie.

La ville ressuscitée, ayant secoué un coin de son linceul[4] de
80 cendre, ressortait avec ses mille détails sous un jour aveuglant. Le Vésuve découpait dans le fond son cône sillonné de stries[5] de laves bleues, roses, violettes, mordorées[6] par le soleil. Un léger brouillard, presque imperceptible dans la lumière, encapuchonnait la crête écimée[7] de la montagne ; au premier abord, on eût pu
85 le prendre pour un de ces nuages qui, même par les temps les plus sereins, estompent le front des pics élevés. En y regardant de plus près, on voyait de minces filets de vapeur blanche sortir du haut du mont comme des trous d'une cassolette[8], et se réunir ensuite en vapeur légère. Le volcan, d'humeur débonnaire[9] ce
90 jour-là, fumait tout tranquillement sa pipe, et sans l'exemple de Pompéi ensevelie à ses pieds, on ne l'aurait pas cru d'un caractère plus féroce que Montmartre ; de l'autre côté, de belles collines aux lignes ondulées et voluptueuses comme des hanches de femme, arrêtaient l'horizon ; et plus loin la mer, qui autrefois

notes ....

1. **bourres :** duvets végétaux.
2. **osteria :** « auberge », en italien.
3. **conjurer :** écarter par différents moyens.
4. **linceul :** drap dont on enveloppe les morts (pris ici au sens figuré).
5. **stries :** sillons, lignes parallèles.

6. **mordorées :** d'un brun chaud à reflets dorés.
7. **écimée :** dont on a enlevé la cime.
8. **cassolette :** petit vase servant à brûler des parfums.
9. **débonnaire :** bienveillant.

Ruines de Pompéi

95 apportait les birèmes et les trirèmes[1] sous les remparts de la ville, tirait sa placide barre d'azur.

L'aspect de Pompéi est des plus surprenants ; ce brusque saut de dix-neuf siècles en arrière étonne même les natures les plus prosaïques[2] et les moins compréhensives ; deux pas vous mènent
100 de la vie antique à la vie moderne, et du christianisme au paganisme[3] ; aussi, lorsque les trois amis virent ces rues où les formes d'une existence évanouie sont conservées intactes, éprouvèrent-ils, quelque préparés qu'ils y fussent par les livres et les dessins, une impression aussi étrange que profonde. Octavien surtout
105 semblait frappé de stupeur et suivait machinalement le guide d'un pas de somnambule, sans écouter la nomenclature[4] monotone et apprise par cœur que ce faquin[5] débitait comme une leçon.

Il regardait d'un œil effaré ces ornières de char creusées dans le pavage cyclopéen[6] des rues et qui paraissent dater d'hier tant
110 l'empreinte en est fraîche ; ces inscriptions tracées en lettres rouges, d'un pinceau cursif, sur les parois des murailles : affiches de spectacle, demandes de location, formules votives[7], enseignes, annonces de toutes sortes, curieuses comme le serait dans deux mille ans, pour les peuples inconnus de l'avenir, un pan de mur
115 de Paris retrouvé avec ses affiches et ses placards[8] ; ces maisons aux toits effondrés laissant pénétrer d'un coup d'œil tous ces mystères d'intérieur, tous ces détails domestiques que négligent les historiens et dont les civilisations emportent le secret avec elles ; ces

notes..

1. birèmes, trirèmes : vaisseaux à deux ou trois rangs de rames.
2. prosaïques : propres à la prose ; par extension, qui manquent de distinction, d'idéal, de fantaisie, de sensibilité.
3. paganisme : ensemble des religions polythéistes de l'Antiquité.
4. nomenclature : liste, suite d'éléments quelconques.

5. faquin : personnage médiocre, vaniteux, sot (terme péjoratif).
6. cyclopéen : digne des Cyclopes, gigantesque.
7. votives : relatives à un vœu.
8. placards : avis affichés dans un lieu public.

fontaines à peine taries[1], ce forum[2] surpris au milieu d'une
réparation par la catastrophe[3], et dont les colonnes, les architraves[4]
toutes taillées, toutes sculptées, attendent dans leur pureté d'arête
qu'on les mette en place ; ces temples voués à des dieux passés à
l'état mythologique et qui alors n'avaient pas un athée ; ces
boutiques où ne manque que le marchand ; ces cabarets où se voit
encore sur le marbre la tache circulaire laissée par la tasse des
buveurs ; cette caserne aux colonnes peintes d'ocre et de minium[5]
que les soldats ont égratignée de caricatures de combattants, et ces
doubles théâtres de drame et de chant juxtaposés, qui pourraient
reprendre leurs représentations, si la troupe qui les desservait,
réduite à l'état d'argile, n'était pas occupée, peut-être, à luter le
bondon[6] d'un tonneau de bière ou à boucher une fente de mur,
comme la poussière d'Alexandre et de César, selon la mélancolique réflexion d'Hamlet[7].

Fabio monta sur le thymelé[8] du théâtre tragique tandis que
Octavien et Max grimpaient jusqu'en haut des gradins, et là il se
mit à débiter avec force gestes les morceaux de poésie qui lui
venaient à la tête, au grand effroi des lézards, qui se dispersaient
en frétillant de la queue et en se tapissant dans les fentes des
assises ruinées ; et quoique les vases d'airain[9] ou de terre, destinés
à répercuter les sons, n'existassent plus, sa voix n'en résonnait pas
moins pleine et vibrante.

notes

1. **taries** : asséchées.
2. **forum** : cœur de la cité romaine, place publique où siégeaient les magistrats et où se tenaient les marchés.
3. Pompéi avait déjà subi un tremblement de terre quelques années avant l'éruption, et la ville était en pleine reconstruction.
4. **architraves** : poutres en bois ou en pierre taillée reposant au-dessus des chapiteaux des colonnes.
5. **minium** : pigment rouge orangé à base d'oxyde de plomb.
6. **luter le bondon** : fermer le trou d'un tonneau.

7. Allusion à un passage d'*Hamlet* de Shakespeare : « Alexandre est mort, Alexandre est enterré, Alexandre retourne à la poussière, la poussière devient la terre, de la terre on tire la glaise ; et pourquoi cette glaise que le voici devenu ne pourrait-elle fermer un tonneau de bière ? » (*Hamlet*, V, 1, trad. d'Yves Bonnefoy).
8. **thymelé** : autel de Dionysos, dieu du Théâtre, qui se trouvait au milieu de l'*orchestra*, espace circulaire où évoluait le chœur.
9. **airain** : bronze.

Le guide les conduisit ensuite à travers les cultures qui recouvrent les portions de Pompéi encore ensevelies, à l'amphithéâtre, situé à l'autre extrémité de la ville. Ils marchèrent sous ces arbres
145 dont les racines plongent dans les toits des édifices enterrés, en disjoignent les tuiles, en fendent les plafonds, en disloquent les colonnes, et passèrent par ces champs où de vulgaires légumes fructifient sur des merveilles d'art, matérielles images de l'oubli que le temps déploie sur les plus belles choses.

150 L'amphithéâtre ne les surprit pas. Ils avaient vu celui de Vérone, plus vaste et aussi bien conservé, et ils connaissaient la disposition de ces arènes antiques aussi familièrement que celle des places de taureaux en Espagne, qui leur ressemblent beaucoup, moins la solidité de la construction et la beauté des matériaux.

155 Ils revinrent donc sur leurs pas, gagnèrent par un chemin de traverse la rue de la Fortune, écoutant d'une oreille distraite le cicérone[1], qui en passant devant chaque maison la nommait du nom qui lui a été donné lors de sa découverte, d'après quelque particularité caractéristique : – la maison du Taureau de bronze, la
160 maison du Faune, la maison du Vaisseau, le temple de la Fortune, la maison de Méléagre, la taverne de la Fortune à l'angle de la rue Consulaire, l'académie de Musique, le Four banal[2], la Pharmacie, la boutique du Chirurgien, la Douane, l'habitation des Vestales[3], l'auberge d'Albinus, les Thermopoles[4], et ainsi de
165 suite jusqu'à la porte qui conduit à la voie des Tombeaux.

Cette porte en briques, recouverte de statues, et dont les ornements ont disparu, offre dans son arcade intérieure deux

notes

1. **cicérone :** guide.
2. **Four banal :** four commun que les habitants d'un village, d'un quartier peuvent utiliser.
3. **Vestales :** prêtresses de Vesta (déesse du Foyer) choisies dès l'enfance dans une famille noble, ayant pour mission d'entretenir le feu sacré dans le temple de la déesse, et vouées à la chasteté.

4. **Thermopoles :** sortes d'épiceries où l'on vendait aussi des boissons et des plats chauds.

profondes rainures destinées à laisser glisser une herse[1], comme un donjon du Moyen Âge à qui l'on aurait cru ce genre de défense particulier.

« Qui aurait soupçonné, dit Max à ses amis, Pompéi, la ville gréco-latine, d'une fermeture aussi romantiquement gothique ? Vous figurez-vous un chevalier romain attardé, sonnant du cor devant cette porte pour se faire lever la herse, comme un page du XVe siècle ?

– Rien n'est nouveau sous le soleil[2], répondit Fabio, et cet aphorisme[3] lui-même n'est pas neuf, puisqu'il a été formulé par Salomon.

– Peut-être y a-t-il du nouveau sous la lune ! continua Octavien en souriant avec une ironie mélancolique.

– Mon cher Octavien, dit Max, qui pendant cette petite conversation s'était arrêté devant une inscription tracée à la rubrique[4] sur la muraille extérieure, veux-tu voir des combats de gladiateurs ? – Voici les affiches : – Combat et chasse pour le 5 des nones[5] d'avril, – les mâts seront dressés, – vingt paires de gladiateurs lutteront aux nones, – et si tu crains pour la fraîcheur de ton teint, rassure-toi, on tendra les voiles[6] ; – à moins que tu ne préfères te rendre à l'amphithéâtre de bonne heure, ceux-ci se couperont la gorge le matin – *matutini erunt*[7] ; on n'est pas plus complaisant. »

En devisant de la sorte, les trois amis suivaient cette voie bordée de sépulcres[8] qui, dans nos sentiments modernes, serait

notes

1. **herse** : grille que l'on peut abaisser ou relever.
2. **Rien n'est nouveau sous le soleil** : formule empruntée à *L'Ecclésiaste*, livre de la Bible attribué au roi Salomon (v. 970-931), dont la sagesse est légendaire.
3. **aphorisme** : phrase concise formulant une vérité.
4. **rubrique** : craie rouge (le sens actuel du mot *rubrique* vient du fait que les titres de chapitres étaient écrits en rouge).
5. **nones** : division du temps à l'époque latine, pour indiquer une date.
6. Un grand velum était tendu au-dessus des gradins de l'amphithéâtre, pour protéger du soleil.
7. *matutini erunt* : « ils seront matinaux ».
8. **sépulcre** : tombeau.

une lugubre avenue pour une ville, mais qui n'offrait pas les mêmes significations tristes pour les anciens, dont les tombeaux, au lieu d'un cadavre horrible, ne contenaient qu'une pincée de cendres[1], idée abstraite de la mort. L'art embellissait ces dernières demeures, et, comme dit Goethe[2], le païen décorait des images de la vie les sarcophages[3] et les urnes.

C'est ce qui faisait sans doute que Max et Fabio visitaient, avec une curiosité allègre et une joyeuse plénitude d'existence qu'ils n'auraient pas eues dans un cimetière chrétien, ces monuments funèbres si gaiement dorés par le soleil et qui, placés sur le bord du chemin, semblent se rattacher encore à la vie et n'inspirent aucune de ces froides répulsions, aucune de ces terreurs fantastiques que font éprouver nos sépultures lugubres. Ils s'arrêtèrent devant le tombeau de Mammia, la prêtresse publique, près duquel est poussé un arbre, un cyprès ou un peuplier ; ils s'assirent dans l'hémicycle du triclinium[4] des repas funéraires, riant comme des héritiers ; ils lurent avec force lazzi[5] les épitaphes[6] de Nevoleja, de Labeon et de la famille Arria, suivis d'Octavien, qui semblait plus touché que ses insouciants compagnons du sort de ces trépassés de deux mille ans.

Ils arrivèrent ainsi à la villa d'Arrius Diomèdes, une des habitations les plus considérables de Pompéi. On y monte par des degrés[7] de briques, et lorsqu'on a dépassé la porte flanquée de deux petites colonnes latérales, on se trouve dans une cour semblable au patio qui fait le centre des maisons espagnoles et moresques[8] et que les anciens appelaient *impluvium* ou *cavædium* ;

---

notes

1. Les Latins brûlaient leurs morts et recueillaient les cendres dans des urnes qu'ils pouvaient placer dans des tombeaux richement décorés.
2. Goethe (1749-1832), écrivain allemand.
3. sarcophages : cercueils de pierre.
4. triclinium : salle à manger des Latins, composée de trois lits sur chacun desquels pouvaient s'installer trois convives.

5. lazzi : plaisanteries (terme italien).
6. épitaphes : inscriptions sur les tombeaux.
7. degrés : marches d'escalier.
8. moresques : caractéristiques des Maures, habitants de l'Afrique du Nord (s'écrit aussi *mauresques*).

quatorze colonnes de briques recouvertes de stuc[1] forment, des
quatre côtés, un portique ou péristyle[2] couvert, semblable au
cloître des couvents, et sous lequel on pouvait circuler sans
craindre la pluie. Le pavé de cette cour est une mosaïque de
briques et de marbre blanc, d'un effet doux et tendre à l'œil.
Dans le milieu, un bassin de marbre quadrilatère, qui existe encore,
recevait les eaux pluviales qui dégouttaient du toit du portique. —
Cela produit un singulier effet d'entrer ainsi dans la vie antique
et de fouler avec des bottes vernies des marbres usés par les
sandales et les cothurnes[3] des contemporains d'Auguste et de
Tibère[4].

Le cicérone les promena dans l'exèdre ou salon d'été, ouvert
du côté de la mer pour en aspirer les fraîches brises. C'était là
qu'on recevait et qu'on faisait la sieste pendant les heures
brûlantes, quand soufflait ce grand zéphyr[5] africain chargé de
langueurs et d'orages. Il les fit entrer dans la basilique, longue
galerie à jour qui donne de la lumière aux appartements et où les
visiteurs et les clients[6] attendaient que le nomenclateur[7] les
appelât; il les conduisit ensuite sur la terrasse de marbre blanc
d'où la vue s'étend sur les jardins verts et sur la mer bleue; puis il
leur fit voir le nymphæum ou salle de bain, avec ses murailles
peintes en jaune, ses colonnes de stuc, son pavé de mosaïque et sa
cuve de marbre qui reçut tant de corps charmants évanouis
comme des ombres; — le cubiculum[8], où flottèrent tant de rêves

notes

1. stuc: enduit à base de marbre blanc pulvérisé.
2. péristyle: galerie à colonnes, construite autour d'une cour.
3. cothurnes: chez les Grecs et les Romains, chaussures de cuir enserrant les jambes jusqu'à mi-mollet et à lanières lacées par-devant.
4. Auguste (63 av. J.-C.-14 ap. J.-C.) et Tibère (v. 42 av. J.-C.-37 ap. J.-C.), empereurs romains.

5. zéphyr: vent d'ouest, doux et agréable.
6. clients: dans la civilisation latine, personnes se vouant à leurs «patrons» riches, qui leur accordent en contrepartie subsistance et protection.
7. nomenclateur: esclave d'un citoyen romain, chargé de lui dire les noms de ses visiteurs.
8. cubiculum: chambre.

venus de la porte d'ivoire[1], et dont les alcôves[2] pratiquées dans le
mur étaient fermées par un conopeum ou rideau dont les
245   anneaux de bronze gisent encore à terre, le tétrastyle ou salle de
récréation, la chapelle des dieux lares[3], le cabinet des archives, la
bibliothèque, le musée des tableaux, le gynécée ou appartement
des femmes, composé de petites chambres en partie ruinées, dont
les parois conservent des traces de peintures et d'arabesques
250   comme des joues dont on a mal essuyé le fard.

     Cette inspection terminée, ils descendirent à l'étage inférieur,
car le sol est beaucoup plus bas du côté du jardin que du côté de
la voie des Tombeaux ; ils traversèrent huit salles peintes en rouge
antique, dont l'une est creusée de niches architecturales, comme
255   on en voit au vestibule de la salle des Ambassadeurs à l'Alhambra[4],
et ils arrivèrent enfin à une espèce de cave ou de cellier dont la
destination était clairement indiquée par huit amphores[5] d'argile
dressées contre le mur et qui avaient dû être parfumées de vin de
Crète, de Falerne et de Massique comme des odes d'Horace[6].

260   Un vif rayon de jour passait par un étroit soupirail[7] obstrué
d'orties, dont il changeait les feuilles traversées de lumières en
émeraudes[8] et en topazes[9], et ce gai détail naturel souriait à
propos à travers la tristesse du lieu.

     « C'est ici, dit le cicérone de sa voix nonchalante[10], dont le ton
265   s'accordait à peine avec le sens des paroles, que l'on trouva, parmi

---

notes

1. Allusion à l'*Odyssée* d'Homère : « Les
songes vacillants nous viennent de deux
portes ; l'une est fermée de corne, l'autre
est fermée d'ivoire ; quand un songe nous
vient par l'ivoire scié, ce n'est que
tromperie, simple ivraie de paroles ; ceux
que laisse passer la corne bien polie nous
cornent le succès du mortel qui les voit »
(chant XIX, v. 562-567, trad. de V. Bérard).
2. alcôves : petits renfoncements pratiqués
dans un mur.
3. lares : divinités du foyer chez les Latins.
4. Alhambra : palais construit par les
musulmans à Grenade (Espagne) aux XIIIᵉ
et XIVᵉ siècles.

5. amphores : grands récipients en terre
cuite, à deux anses, servant à conserver ou
à transporter les liquides et le grain.
6. Horace (65 av. J.-C.-8 av. J.-C.), poète
latin qui a souvent célébré ces vins dans
ses vers.
7. soupirail : ouverture donnant du jour et
de l'air à des pièces en sous-sol.
8. émeraudes : pierres précieuses de
couleur verte.
9. topazes : pierres précieuses de couleur
jaune.
10. nonchalante : pleine de lenteur, de
mollesse mêlées d'indifférence.

dix-sept squelettes, celui de la dame dont l'empreinte se voit au musée de Naples. Elle avait des anneaux d'or, et les lambeaux de sa fine tunique adhéraient encore aux cendres tassées qui ont gardé sa forme.»

270   Les phrases banales du guide causèrent une vive émotion à Octavien. Il se fit montrer l'endroit exact où ces restes précieux avaient été découverts, et s'il n'eût été contenu par la présence de ses amis, il se serait livré à quelque lyrisme[1] extravagant; sa poitrine se gonflait, ses yeux se trempaient de furtives moiteurs[2]:
275   cette catastrophe, effacée par vingt siècles d'oubli, le touchait comme un malheur tout récent; la mort d'une maîtresse ou d'un ami ne l'eût pas affligé davantage, et une larme en retard de deux mille ans tomba, pendant que Max et Fabio avaient le dos tourné, sur la place où cette femme, pour laquelle il se sentait pris d'un
280   amour rétrospectif[3], avait péri étouffée par la cendre chaude du volcan.

«Assez d'archéologie comme cela! s'écria Fabio; nous ne voulons pas écrire une dissertation sur une cruche ou une tuile du temps de Jules César pour devenir membres d'une académie de
285   province, ces souvenirs classiques me creusent l'estomac. Allons dîner, si toutefois la chose est possible, dans cette osteria pittoresque, où j'ai peur qu'on ne nous serve que des biftecks fossiles et des œufs frais pondus avant la mort de Pline[4].

— Je ne dirai pas comme Boileau: *Un sot, quelquefois, ouvre un*
290   *avis important*[5], fit Max en riant, ce serait malhonnête; mais cette idée a du bon. Il eût été pourtant plus joli de festiner[6] ici, dans un triclinium quelconque, couchés à l'antique, servis par des esclaves,

---

notes

1. **lyrisme**: état d'exaltation qui porte à l'effusion de sentiments.
2. **moiteurs**: humidités.
3. **rétrospectif**: qui est dirigé vers le passé.
4. Pline l'Ancien, écrivain et savant latin, mort en 79, victime de l'éruption du Vésuve.

5. La citation exacte, tirée de *L'art poétique* de Nicolas Boileau (1636-1711), est: «Un fat, quelquefois, ouvre un avis important» (III, 50).
6. **festiner**: faire un festin.

en manière de Lucullus[1] ou de Trimalcion[2]. Il est vrai que je ne vois pas beaucoup d'huîtres du lac Lucrin ; les turbots et les rougets de l'Adriatique[3] sont absents ; le sanglier d'Apulie[4] manque sur le marché ; les pains et les gâteaux au miel figurent au musée de Naples aussi durs que des pierres à côté de leurs moules vert-de-grisés[5] ; le macaroni cru, saupoudré de cacio-cavallo[6], et quoiqu'il soit détestable, vaut encore mieux que le néant. Qu'en pense le cher Octavien ? »

Octavien, qui regrettait fort de ne pas s'être trouvé à Pompéi le jour de l'éruption du Vésuve pour sauver la dame aux anneaux d'or et mériter ainsi son amour, n'avait pas entendu une phrase de cette conversation gastronomique. Les deux derniers mots prononcés par Max le frappèrent seuls, et comme il n'avait pas envie d'entamer une discussion, il fit, à tout hasard, un signe d'assentiment, et le groupe amical reprit, en côtoyant les remparts, le chemin de l'hôtellerie.

L'on dressa la table sous l'espèce de porche ouvert qui sert de vestibule à l'osteria, et dont les murailles, crépies à la chaux, étaient décorées de quelques croûtes qualifiées par l'hôte : Salvator Rosa, Espagnolet, cavalier Massimo et autres noms célèbres de l'école napolitaine[7], qu'il se crut obligé d'exalter.

« Hôte vénérable, dit Fabio, ne déployez pas votre éloquence en pure perte. Nous ne sommes pas des Anglais, et nous préférons les jeunes filles aux vieilles toiles. Envoyez-nous plutôt la liste de vos vins par cette belle brune, aux yeux de velours, que j'ai aperçue dans l'escalier. »

---

notes

1. Lucullus (v. 106 av. J.-C.-v. 57 av. J.-C.), Romain célèbre pour le luxe de sa table.
2. Trimalcion : personnage du *Satiricon* de Pétrone (mort en 66), parvenu richissime.
3. Adriatique : partie de la Méditerranée qui baigne les côtes de l'Italie.
4. Apulie : région d'Italie.

5. vert-de-grisés : couverts de vert-de-gris, rouille aux teintes vertes, propre aux objets en cuivre.
6. cacio-cavallo : fromage italien.
7. école napolitaine : ensemble de peintres napolitains de la première moitié du XVIIe siècle.

Le palforio[1], comprenant que ses hôtes n'appartenaient pas au genre mystifiable[2] des philistins[3] et des bourgeois, cessa de vanter sa galerie pour glorifier sa cave. D'abord, il avait tous les vins des meilleurs crus : Château-Margaux, grand-Lafite retour des Indes, Sillery de Moët, Hochmeyer, Scarlat-wine, Porto et porter, ale et gingerbeer, Lacryma-Christi blanc et rouge, Capri et Falerne[4].

« Quoi ! tu as du vin de Falerne, animal, et tu le mets à la fin de ta nomenclature ; tu nous fais subir une litanie[5] œnologique[6] insupportable, dit Max en sautant à la gorge de l'hôtelier avec un mouvement de fureur comique ; mais tu n'as donc pas le sentiment de la couleur locale ? tu es donc indigne de vivre dans ce voisinage antique ? Est-il bon au moins, ton Falerne ? a-t-il été mis en amphore sous le consul Plancus ? – *consule Planco*.

– Je ne connais pas le consul Plancus, et mon vin n'est pas mis en amphore, mais il est vieux et coûte dix carlins[7] la bouteille », répondit l'hôte.

Le jour était tombé et la nuit était venue, nuit sereine et transparente, plus claire, à coup sûr, que le plein midi de Londres ; la terre avait des tons d'azur et le ciel des reflets d'argent d'une douceur inimaginable ; l'air était si tranquille que la flamme des bougies posées sur la table n'oscillait même pas.

Un jeune garçon jouant de la flûte s'approcha de la table et se tint debout, fixant ses yeux sur les trois convives, dans une attitude de bas-relief[8], et soufflant dans son instrument aux sons doux et

notef ··

1. palforio : peut-être un nom propre que Gautier utilise pour désigner l'aubergiste.
2. mystifiable : que l'on peut mystifier, tromper.
3. philistins : chez les romantiques, désigne ceux qui, incultes ou bornés, sont fermés aux choses de l'art, de la littérature, de l'esprit.
4. Noms de grands crus issus de différents pays d'Europe. Les trois derniers sont des vins de la région de Naples.

5. litanie : énumération monotone.
6. litanie œnologique : énumération fastidieuse de noms de vins.
7. carlins : monnaie italienne.
8. bas-relief : ouvrage de sculpture où les objets représentés sont en partie engagés dans le bloc.

mélodieux, quelqu'une de ces cantilènes[1] populaires en mode
mineur dont le charme est pénétrant.

Peut-être ce garçon descendait-il en droite ligne du flûteur qui
précédait Duilius[2].

«Notre repas s'arrange d'une façon assez antique ; il ne nous
manque que des danseuses gaditanes[3] et des couronnes de lierre,
dit Fabio en se versant une large rasade de vin de Falerne.

— Je me sens en veine de[4] faire des citations latines comme un
feuilleton des *Débats*[5] ; il me revient des strophes d'ode, ajouta
Max.

— Garde-les pour toi, s'écrièrent Octavien et Fabio, justement
alarmés ; rien n'est indigeste comme le latin à table.»

La conversation entre jeunes gens qui, cigare à la bouche, le
coude sur la table, regardent un certain nombre de flacons vidés,
surtout lorsque le vin est capiteux, ne tarde pas à tourner sur
les femmes. Chacun exposa son système, dont voici à peu près le
résumé.

Fabio ne faisait cas que de la beauté et de la jeunesse.
Voluptueux et positif[6], il ne se payait pas d'illusions et n'avait en
amour aucun préjugé. Une paysanne lui plaisait autant qu'une
duchesse, pourvu qu'elle fût belle ; le corps le touchait plus que
la robe ; il riait beaucoup de certains de ses amis amoureux de
quelques mètres de soie et de dentelles, et disait qu'il serait plus
logique d'être épris d'un étalage de marchand de nouveautés.
Ces opinions, fort raisonnables au fond, et qu'il ne cachait pas, le
faisaient passer pour un homme excentrique.

notes

1. **cantilènes :** romances simples.
2. **Duilius :** consul romain qui remporta la bataille de Myles contre les Carthaginois en 260 avant J.-C. et qui, en guise d'hommage, fut escorté de joueurs de flûte.
3. **gaditanes :** de Cadix.

4. **en veine de :** disposé à.
5. *Le journal des débats*, paru entre 1789 et 1944, rendait compte des discussions de l'Assemblée nationale.
6. **positif :** qui a le sens des réalités, réaliste.

370   Max, moins artiste que Fabio, n'aimait, lui, que les entreprises difficiles, que les intrigues compliquées ; il cherchait des résistances à vaincre, des vertus à séduire, et conduisait l'amour comme une partie d'échecs, avec des coups médités longtemps, des effets suspendus, des surprises et des stratagèmes dignes de Polybe[1]. Dans

375 un salon, la femme qui paraissait avoir le moins de sympathie à son endroit, était celle qu'il choisissait pour but de ses attaques ; la faire passer de l'aversion à l'amour par des transitions habiles, était pour lui un plaisir délicieux ; s'imposer aux âmes qui le repoussaient, mater les volontés rebelles à son ascendant, lui semblait le plus

380 doux des triomphes. Comme certains chasseurs qui courent les champs, les bois et les plaines par la pluie, le soleil et la neige, avec des fatigues excessives et une ardeur que rien ne rebute, pour un maigre gibier que les trois quarts du temps ils dédaignent de manger, Max, la proie atteinte, ne s'en souciait plus, et se remet-

385 tait en quête presque aussitôt.

    Pour Octavien, il avouait que la réalité ne le séduisait guère, non qu'il fît des rêves de collégien tout pétris de lis et de roses comme un madrigal[2] de Demoustier[3], mais il y avait autour de toute beauté trop de détails prosaïques et rebutants ; trop de pères

390 radoteurs et décorés ; de mères coquettes, portant des fleurs naturelles dans de faux cheveux ; de cousins rougeauds et méditant des déclarations ; de tantes ridicules, amoureuses de petits chiens. Une gravure à l'aquatinte[4], d'après Horace Vernet[5] ou Delaroche[6], accrochée dans la chambre d'une femme, suffisait

395 pour arrêter chez lui une passion naissante. Plus poétique encore qu'amoureux, il demandait une terrasse de l'Isola-Bella, sur le lac

notes

1. Polybe, historien grec du IIe siècle avant J.-C.
2. **madrigal** : petite pièce de poésie, souvent à tournure galante.
3. Demoustier (1760-1801), auteur de petites pièces poétiques.

4. **aquatinte** : procédé de gravure à l'eau-forte imitant les dessins au lavis.
5. Horace Vernet (1789-1863), peintre français de marine et de guerre.
6. Paul Delaroche (1797-1856), peintre d'histoire français.

Majeur[1], par un beau clair de lune, pour encadrer un rendez-vous. Il eût voulu enlever son amour du milieu de la vie commune et en transporter la scène dans les étoiles. Aussi s'était-il épris tour à tour d'une passion impossible et folle pour tous les grands types féminins conservés par l'art ou l'histoire. Comme Faust[2], il avait aimé Hélène[3], et il aurait voulu que les ondulations des siècles apportassent jusqu'à lui une de ces sublimes personnifications des désirs et des rêves humains, dont la forme, invisible pour les yeux vulgaires, subsiste toujours dans l'espace et le temps. Il s'était composé un sérail[4] idéal avec Sémiramis[5], Aspasie[6], Cléopâtre[7], Diane de Poitiers[8], Jeanne d'Aragon[9]. Quelquefois aussi il aimait des statues, et un jour, en passant au Musée devant la Vénus de Milo, il s'était écrié: «Oh! qui te rendra les bras pour m'écraser contre ton sein de marbre!» À Rome, la vue d'une épaisse chevelure nattée exhumée d'un tombeau antique l'avait jeté dans un bizarre délire; il avait essayé, au moyen de deux ou trois de ces cheveux obtenus d'un gardien séduit à prix d'or, et remis à une somnambule d'une grande puissance, d'évoquer l'ombre et la forme de cette morte; mais le fluide conducteur s'était évaporé après tant d'années, et l'apparition n'avait pu sortir de la nuit éternelle.

notes ··

1. **lac Majeur**: lac du nord de l'Italie.
2. **Faust**: personnage légendaire, savant épris d'absolu, qui conclut un pacte avec le diable. Goethe en fit le héros d'une pièce traduite en français par Gérard de Nerval en 1828.
3. Dans l'*Iliade* d'Homère, Hélène est la plus belle femme du monde et son enlèvement par Pâris est la cause de la guerre de Troie. Dans le *Second Faust* de Goethe, le héros obtient de la déesse des Enfers, Perséphone, qu'elle fasse revenir Hélène à la vie. Faust et Hélène deviendront amants et auront même un fils.

4. **sérail**: ensemble des femmes d'un harem.
5. **Sémiramis**: reine légendaire de Babylone.
6. **Aspasie**: amante et conseillère de Périclès, homme d'État athénien du Ve siècle avant J.-C.
7. Cléopâtre VII (69 av. J.-C.-30 av. J.-C.), reine d'Égypte célèbre pour sa beauté et son luxe. Elle séduisit Antoine et César.
8. Diane de Poitiers (1499-1566), maîtresse d'Henri II célèbre pour sa beauté.
9. Jeanne d'Aragon, princesse espagnole du XVIe siècle.

Comme Fabio l'avait deviné devant la vitrine des Studii, l'empreinte recueillie dans la cave de la villa d'Arrius Diomèdes excitait chez Octavien des élans insensés vers un idéal rétrospectif ; il tentait de sortir du temps et de la vie, et de transposer son âme au siècle de Titus[1].

Max et Fabio se retirèrent dans leur chambre, et, la tête un peu alourdie par les classiques fumées[2] du Falerne, ne tardèrent pas à s'endormir. Octavien, qui avait souvent laissé son verre plein devant lui, ne voulant pas troubler par une ivresse grossière l'ivresse poétique qui bouillonnait dans son cerveau, sentit à l'agitation de ses nerfs que le sommeil ne lui viendrait pas, et sortit de l'osteria à pas lents pour rafraîchir son front et calmer sa pensée à l'air de la nuit.

Ses pieds, sans qu'il en eût conscience, le portèrent à l'entrée par laquelle on pénètre dans la ville morte, il déplaça la barre de bois qui la ferme et s'engagea au hasard dans les décombres.

La lune illuminait de sa lueur blanche les maisons pâles, divisant les rues en deux tranches de lumière argentée et d'ombre bleuâtre. Ce jour nocturne, avec ses teintes ménagées, dissimulait la dégradation des édifices. L'on ne remarquait pas, comme à la clarté crue du soleil, les colonnes tronquées, les façades sillonnées de lézardes[3], les toits effondrés par l'éruption ; les parties absentes se complétaient par la demi-teinte, et un rayon brusque, comme une touche de sentiment dans l'esquisse[4] d'un tableau, indiquait tout un ensemble écroulé. Les génies taciturnes de la nuit semblaient avoir réparé la cité fossile pour quelque représentation d'une vie fantastique.

passage analysé

notes

1. Titus (39-81), empereur romain de 79 à 81.
2. fumées : vapeurs d'alcool.
3. lézardes : fentes irrégulières dans un mur.

4. esquisse : première étape d'un tableau.

157

445 Quelquefois même Octavien crut voir se glisser de vagues formes humaines dans l'ombre ; mais elles s'évanouissaient dès qu'elles atteignaient la portion éclairée. De sourds chuchotements, une rumeur indéfinie, voltigeaient dans le silence. Notre promeneur les attribua d'abord à quelque papillonnement de ses yeux,

450 à quelque bourdonnement de ses oreilles, – ce pouvait être aussi un jeu d'optique, un soupir de la brise marine, ou la fuite à travers les orties d'un lézard ou d'une couleuvre, car tout vit dans la nature, même la mort, tout bruit, même le silence. Cependant il éprouvait une espèce d'angoisse involontaire, un léger frisson,

455 qui pouvait être causé par l'air froid de la nuit, et faisait frémir sa peau. Il retourna deux ou trois fois la tête ; il ne se sentait plus seul comme tout à l'heure dans la ville déserte. Ses camarades avaient-ils eu la même idée que lui, et le cherchaient-ils à travers ces ruines ? Ces formes entrevues, ces bruits indistincts de pas,

460 était-ce Max et Fabio marchant et causant, et disparus à l'angle d'un carrefour ? Cette explication toute naturelle, Octavien comprenait à son trouble qu'elle n'était pas vraie, et les raisonnements qu'il faisait là-dessus à part lui ne le convainquaient pas. La solitude et l'ombre s'étaient peuplées d'êtres invisibles qu'il

465 dérangeait ; il tombait au milieu d'un mystère, et l'on semblait attendre qu'il fût parti pour commencer. Telles étaient les idées extravagantes qui lui traversaient la cervelle et qui prenaient beaucoup de vraisemblance de l'heure, du lieu et de mille détails alarmants que comprendront ceux qui se sont trouvés de nuit

470 dans quelque vaste ruine.

En passant devant une maison qu'il avait remarquée pendant le jour et sur laquelle la lune donnait en plein, il vit, dans un état d'intégrité[1] parfaite, un portique dont il avait cherché à rétablir l'ordonnance : quatre colonnes d'ordre dorique[2] cannelées jusqu'à

passage analysé

notes

1. intégrité : caractère de ce qui est intact.	**2. ordre dorique :** type de colonne grecque, au chapiteau très simple.

passage analysé

475 mi-hauteur, et le fût enveloppé comme d'une draperie pourpre d'une teinte de minium, soutenaient une cimaise[1] coloriée d'ornements polychromes[2], que le décorateur semblait avoir achevée hier ; sur la paroi latérale de la porte un molosse[3] de Laconie[4], exécuté à l'encaustique[5] et accompagné de l'inscription
480 sacramentelle : *Cave canem*[6], aboyait à la lune et aux visiteurs avec une fureur peinte. Sur le seuil de mosaïque le mot *Ave*[7], en lettres osques[8] et latines, saluait les hôtes de ses syllabes amicales. Les murs extérieurs, teints d'ocre et de rubrique, n'avaient pas une crevasse. La maison s'était exhaussée[9] d'un étage, et le toit de
485 tuiles, dentelé d'un acrotère[10] de bronze, projetait son profil intact sur le bleu léger du ciel où pâlissaient quelques étoiles.

Cette restauration étrange, faite de l'après-midi au soir par un architecte inconnu, tourmentait beaucoup Octavien, sûr d'avoir vu cette maison le jour même dans un fâcheux état de ruine. Le
490 mystérieux reconstructeur avait travaillé bien vite, car les habitations voisines avaient le même aspect récent et neuf ; tous les piliers étaient coiffés de leurs chapiteaux ; pas une pierre, pas une brique, pas une pellicule de stuc, pas une écaille de peinture ne manquaient aux parois luisantes des façades, et par l'interstice des
495 péristyles on entrevoyait, autour du bassin de marbre du cavædium[11], des lauriers roses et blancs, des myrtes et des grenadiers. Tous les historiens s'étaient trompés : l'éruption n'avait pas eu lieu, ou bien l'aiguille du temps avait reculé de vingt heures séculaires sur le cadran de l'éternité.

notes

1. **cimaise** : moulure en haut d'une corniche.
2. **polychromes** : à plusieurs couleurs.
3. **molosse** : gros chien de garde (étymologiquement, ce mot vient de Molossie, une région de Grèce).
4. **Laconie** : région de Grèce.
5. **encaustique** : technique picturale utilisée dans l'Antiquité, consistant à détremper les couleurs dans la cire fondue.
6. ***Cave canem*** : « Attention au chien ».
7. ***Ave*** : « Salut ».
8. Les Osques étaient un peuple ancien d'Italie dont la langue était encore parlée à Pompéi, en même temps que le latin.
9. **s'était exhaussée** : avait été augmentée.
10. **acrotère** : ornement posé au faîte ou sur les côtés d'un toit.
11. **cavædium** : cour intérieure de la maison romaine.

500 Octavien, surpris au dernier point, se demanda s'il dormait tout debout et marchait dans un rêve. Il s'interrogea sérieusement pour savoir si la folie ne faisait pas danser devant lui ses hallucinations ; mais il fut obligé de reconnaître qu'il n'était ni endormi ni fou.

505 Un changement singulier avait eu lieu dans l'atmosphère ; de vagues teintes roses se mêlaient, par dégradations violettes, aux lueurs azurées de la lune ; le ciel s'éclaircissait sur les bords ; on eût dit que le jour allait paraître. Octavien tira sa montre ; elle marquait minuit. Craignant qu'elle ne fût arrêtée, il poussa le ressort de la répétition ; la sonnerie tinta douze fois ; il était bien

510 minuit, et cependant la clarté allait toujours augmentant, la lune se fondait dans l'azur de plus en plus lumineux ; le soleil se levait.

Alors Octavien, en qui toutes les idées de temps se brouillaient, put se convaincre qu'il se promenait non dans une Pompéi morte, froid cadavre de ville qu'on a tiré à demi de son linceul, mais dans

515 une Pompéi vivante, jeune, intacte, sur laquelle n'avaient pas coulé les torrents de boue brûlante du Vésuve.

Un prodige inconcevable le reportait, lui, Français du XIXᵉ siècle, au temps de Titus, non en esprit, mais en réalité, ou faisait revenir à lui, du fond du passé, une ville détruite avec ses habitants

520 disparus ; car un homme vêtu à l'antique venait de sortir d'une maison voisine.

Cet homme portait les cheveux courts et la barbe rasée, une tunique de couleur brune et un manteau grisâtre, dont les bouts étaient retroussés de manière à ne pas gêner sa marche ; il allait

525 d'un pas rapide, presque cursif[1], et passa à côté d'Octavien sans le voir. Un panier de sparterie[2] pendait à son bras, et il se dirigeait vers le Forum Nundinarium[3] ; – c'était un esclave, un Davus[4] quelconque allant au marché ; il n'y avait pas à s'y tromper.

notes ··

1. **cursif :** qui court.
2. **sparterie :** travail de fibres végétales (jonc, raphia...).

3. **Forum Nundinarium :** champ de foire.
4. **Davus :** nom courant d'esclave dans le théâtre latin.

160

Des bruits de roues se firent entendre, et un char antique, traîné
par des bœufs blancs et chargé de légumes, s'engagea dans la rue.
À côté de l'attelage marchait un bouvier[1] aux jambes nues et
brûlées par le soleil, aux pieds chaussés de sandales, et vêtu d'une
espèce de chemise de toile bouffant à la ceinture ; un chapeau de
paille conique, rejeté derrière le dos et retenu au col par la
mentonnière, laissait voir sa tête d'un type inconnu aujourd'hui,
son front bas traversé de dures nodosités[2], ses cheveux crépus et
noirs, son nez droit, ses yeux tranquilles comme ceux de ses bœufs,
et son cou d'Hercule campagnard. Il touchait gravement ses bêtes
de l'aiguillon, avec une pose de statue à faire tomber Ingres[3] en
extase.

Le bouvier aperçut Octavien et parut surpris, mais il continua
sa route ; une fois il retourna la tête, ne trouvant pas sans doute
d'explication à l'aspect de ce personnage étrange pour lui, mais
laissant, dans sa placide stupidité rustique, le mot de l'énigme à
de plus habiles.

Des paysans campaniens[4] parurent aussi, poussant devant eux
des ânes chargés d'outres de vin, et faisant tinter des sonnettes
d'airain ; leur physionomie différait de celle des paysans d'aujour-
d'hui comme une médaille diffère d'un sou.

La ville se peuplait graduellement comme un de ces tableaux de
diorama[5], d'abord déserts, et qu'un changement d'éclairage anime
de personnages invisibles jusque-là.

Les sentiments qu'éprouvait Octavien avaient changé de
nature. Tout à l'heure, dans l'ombre trompeuse de la nuit, il était
en proie à ce malaise dont les braves ne se défendent pas, au
milieu de circonstances inquiétantes et fantastiques que la raison

notes

1. **bouvier** : qui s'occupe des bœufs.
2. **nodosités** : renflements en forme de nœuds.
3. Dominique Ingres (1780-1867), peintre français caractérisé par la pureté de son dessin.
4. **campaniens** : de Campanie, la région de Pompéi.
5. **diorama** : tableau (ou suite de tableaux) peint d'une telle façon que, selon les jeux d'éclairage, il peut donner au spectateur l'illusion du mouvement.

ne peut expliquer. Sa vague terreur s'était changée en stupéfaction profonde ; il ne pouvait douter, à la netteté de leurs perceptions, du témoignage de ses sens, et cependant ce qu'il voyait était parfaitement incroyable. – Mal convaincu encore, il cherchait par la constatation de petits détails réels à se prouver qu'il n'était pas le jouet d'une hallucination. – Ce n'étaient pas des fantômes qui défilaient sous ses yeux, car la vive lumière du soleil les illuminait avec une réalité irrécusable[1], et leurs ombres allongées par le matin se projetaient sur les trottoirs et les murailles.

Ne comprenant rien à ce qui lui arrivait, Octavien, ravi au fond de voir un de ses rêves les plus chers accompli, ne résista plus à son aventure, il se laissa faire à toutes ces merveilles ; sans prétendre s'en rendre compte ; il se dit que puisque en vertu d'un pouvoir mystérieux il lui était donné de vivre quelques heures dans un siècle disparu, il ne perdrait pas son temps à chercher la solution d'un problème incompréhensible, et il continua bravement sa route, en regardant à droite et à gauche ce spectacle si vieux et si nouveau pour lui. Mais à quelle époque de la vie de Pompéi était-il transporté ? Une inscription d'édilité[2], gravée sur une muraille, lui apprit, par le nom des personnages publics, qu'on était au commencement du règne de Titus, – soit en l'an 79 de notre ère. – Une idée subite traversa l'âme d'Octavien ; la femme dont il avait admiré l'empreinte au musée de Naples devait être vivante, puisque l'éruption du Vésuve dans laquelle elle avait péri eut lieu le 24 août de cette même année ; il pouvait donc la retrouver, la voir, lui parler… Le désir fou qu'il avait ressenti à l'aspect de cette cendre moulée sur des contours divins allait peut-être se satisfaire, car rien ne devait être impossible à un amour qui avait eu la force de faire reculer le temps, et passer deux fois la même heure dans le sablier de l'éternité.

notes

1. **irrécusable** : qu'on ne peut pas refuser. | 2. **édilité** : fonction de conseiller municipal chez les Latins.

Pendant qu'Octavien se livrait à ces réflexions, de belles jeunes filles se rendaient aux fontaines, soutenant du bout de leurs doigts blancs des urnes en équilibre sur leur tête ; des patriciens[1] en toges blanches bordées de bandes de pourpre, suivis de leur cortège de clients, se dirigeaient vers le forum. Les acheteurs se pressaient autour des boutiques, toutes désignées par des enseignes sculptées et peintes, et rappelant par leur petitesse et leur forme les boutiques moresques d'Alger ; au-dessus de la plupart de ces échoppes[2], un glorieux phallus[3] de terre cuite colorié et l'inscription *hic habitat felicitas*[4], témoignait de précautions superstitieuses contre le mauvais œil ; Octavien remarqua même une boutique d'amulettes[5] dont l'étalage était chargé de cornes, de branches de corail bifurquées[6], et de petits Priapes[7] en or, comme on en trouve encore à Naples aujourd'hui, pour se préserver de la jettature[8], et il se dit qu'une superstition durait plus qu'une religion.

En suivant le trottoir qui borde chaque rue de Pompéi, et enlève ainsi aux Anglais la confortabilité de cette invention, Octavien se trouva face à face avec un beau jeune homme, de son âge à peu près, vêtu d'une tunique couleur de safran, et drapé d'un manteau de fine laine blanche, souple comme du cachemire. La vue d'Octavien, coiffé de l'affreux chapeau moderne, sanglé dans une mesquine redingote noire, les jambes emprisonnées dans un pantalon, les pieds pincés par des bottes luisantes, parut surprendre le jeune Pompéien, comme nous étonnerait, sur le

notes

1. patriciens : citoyens de l'aristocratie romaine.
2. échoppes : petites boutiques adossées à un mur.
3. phallus : organe sexuel masculin, dont la représentation est censée apporter fécondité et protection contre le mauvais sort. Voir plus loin le dieu Priape, dont la statuette remplit la même fonction (*cf.* note 7).
4. hic habitat felicitas : « ici habite le bonheur ».

5. amulettes : petits objets que l'on porte sur soi et auxquels on attribue le pouvoir de préserver des maladies, des accidents, des maux les plus divers.
6. bifurquées : qui se terminent en deux pointes.
**7. Priape, dieu phallique chez les Grecs puis les Romains, assurant prospérité et fécondité (*cf.* note 3).
8. jettature : le mauvais œil ; Gautier écrivit, en 1856, une nouvelle intitulée *Jettatura*.

163

boulevard de Gand, un Ioway[1] ou un Botocudo[2] avec ses plumes, ses colliers de griffes d'ours et ses tatouages baroques[3]. Cependant, comme c'était un jeune homme bien élevé, il n'éclata
615 pas de rire au nez d'Octavien, et prenant en pitié ce pauvre barbare[4] égaré dans cette ville gréco-romaine, il lui dit d'une voix accentuée et douce :

« *Advena, salve*[5]. »

Rien n'était plus naturel qu'un habitant de Pompéi, sous le
620 règne du divin empereur Titus, très puissant et très auguste, s'exprimât en latin, et pourtant Octavien tressaillit en entendant cette langue morte dans une bouche vivante. C'est alors qu'il se félicita d'avoir été fort en thème, et remporté des prix au concours général. Le latin enseigné par l'Université lui servit en cette
625 occasion unique, et rappelant en lui ses souvenirs de classe, il répondit au salut du Pompéien en style de *De viris illustribus* et de *Selectæ e profanis*[6], d'une façon suffisamment intelligible, mais avec un accent parisien qui fit sourire le jeune homme.

« Il te sera peut-être plus facile de parler grec, dit le Pompéien ;
630 je sais aussi cette langue, car j'ai fait mes études à Athènes.

— Je sais encore moins de grec que de latin, répondit Octavien ; je suis du pays des Gaulois, de Paris, de Lutèce.

— Je connais ce pays. Mon aïeul a fait la guerre dans les Gaules sous le grand Jules César. Mais quel étrange costume portes-tu ?
635 Les Gaulois que j'ai vus à Rome n'étaient pas habillés ainsi. »

Octavien entreprit de faire comprendre au jeune Pompéien que vingt siècles s'étaient écoulés depuis la conquête de la Gaule par Jules César, et que la mode avait pu changer ; mais il y perdit son latin, et à vrai dire ce n'était pas grand-chose.

notes

1. **Ioway** : Indien de l'Iowa.
2. **Botocudo** : Indien du Brésil.
3. **baroques** : bizarres, surprenants.
4. **barbare** : terme que les Anciens employaient pour désigner quelqu'un qui ne parlait pas leur langue (le latin ou le grec).
5. ***Advena, salve*** : « Étranger, salut. »
6. ***De viris illustribus, Selectæ e profanis*** : manuels de morceaux choisis latins destinés aux élèves.

640 « Je me nomme Rugus Holconius, et ma maison est la tienne, dit le jeune homme ; à moins que tu ne préfères la liberté de la taverne : on est bien à l'auberge d'Albinus, près de la porte du faubourg d'Augustus Felix, et à l'hôtellerie de Sarinus, fils de Publius, près de la deuxième tour ; mais si tu veux, je te servirai

645 de guide dans cette ville inconnue pour toi ; – tu me plais, jeune barbare, quoique tu aies essayé de te jouer de ma crédulité en prétendant que l'empereur Titus, qui règne aujourd'hui, était mort depuis deux mille ans, et que le Nazaréen[1], dont les infâmes sectateurs[2], enduits de poix, ont éclairé les jardins de Néron[3], trône

650 seul en maître dans le ciel désert, d'où les grands dieux sont tombés. – Par Pollux[4] ! ajouta-t-il en jetant les yeux sur une inscription rouge tracée à l'angle d'une rue, tu arrives à propos, l'on donne *La Casina* de Plaute[5], récemment remise au théâtre ; c'est une curieuse et bouffonne comédie qui t'amusera, n'en

655 comprendrais-tu que la pantomime. Suis-moi, c'est bientôt l'heure ; je te ferai placer au banc des hôtes et des étrangers. »

Et Rufus Holconius se dirigea du côté du petit théâtre comique que les trois amis avaient visité dans la journée.

Le Français et le citoyen de Pompéi prirent les rues de la

660 Fontaine d'Abondance, des Théâtres, longèrent le collège et le temple d'Isis[6], l'atelier du statuaire, et entrèrent dans l'Odéon ou théâtre comique par un vomitoire[7] latéral. Grâce à la recommandation d'Holconius, Octavien fut placé près du proscenium[8], un endroit qui répondrait à nos baignoires[9] d'avant-scène. Tous les

---

notes

1. Nazaréen : nom donné au Christ puis aux premiers chrétiens.
2. sectateurs : membres d'une secte.
3. L'empereur Néron, en 64, avait accusé les chrétiens d'être responsables de l'incendie de Rome et, après les avoir crucifiés et enduits de poix, il les avait transformés en torches vivantes.
4. Pollux : divinité antique.
5. Plaute (254 av. J.-C.-184 av. J.-C.), auteur latin de comédies.

6. Isis : déesse égyptienne dont le culte s'était répandu dans tout l'Empire romain.
7. vomitoire : passage qui donne accès aux gradins du théâtre.
8. proscenium : dans le théâtre romain, équivalent de la scène.
9. baignoires : petites loges situées au fond ou sur les côtés d'un théâtre.

665 regards se tournèrent aussitôt vers lui avec une curiosité bienveil-
lante et un léger susurrement[1] courut dans l'amphithéâtre.

La pièce n'était pas encore commencée ; Octavien en profita
pour regarder la salle. Les gradins demi-circulaires, terminés de
chaque côté par une magnifique patte de lion sculptée en lave du
670 Vésuve, partaient en s'élargissant d'un espace vide correspondant
à notre parterre, mais beaucoup plus restreint, et pavé d'une
mosaïque de marbres grecs ; un gradin plus large formait, de
distance en distance, une zone distinctive, et quatre escaliers
correspondant aux vomitoires et montant de la base au sommet
675 de l'amphithéâtre le divisaient en cinq coins plus larges du haut
que du bas. Les spectateurs, munis de leurs billets, consistant en
petites lames d'ivoire où étaient désignés, par leurs numéros
d'ordre, la travée, le coin et le gradin, avec le titre de la pièce
représentée et le nom de son auteur, arrivaient aisément à leurs
680 places. Les magistrats, les nobles, les hommes mariés, les jeunes
gens, les soldats, dont on voyait luire les casques de bronze,
occupaient des rangs séparés. – C'était un spectacle admirable que
ces belles toges et ces larges manteaux blancs bien drapés, s'étalant
sur les premiers gradins et contrastant avec les parures variées des
685 femmes, placées au-dessus, et les capes grises des gens du peuple,
relégués aux bancs supérieurs, près des colonnes qui supportent
le toit, et qui laissaient apercevoir, par leurs interstices, un ciel d'un
bleu intense comme le champ d'azur d'une panathénée[2] ; – une
fine pluie d'eau, aromatisée de safran, tombait des frises en gout-
690 telettes imperceptibles, et parfumait l'air qu'elle rafraîchissait.
Octavien pensa aux émanations fétides[3] qui vicient l'atmosphère
de nos théâtres, si incommodes qu'on peut les considérer comme

---

.**notes**..

1. susurrement : doux murmure, avec une
voix légèrement sifflante.
2. panathénée : d'ordinaire au pluriel,
grande fête athénienne en l'honneur
d'Athéna.

3. fétides : qui répandent une odeur
répugnante et malsaine.

des lieux de torture, et il trouva que la civilisation n'avait pas beaucoup marché.

695 Le rideau, soutenu par une poutre transversale, s'abîma[1] dans les profondeurs de l'orchestre, les musiciens s'installèrent dans leur tribune, et le Prologue[2] parut vêtu grotesquement et la tête coiffée d'un masque difforme, adapté comme un casque.

Le Prologue, après avoir salué l'assistance et demandé les
700 applaudissements, commença une argumentation bouffonne. « Les vieilles pièces, disait-il, étaient comme le vin qui gagne avec les années, et *La Casina*, chère aux vieillards, ne devait pas moins l'être aux jeunes gens ; tous pouvaient y prendre plaisir : les uns parce qu'ils la connaissaient, les autres parce qu'ils ne la connaissaient
705 pas. La pièce avait été, du reste, remise avec soin, et il fallait l'écouter l'âme libre de tout souci, sans penser à ses dettes, ni à ses créanciers, car on n'arrête pas au théâtre ; c'était un jour heureux, il faisait beau, et les alcyons[3] planaient sur le forum. » Puis il fit une analyse de la comédie que les acteurs allaient représenter, avec
710 un détail qui prouve que la surprise entrait pour peu de chose dans le plaisir que les Anciens prenaient au théâtre ; il raconta comment le vieillard Stalino, amoureux de sa belle esclave Casina, veut la marier à son fermier Olympio, époux complaisant qu'il remplacera dans la nuit des noces ; et comment Lycostrata, la
715 femme de Stalino, pour contrecarrer la luxure[4] de son vicieux mari, veut unir Casina à l'écuyer Chalinus, dans l'idée de favoriser les amours de son fils ; enfin la manière dont Stalino, mystifié, prend un jeune esclave déguisé pour Casina, qui, reconnue libre et de naissance ingénue[5], épouse le jeune maître, qu'elle aime et
720 dont elle est aimée.

notes

1. **s'abîma** : s'enfonça.
2. **Prologue** : personnage des comédies antiques qui s'adresse directement aux spectateurs pour leur présenter la pièce et demander leur bienveillance.
3. **alcyons** : oiseaux mythologiques, identifiés à différents oiseaux de mer.
4. **luxure** : débauche.
5. **naissance ingénue** : au sens romain de « naissance libre ».

Le jeune Français regardait distraitement les acteurs, avec leurs masques aux bouches de bronze, s'évertuer sur la scène ; les esclaves couraient çà et là pour simuler l'empressement ; le vieillard hochait la tête et tendait ses mains tremblantes ; la matrone[1], le verbe haut, l'air revêche et dédaigneux, se carrait[2] dans son importance et querellait son mari, au grand amusement de la salle. — Tous ces personnages entraient et sortaient par trois portes pratiquées dans le mur du fond et communiquant au foyer des acteurs. — La maison de Stalino occupait un coin du théâtre, et celle de son vieil ami Alcesimus lui faisait face. Ces décorations, quoique très bien peintes, étaient plutôt représentatives de l'idée d'un lieu que du lieu lui-même, comme les coulisses vagues du théâtre classique.

Quand la pompe[3] nuptiale conduisant la fausse Casina fit son entrée sur la scène, un immense éclat de rire, comme celui qu'Homère attribue aux dieux, circula sur tous les bancs de l'amphithéâtre, et des tonnerres d'applaudissements firent vibrer les échos de l'enceinte ; mais Octavien n'écoutait plus et ne regardait plus.

Dans la travée des femmes, il venait d'apercevoir une créature d'une beauté merveilleuse. À dater de ce moment, les charmants visages qui avaient attiré son œil s'éclipsèrent comme les étoiles devant Phœbé[4] ; tout s'évanouit, tout disparut comme dans un songe ; un brouillard estompa les gradins fourmillants de monde, et la voix criarde des acteurs semblait se perdre dans un éloignement infini.

Il avait reçu au cœur comme une commotion[5] électrique, et il lui semblait qu'il jaillissait des étincelles de sa poitrine lorsque le regard de cette femme se tournait vers lui.

notes ....

1. **matrone** : mère de famille.
2. **se carrait** : s'étalait.
3. **pompe** : cortège.

4. **Phœbé** : la Lune, dans le panthéon gréco-romain.
5. **commotion** : choc, ébranlement.

750   Elle était brune et pâle ; ses cheveux ondés[1] et crespelés[2], noirs comme ceux de la Nuit, se relevaient légèrement vers les tempes, à la mode grecque, et dans son visage d'un ton mat brillaient des yeux sombres et doux, chargés d'une indéfinissable expression de tristesse voluptueuse et d'ennui passionné ; sa bouche, dédai-
755 gneusement arquée à ses coins, protestait par l'ardeur vivace de sa pourpre enflammée contre la blancheur tranquille du masque ; son col présentait ces belles lignes pures qu'on ne retrouve à présent que dans les statues. Ses bras étaient nus jusqu'à l'épaule, et de la pointe de ses seins orgueilleux, soulevant sa tunique d'un
760 rose mauve, partaient deux plis qu'on aurait pu croire fouillés dans le marbre par Phidias[3] ou Cléomène[4].

    La vue de cette gorge d'un contour si correct, d'une coupe si pure, troubla magnétiquement Octavien ; il lui sembla que ces rondeurs s'adaptaient parfaitement à l'empreinte en creux du
765 musée de Naples, qui l'avait jeté dans une si ardente rêverie, et une voix lui cria au fond du cœur que cette femme était bien la femme étouffée par la cendre du Vésuve à la villa d'Arrius Diomèdes. Par quel prodige la voyait-il vivante, assistant à la représentation de *La Casina* de Plaute ? Il ne chercha pas à se
770 l'expliquer ; d'ailleurs, comment était-il là lui-même ? Il accepta sa présence comme dans le rêve on admet l'intervention de personnes mortes depuis longtemps et qui agissent pourtant avec les apparences de la vie ; d'ailleurs son émotion ne lui permettait aucun raisonnement. Pour lui, la roue du temps était sortie de son
775 ornière[5], et son désir vainqueur choisissait sa place parmi les

notes

1. ondés : dont la surface présente une succession alternative de nuances ou de reflets.
2. crespelés : qui présentent des ondulations légères et serrées.
3. Phidias, sculpteur grec du Ve siècle avant J.-C.

4. Cléomène, sculpteur grec du IIIe siècle avant J.-C.
5. Paraphrase d'une citation de Shakespeare : « Le temps est hors de ses gonds » (*Hamlet*, V, 1, trad. d'Yves Bonnefoy).

siècles écoulés ! Il se trouvait face à face avec sa chimère[1], une des plus insaisissables, une chimère rétrospective. Sa vie se remplissait d'un seul coup.

En regardant cette tête si calme et si passionnée, si froide et si ardente, si morte et si vivace, il comprit qu'il avait devant lui son premier et son dernier amour, sa coupe d'ivresse suprême ; il sentit s'évanouir comme des ombres légères les souvenirs de toutes les femmes qu'il avait cru aimer, et son âme redevenir vierge de toute émotion antérieure. Le passé disparut.

Cependant la belle Pompéienne, le menton appuyé sur la paume de la main, lançait sur Octavien, tout en ayant l'air de s'occuper de la scène, le regard velouté de ses yeux nocturnes, et ce regard lui arrivait lourd et brûlant comme un jet de plomb fondu. Puis elle se pencha vers l'oreille d'une fille assise à son côté.

La représentation s'acheva ; la foule s'écoula par les vomitoires. Octavien, dédaignant les bons offices de son guide Holconius, s'élança par la première sortie qui s'offrit à ses pas. À peine eut-il atteint la porte, qu'une main se posa sur son bras, et qu'une voix féminine lui dit d'un ton bas, mais de manière à ce qu'il ne perdît pas un mot :

« Je suis Tyché Novoleja, commise aux plaisirs d'Arria Marcella, fille d'Arrius Diomèdes. Ma maîtresse vous aime, suivez-moi. »

Arria Marcella venait de monter dans sa litière[2] portée par quatre forts esclaves syriens nus jusqu'à la ceinture, et faisant miroiter au soleil leurs torses de bronze. Le rideau de la litière s'entrouvrit, et une main pâle, étoilée de bagues, fit un signe amical à Octavien, comme pour confirmer les paroles de la suivante. Le pli de pourpre retomba, et la litière s'éloigna au pas cadencé des esclaves.

notes

1. **chimère :** dans la mythologie, animal composite, à l'allure de dragon ; désigne par la suite une illusion, une rêverie un peu folle.

2. **litière :** lit généralement couvert et clos, posé sur deux brancards et porté soit à bras d'hommes, soit par des bêtes de somme.

805   Tyché fit passer Octavien par des chemins détournés, coupant les rues en posant légèrement le pied sur les pierres espacées qui relient les trottoirs et entre lesquelles roulent les roues des chars, et se dirigeant à travers le dédale avec la précision que donne la familiarité d'une ville. Octavien remarqua qu'il franchissait des
810 quartiers de Pompéi que les fouilles n'ont pas découverts, et qui lui étaient en conséquence complètement inconnus. Cette circonstance étrange parmi tant d'autres ne l'étonna pas. Il était décidé à ne s'étonner de rien. Dans toute cette fantasmagorie[1] archaïque, qui eût fait devenir un antiquaire fou de bonheur, il
815 ne voyait plus que l'œil noir et profond d'Arria Marcella et cette gorge superbe victorieuse des siècles, et que la destruction même a voulu conserver.

    Ils arrivèrent à une porte dérobée, qui s'ouvrit et se ferma aussitôt, et Octavien se trouva dans une cour entourée de
820 colonnes de marbre grec d'ordre ionique peintes, jusqu'à la moitié de leur hauteur, d'un jaune vif, et le chapiteau relevé d'ornements rouges et bleus ; une guirlande d'aristoloche[2] suspendait ses larges feuilles vertes en forme de cœur aux saillies de l'architecture comme une arabesque naturelle, et près d'un bassin encadré de
825 plantes, un flamant rose se tenait debout sur une patte, fleur de plume parmi les fleurs végétales.

    Des panneaux de fresque représentant des architectures capricieuses ou des paysages de fantaisie décoraient les murailles. Octavien vit tous ces détails d'un coup d'œil rapide, car Tyché le
830 remit aux mains des esclaves baigneurs qui firent subir à son impatience toutes les recherches des thermes antiques. Après avoir passé par les différents degrés de chaleur vaporisée, supporté le racloir du strigillaire[3], senti ruisseler sur lui les cosmétiques[4] et les

notes

1. **fantasmagorie** : apparition surnaturelle, représentation imaginaire.
2. **aristoloche** : plante grimpante.
3. **strigillaire** : esclave qui nettoyait la peau avec un racloir, après le bain de vapeur.

4. **cosmétiques** : ce qui sert à entretenir la beauté, à embellir la peau, les cheveux.

huiles parfumées, il fut revêtu d'une tunique blanche, et retrouva
835 à l'autre porte Tyché, qui lui prit la main et le conduisit dans une
autre salle extrêmement ornée.

Sur le plafond étaient peints, avec une pureté de dessin, un éclat
de coloris et une liberté de touche qui sentaient le grand maître
et non plus le simple décorateur à l'adresse vulgaire, Mars, Vénus
840 et l'Amour ; une frise composée de cerfs, de lièvres et d'oiseaux
se jouant parmi les feuillages régnait au-dessus d'un revêtement
de marbre cipolin[1] ; la mosaïque du pavé, travail merveilleux dû
peut-être à Sosimus de Pergame[2], représentait des reliefs de festin
exécutés avec un art qui faisait illusion.

845 Au fond de la salle, sur un biclinium ou lit à deux places, était
accoudée Arria Marcella dans une pose voluptueuse et sereine
qui rappelait la femme couchée de Phidias sur le fronton du
Parthénon[3] ; ses chaussures, brodées de perles, gisaient au bas du lit,
et son beau pied nu, plus pur et plus blanc que le marbre, s'allon-
850 geait au bout d'une légère couverture de byssus[4] jetée sur elle.

Deux boucles d'oreilles faites en forme de balance et portant
des perles sur chaque plateau tremblaient dans la lumière au long
de ses joues pâles ; un collier de boules d'or, soutenant des grains
allongés en poire, circulait sur sa poitrine laissée à demi décou-
855 verte par le pli négligé d'un peplum[5] de couleur paille bordé
d'une grecque[6] noire ; une bandelette noir et or passait et luisait
par places dans ses cheveux d'ébène, car elle avait changé de
costume en revenant du théâtre ; autour de son bras, comme
l'aspic[7] autour du bras de Cléopâtre, un serpent d'or, aux yeux de
860 pierreries, s'enroulait à plusieurs reprises et cherchait à se mordre
la queue.

notes

1. **cipolin** : veiné de différentes couleurs.
2. Il y eut à Pergame, au IIIe siècle avant J.-C., une école de sculpture, mais Sosimus n'est pas clairement identifié.
3. **Parthénon** : temple consacré à Athéna, construit par Phidias au Ve siècle avant J.-C., à Athènes.
4. **byssus** : sorte de lin, souvent teint en pourpre.
5. **peplum** : tunique en laine.
6. **grecque** : ornement géométrique servant de bordure.
7. Cléopâtre s'est suicidée en se faisant piquer par une vipère aspic.

Une petite table à pieds de griffons[1], incrustée de nacre, d'argent et d'ivoire, était dressée près du lit à deux places, chargée de différents mets servis dans des plats d'argent et d'or ou de terre émaillée de peintures précieuses. On y voyait un oiseau du Phase[2] couché dans ses plumes, et divers fruits que leurs saisons empêchent de se rencontrer ensemble.

Tout paraissait indiquer qu'on attendait un hôte : des fleurs fraîches jonchaient le sol, et les amphores de vin étaient plongées dans des urnes pleines de neige.

Arria Marcella fit signe à Octavien de s'étendre à côté d'elle sur le biclinium et de prendre part au repas ; — le jeune homme, à demi fou de surprise et d'amour, prit au hasard quelques bouchées sur les plats que lui tendaient de petits esclaves asiatiques aux cheveux frisés, à la courte tunique. Arria ne mangeait pas, mais elle portait souvent à ses lèvres un vase myrrhin[3] aux teintes opalines rempli d'un vin d'une pourpre sombre comme du sang figé ; à mesure qu'elle buvait, une imperceptible vapeur rose montait à ses joues pâles, de son cœur qui n'avait pas battu depuis tant d'années ; cependant son bras nu, qu'Octavien effleura en soulevant sa coupe, était froid comme la peau d'un serpent ou le marbre d'une tombe.

« Oh ! lorsque tu t'es arrêté aux Studii à contempler le morceau de boue durcie qui conserve ma forme, dit Arria Marcella en tournant son long regard humide vers Octavien, et que ta pensée s'est élancée ardemment vers moi, mon âme l'a senti dans ce monde où je flotte invisible pour les yeux grossiers ; la croyance fait le dieu, et l'amour fait la femme. On n'est véritablement morte que quand on n'est plus aimée ; ton désir m'a rendu la vie,

---

notes

1. griffons : animaux fabuleux à tête d'aigle et au corps de lion, armés de griffes ou serres puissantes, employés fréquemment comme motifs de décoration.

2. oiseau du Phase : faisan (le Phase est un fleuve qui se jette dans la mer Noire).
3. myrrhin : dont le verre contient des petits morceaux colorés.

173

890 la puissante évocation de ton cœur a supprimé les distances qui nous séparaient. »

L'idée d'évocation amoureuse qu'exprimait la jeune femme, rentrait dans les croyances philosophiques d'Octavien, croyances que nous ne sommes pas loin de partager.

895 En effet, rien ne meurt, tout existe toujours ; nulle force ne peut anéantir ce qui fut une fois. Toute action, toute parole, toute forme, toute pensée tombée dans l'océan universel des choses y produit des cercles qui vont s'élargissant jusqu'aux confins de l'éternité. La figuration matérielle ne disparaît que pour les

900 regards vulgaires, et les spectres qui s'en détachent peuplent l'infini. Pâris continue d'enlever Hélène dans une région inconnue de l'espace. La galère de Cléopâtre gonfle ses voiles de soie sur l'azur d'un Cydnus[1] idéal. Quelques esprits passionnés et puissants ont pu amener à eux des siècles écoulés en apparence,

905 et faire revivre des personnages morts pour tous. Faust a eu pour maîtresse la fille de Tyndare[2], et l'a conduite à son château gothique, du fond des abîmes mystérieux de l'Hadès[3]. Octavien venait de vivre un jour sous le règne de Titus et de se faire aimer d'Arria Marcella, fille d'Arrius Diomèdes, couchée en ce moment

910 près de lui sur un lit antique dans une ville détruite pour tout le monde.

« À mon dégoût des autres femmes, répondit Octavien, à la rêverie invincible qui m'entraînait vers ses types radieux au fond des siècles comme des étoiles provocatrices, je comprenais que je

915 n'aimerais jamais que hors du temps et de l'espace. C'était toi que j'attendais, et ce frêle vestige conservé par la curiosité des hommes m'a par son secret magnétisme[4] mis en rapport avec ton âme. Je ne sais si tu es un rêve ou une réalité, un fantôme ou une femme,

notes

1. **Cydnus :** fleuve d'Asie Mineure où Marc Antoine donna des fêtes somptueuses en l'honneur de Cléopâtre.
2. **la fille de Tyndare :** Hélène.

3. **Hadès :** royaume des Morts.
4. **magnétisme :** ici, au sens figuré de « pouvoir d'attirer ».

si comme Ixion[1] je serre un nuage sur ma poitrine abusée, si je suis le jouet d'un vil prestige de sorcellerie, mais ce que je sais bien, c'est que tu seras mon premier et mon dernier amour.

– Qu'Éros[2], fils d'Aphrodite[3], entende ta promesse, dit Arria Marcella en inclinant sa tête sur l'épaule de son amant qui la souleva avec une étreinte passionnée. Oh ! serre-moi sur ta jeune poitrine, enveloppe-moi de ta tiède haleine, j'ai froid d'être restée si longtemps sans amour. » Et contre son cœur Octavien sentait s'élever et s'abaisser ce beau sein, dont le matin même il admirait le moule à travers la vitre d'une armoire de musée ; la fraîcheur de cette belle chair le pénétrait à travers sa tunique et le faisait brûler. La bandelette or et noir s'était détachée de la tête d'Arria passionnément renversée, et ses cheveux se répandaient comme un fleuve noir sur l'oreiller bleu.

Les esclaves avaient emporté la table. On n'entendit plus qu'un bruit confus de baisers et de soupirs. Les cailles familières, insouciantes de cette scène amoureuse, picoraient sur le pavé de mosaïque les miettes du festin en poussant de petits cris.

Tout à coup les anneaux d'airain de la portière qui fermait la chambre glissèrent sur leur tringle, et un vieillard d'aspect sévère et drapé dans un ample manteau brun parut sur le seuil. Sa barbe grise était séparée en deux pointes comme celle des Nazaréens, son visage semblait sillonné par la fatigue des macérations[4] : une petite croix de bois noir pendait à son col et ne laissait aucun doute sur sa croyance : il appartenait à la secte, toute récente alors, des disciples du Christ.

À son aspect, Arria Marcella, éperdue de confusion, cacha sa figure sous un pli de son manteau, comme un oiseau qui met la

---

notes

1. Zeus envoya à Ixion, amoureux d'Héra, un nuage qui avait l'apparence de la déesse.
2. Éros : dieu grec de l'Amour (Cupidon chez les Latins).

3. Aphrodite : déesse grecque de la Beauté et de l'Amour (Vénus chez les Latins).
4. macérations : privations ou souffrances que l'on s'inflige par pénitence.

tête sous son aile en face d'un ennemi qu'il ne peut éviter, pour s'épargner au moins l'horreur de le voir ; tandis qu'Octavien, appuyé sur son coude, regardait avec fixité le personnage fâcheux
950 qui entrait ainsi brusquement dans son bonheur.

« Arria, Arria, dit le personnage austère d'un ton de reproche, le temps de ta vie n'a-t-il pas suffi à tes déportements[1], et faut-il que tes infâmes amours empiètent sur les siècles qui ne t'appartiennent pas ? Ne peux-tu laisser les vivants dans leur sphère, ta cendre n'est
955 donc pas encore refroidie depuis le jour où tu mourus sans repentir sous la pluie de feu du volcan ? Deux mille ans de mort ne t'ont donc pas calmée, et tes bras voraces attirent sur ta poitrine de marbre, vide de cœur, les pauvres insensés enivrés par tes philtres[2].

960 — Arrius, grâce, mon père, ne m'accablez pas, au nom de cette religion morose qui ne fut jamais la mienne ; moi, je crois à nos anciens dieux qui aimaient la vie, la jeunesse, la beauté, le plaisir ; ne me replongez pas dans le pâle néant. Laissez-moi jouir de cette existence que l'amour m'a rendue.

965 — Tais-toi, impie[3], ne me parle pas de tes dieux qui sont des démons. Laisse aller cet homme enchaîné par tes impures séductions ; ne l'attire plus hors du cercle de sa vie que Dieu a mesurée ; retourne dans les limbes[4] du paganisme avec tes amants asiatiques, romains ou grecs. Jeune chrétien, abandonne cette larve[5] qui te
970 semblerait plus hideuse qu'Empouse et Phorkyas[6], si tu la pouvais voir telle qu'elle est. »

---

notes

1. **déportements :** écarts dans la conduite, dérèglements des mœurs.
2. **philtres :** breuvages magiques.
3. **impie :** personne qui ne respecte pas la religion (contraire de *pieux*).
4. **limbes :** séjour des morts qui n'ont pas été sauvés par la révélation chrétienne.
5. **larve :** esprit malfaisant qui, sous forme de spectre hideux, revient sur la Terre pour tourmenter les vivants.

6. **Empouse et Phorkyas** sont deux créatures fabuleuses et maléfiques de la mythologie : Empouse est un fantôme incarnant le vampirisme féminin, Phorkyas une des Gorgones. Elles apparaissent aussi dans le *Second Faust* de Goethe.

Octavien, pâle, glacé d'horreur, voulut parler ; mais sa voix resta attachée à son gosier, selon l'expression virgilienne[1].

« M'obéiras-tu, Arria ? s'écria impérieusement le grand vieillard.

975 — Non, jamais », répondit Arria, les yeux étincelants, les narines dilatées, les lèvres frémissantes, en entourant le corps d'Octavien de ses beaux bras de statue, froids, durs et rigides comme le marbre. Sa beauté furieuse, exaspérée par la lutte, rayonnait avec un éclat surnaturel à ce moment suprême, comme pour laisser à

980 son jeune amant un inéluctable[2] souvenir.

« Allons, malheureuse, reprit le vieillard, il faut employer les grands moyens, et rendre ton néant palpable et visible à cet enfant fasciné », et il prononça d'une voix pleine de commandement une formule d'exorcisme[3] qui fit tomber des joues d'Arria les teintes

985 pourprées[4] que le vin noir du vase myrrhin y avait fait monter.

En ce moment, la cloche lointaine d'un des villages qui bordent la mer ou des hameaux perdus dans les plis de la montagne fit entendre les premières volées de la Salutation angélique[5].

À ce son, un soupir d'agonie sortit de la poitrine brisée de

990 la jeune femme. Octavien sentit se desserrer les bras qui l'entouraient ; les draperies qui la couvraient se replièrent sur elles-mêmes, comme si les contours qui les soutenaient se fussent affaissés, et le malheureux promeneur nocturne ne vit plus à côté de lui, sur le lit du festin, qu'une pincée de cendres mêlée de

995 quelques ossements calcinés parmi lesquels brillaient des bracelets et des bijoux d'or, et que des restes informes, tels qu'on les dut découvrir en déblayant la maison d'Arrius Diomèdes.

notes ....

1. sa voix resta attachée à son gosier : Gautier traduit ici un vers de *L'Énéide* (III, 48) de Virgile, poète latin du Ier siècle avant J.-C.
2. inéluctable : qu'on ne peut éviter.
3. exorcisme : pratique religieuse ou magique, comportant certaines formules et certains gestes rituels, destinée à chasser le démon d'un endroit qu'il occupe.

4. pourprées : de nuance rouge.
5. Salutation angélique : sonnerie de cloche intervenant le matin, à midi et le soir, autrement appelée *Angélus*, et qui rappelle la salutation de l'ange à la Vierge Marie.

Il poussa un cri terrible et perdit connaissance.

Le vieillard avait disparu. Le soleil se levait, et la salle ornée tout à l'heure avec tant d'éclat n'était plus qu'une ruine démantelée.

Après avoir dormi d'un sommeil appesanti par les libations[1] de la veille, Max et Fabio se réveillèrent en sursaut, et leur premier soin fut d'appeler leur compagnon, dont la chambre était voisine de la leur, par un de ces cris de ralliement burlesques[2] dont on convient quelquefois en voyage ; Octavien ne répondit pas, pour de bonnes raisons. Fabio et Max, ne recevant pas de réponse, entrèrent dans la chambre de leur ami, et virent que le lit n'avait pas été défait.

« Il se sera endormi sur quelque chaise, dit Fabio, sans pouvoir gagner sa couchette ; car il n'a pas la tête forte, ce cher Octavien ; et il sera sorti de bonne heure pour dissiper les fumées du vin à la fraîcheur matinale.

— Pourtant il n'avait guère bu, ajouta Max par manière de réflexion. Tout ceci me semble assez étrange. Allons à sa recherche. »

Les deux amis, aidés du cicérone, parcoururent toutes les rues, carrefours, places et ruelles de Pompéi, entrèrent dans toutes les maisons curieuses où ils supposèrent qu'Octavien pouvait être occupé à copier une peinture ou à relever une inscription, et finirent par le trouver évanoui sur la mosaïque disjointe d'une petite chambre à demi écroulée. Ils eurent beaucoup de peine à le faire revenir à lui, et quand il eut repris connaissance, il ne donna pas d'autre explication, sinon qu'il avait eu la fantaisie de voir Pompéi au clair de la lune, et qu'il avait été pris d'une syncope qui, sans doute, n'aurait pas de suite.

La petite bande retourna à Naples par le chemin de fer, comme elle était venue, et le soir, dans leur loge, à San Carlo, Max et Fabio

---

notes

| **1. libations :** fait de boire beaucoup. | **2. burlesques :** extravagants, bouffons.

regardaient à grand renfort de jumelles sautiller dans un ballet, sur les traces d'Amalia Ferraris[1], la danseuse alors en vogue, un essaim de nymphes culottées, sous leurs jupes de gaze[2], d'un affreux caleçon vert monstre qui les faisait ressembler à des grenouilles piquées de la tarentule[3]. Octavien, pâle, les yeux troubles, le maintien accablé, ne paraissait pas se douter de ce qui se passait sur la scène, tant, après les merveilleuses aventures de la nuit, il avait peine à reprendre le sentiment de la vie réelle.

À dater de cette visite à Pompéi, Octavien fut en proie à une mélancolie morne, que la bonne humeur et les plaisanteries de ses compagnons aggravaient plutôt qu'elles ne la soulageaient; l'image d'Arria Marcella le poursuivait toujours, et le triste dénouement de sa bonne fortune fantastique n'en détruisait pas le charme.

N'y pouvant plus tenir, il retourna secrètement à Pompéi et se promena, comme la première fois, dans les ruines, au clair de lune, le cœur palpitant d'un espoir insensé, mais l'hallucination ne se renouvela pas; il ne vit que des lézards fuyant sur les pierres; il n'entendit que des piaulements d'oiseaux de nuit effrayés; il ne rencontra plus son ami Rufus Holconius; Tyché ne vint pas lui mettre sa main fluette sur le bras; Arria Marcella resta obstinément dans la poussière.

En désespoir de cause, Octavien s'est marié dernièrement à une jeune et charmante Anglaise, qui est folle de lui. Il est parfait pour sa femme; cependant Ellen, avec cet instinct du cœur que rien ne trompe, sent que son mari est amoureux d'une autre; mais de qui? C'est ce que l'espionnage le plus actif n'a pu lui apprendre. Octavien n'entretient pas de danseuse; dans le monde, il n'adresse

notes ....

1. Amalia Ferraris, danseuse italienne qui fut, en 1858, la vedette du ballet *Sacuntalâ* dont le livret était de Gautier.
2. gaze: tissu très léger, à l'aspect presque transparent.

3. tarentule: araignée dont la piqûre passait pour provoquer une violente agitation.

aux femmes que des galanteries banales ; il a même répondu très froidement aux avances marquées d'une princesse russe, célèbre par sa beauté et sa coquetterie. Un tiroir secret, ouvert pendant l'absence de son mari, n'a fourni aucune preuve d'infidélité aux soupçons d'Ellen. Mais comment pourrait-elle s'aviser d'être jalouse de Marcella, fille d'Arrius Diomèdes, affranchi de Tibère ?[1]

1060

note ....

1. affranchi de Tibère : esclave qui fut libéré par son maître. Tibère fut le second empereur romain, il a régné de 14 à 37. Comme il fut affranchi par un empereur, le père d'Arria Marcella fut un homme probablement riche et important.

La Cafetière

I

L'anné dernière, je fus invité, ainsi que deux de mes camarades d'atelier, Arrigo Cohic et Pedrino Borgnioli, à passer quelques jours dans une terre au fond de la Normandie.

Le temps, qui, à notre départ, promettait d'être superbe, s'avisa de changer tout à coup, et il tomba tant de pluie, que les chemins creux où nous marchions étaient comme le lit d'un torrent.

Nous enfoncions dans la bourbe jusqu'aux genoux, une couche épaisse de terre grasse s'était attachée aux semelles de nos bottes, et par sa pesanteur ralentissait tellement nos pas, que nous n'arrivâmes au lieu de notre destination qu'une heure après le coucher du soleil.

Nous étions harassés ; aussi, notre hôte, voyant les efforts que nous faisions pour comprimer nos bâillements et tenir les yeux ouverts, aussitôt que nous eûmes soupé, nous fit conduire chacun dans notre chambre.

La mienne était vaste ; je sentis, en y entrant, comme un frisson de fièvre, car il me sembla que j'entrais dans un monde nouveau.

En effet, l'on aurait pu se croire au Temps de la Régence[1], à voir les dessus de porte de Boucher[2] représentant les quatre
20 Saisons, les meubles surchargés d'ornements de rocaille[3] du plus mauvais goût, et les trumeaux[4] des glaces sculptés lourdement.

Rien n'était dérangé. La toilette[5] couverte de boîtes à peignes, de houppes à poudrer, paraissait avoir servi la veille. Deux ou trois robes de couleurs changeantes, un éventail semé de paillettes
25 d'argent, jonchaient le parquet bien ciré, et, à mon grand étonnement, une tabatière d'écaille ouverte sur la cheminée était pleine de tabac encore frais.

Je ne remarquai ces choses qu'après que le domestique, déposant son bougeoir[6] sur la table de nuit, m'eut souhaité un
30 bon somme, et, je l'avoue, je commençai à trembler comme la feuille. Je me déshabillai promptement, je me couchai, et, pour en finir avec ces sottes frayeurs, je fermai bientôt les yeux en me tournant du côté de la muraille.

Mais il me fut impossible de rester dans cette position : le lit
35 s'agitait sous moi comme une vague, mes paupières se retiraient violemment en arrière. Force me fut de me retourner et de voir.

Le feu qui flambait jetait des reflets rougeâtres dans l'appartement, de sorte qu'on pouvait sans peine distinguer les personnages de la tapisserie et les figures des portraits enfumés pendus
40 à la muraille.

notes

1. **Régence** : période de transition (1715-1723) entre deux règnes. À la mort de Louis XIV en 1715, le dauphin étant encore mineur, un proche parent du roi, dans ce cas Philippe d'Orléans, exerce le pouvoir jusqu'à l'accession au trône de Louis XV (en 1723).
2. **Boucher** (1703-1770), peintre français reconnu pour ses scènes pastorales.
3. **rocaille** : style ornemental en vogue à l'époque de la Régence, dont les motifs s'inspiraient de pierres ou de coquillages.
4. **trumeaux** : miroirs placés au-dessus des cheminées ou entre les fenêtres.
5. **toilette** : meuble où sont placés les accessoires pour se maquiller ou se coiffer.
6. **bougeoir** : chandelier que l'on tenait à la main.

La Cafetière

C'étaient les aïeux[1] de notre hôte, des chevaliers bardés de fer, des conseillers en perruque, et de belles dames au visage fardé[2] et aux cheveux poudrés à blanc, tenant une rose à la main.

Tout à coup le feu prit un étrange degré d'activité ; une lueur blafarde illumina la chambre, et je vis clairement que ce que j'avais pris pour de vaines peintures était la réalité ; car les prunelles de ces êtres encadrés remuaient, scintillaient d'une façon singulière ; leurs lèvres s'ouvraient et se fermaient comme des lèvres de gens qui parlent, mais je n'entendais rien que le tic-tac de la pendule et le sifflement de la bise d'automne.

Une terreur insurmontable s'empara de moi, mes cheveux se hérissèrent sur mon front, mes dents s'entre-choquèrent à se briser, une sueur froide inonda tout mon corps.

La pendule sonna onze heures. Le vibrement du dernier coup retentit longtemps, et, lorsqu'il fut éteint tout à fait…

Oh ! non, je n'ose pas dire ce qui arriva, personne ne me croirait, et l'on me prendrait pour un fou.

Les bougies s'allumèrent toutes seules ; le soufflet, sans qu'aucun être visible lui imprimât le mouvement, se prit à souffler le feu, en râlant comme un vieillard asthmatique, pendant que les pincettes fourgonnaient dans les tisons et que la pelle relevait les cendres.

Ensuite une cafetière[3] se jeta en bas d'une table où elle était posée, et se dirigea, clopin-clopant[4], vers le foyer, où elle se plaça entre les tisons.

Quelques instants après, les fauteuils commencèrent à s'ébranler, et, agitant leurs pieds tortillés d'une manière surprenante, vinrent se ranger autour de la cheminée.

---

notes

1. **aïeux :** ancêtres.
2. **fardé :** maquillé outrageusement.
3. **cafetière :** l'idée d'une cafetière qui s'animait était déjà apparue dans un conte d'Hoffmann : *Le vase d'or.*

4. **clopin-clopant :** en clopinant, en boitant.

II

70 Je ne savais que penser de ce que je voyais ; mais ce qui me restait à voir était encore bien plus extraordinaire.

Un des portraits, le plus ancien de tous, celui d'un gros joufflu à barbe grise, ressemblant, à s'y méprendre, à l'idée que je me suis faite du vieux sir John Falstaff[1], sortit, en grimaçant, la tête de son cadre, et, après de grands efforts, ayant fait passer ses épaules 75 et son ventre rebondi entre les ais[2] étroits de la bordure, sauta lourdement par terre.

Il n'eut pas plutôt pris haleine[3], qu'il tira de la poche de son pourpoint[4] une clef d'une petitesse remarquable ; il souffla dedans pour s'assurer si la forure[5] était bien nette, et il l'appliqua à tous 80 les cadres les uns après les autres.

Et tous les cadres s'élargirent de façon à laisser passer aisément les figures qu'ils renfermaient.

Petits abbés poupins[6], douairières[7] sèches et jaunes, magistrats[8] à l'air grave ensevelis dans de grandes robes noires, petits-maîtres[9] 85 en bas de soie, en culotte prunelle, la pointe de l'épée en haut, tous ces personnages présentaient un spectacle si bizarre, que, malgré ma frayeur, je ne pus m'empêcher de rire.

Ces dignes personnages s'assirent ; la cafetière sauta légèrement sur la table. Ils prirent le café dans des tasses du Japon blanches et 90 bleues, qui accoururent spontanément de dessus un secrétaire, chacune d'elles munie d'un morceau de sucre et d'une petite cuiller d'argent.

notes..

1. **sir John Falstaff :** personnage ventripotent de Shakespeare, apparaissant dans *Henri IV* et *Les joyeuses commères de Windsor*.
2. **ais :** planches du cadre.
3. **pris haleine :** repris son souffle.
4. **pourpoint :** veste sans manches, portée sous le veston.

5. **forure :** trou percé dans la tige d'une clé.
6. **poupins :** ayant les traits d'une poupée.
7. **douairières :** vieilles dames hautaines, issues de la bonne société.
8. **magistrats :** hommes de loi.
9. **petits-maîtres :** jeunes élégants à l'allure prétentieuse.

La Cafetière

Quand le café fut pris, tasses, cafetières et cuillers disparurent à la fois, et la conversation commença, certes la plus curieuse que j'aie jamais ouïe[1], car aucun de ces étranges causeurs ne regardait l'autre en parlant : ils avaient tous les yeux fixés sur la pendule.

Je ne pouvais moi-même en détourner mes regards et m'empêcher de suivre l'aiguille qui marchait vers minuit à pas imperceptibles.

Enfin, minuit sonna ; une voix, dont le timbre était exactement celui de la pendule, se fit entendre et dit :

— Voici l'heure, il faut danser.

Toute l'assemblée se leva. Les fauteuils se reculèrent de leur propre mouvement ; alors, chaque cavalier prit la main d'une dame, et la même voix dit :

— Allons, messieurs de l'orchestre, commencez !

J'ai oublié de dire que le sujet de la tapisserie était un concerto italien[2] d'un côté, et de l'autre une chasse au cerf où plusieurs valets donnaient du cor. Les piqueurs[3] et les musiciens, qui, jusque-là, n'avaient fait aucun geste, inclinèrent la tête en signe d'adhésion.

Le maestro leva sa baguette, et une harmonie vive et dansante s'élança des deux bouts de la salle. On dansa d'abord le menuet.

Mais les notes rapides de la partition exécutée par les musiciens s'accordaient mal avec ces graves révérences : aussi chaque couple de danseurs, au bout de quelques minutes, se mit à pirouetter comme une toupie d'Allemagne. Les robes de soie des femmes, froissées dans ce tourbillon dansant, rendaient des sons d'une nature particulière ; on aurait dit le bruit d'ailes d'un vol de pigeons. Le vent qui s'engouffrait par-dessous, les gonflait

notes

1. **ouï** : participe passé du verbe « ouïr » : entendre.
2. **concerto italien** : pièce musicale, généralement composée de trois mouvements, dans laquelle un soliste dialogue avec l'orchestre.

3. **piqueurs** : écuyers responsables des chiens lors de la chasse.

La toilette de Vénus, tableau de François Boucher, 1751.

prodigieusement, de sorte qu'elles avaient l'air de cloches en branle[1].

L'archet des virtuoses passait si rapidement sur les cordes, qu'il en jaillissait des étincelles électriques. Les doigts des flûteurs se 125 haussaient et se baissaient comme s'ils eussent été de vif-argent[2] ; les joues des piqueurs étaient enflées comme des ballons et tout cela formait un déluge de notes et de trilles[3] si pressés et de gammes ascendantes et descendantes si entortillées, si inconcevables, que les démons eux-mêmes n'auraient pu deux minutes 130 suivre une pareille mesure.

Aussi, c'était pitié de voir tous les efforts de ces danseurs pour rattraper la cadence. Ils sautaient, cabriolaient, faisaient des ronds de jambe, des jetés battus et des entrechats[4] de trois pieds de haut, tant que la sueur, leur coulant du front sur les yeux, leur empor135 tait les mouches et le fard. Mais ils avaient beau faire, l'orchestre les devançait toujours de trois ou quatre notes.

La pendule sonna une heure ; ils s'arrêtèrent. Je vis quelque chose qui m'était échappé : une femme qui ne dansait pas.

Elle était assise dans une bergère[5] au coin de la cheminée, et ne 140 paraissait pas le moins du monde prendre part à ce qui se passait autour d'elle.

Jamais, même en rêve, rien d'aussi parfait ne s'était présenté à mes yeux ; une peau d'une blancheur éblouissante, des cheveux d'un blond cendré, de longs cils et des prunelles bleues, si claires 145 et si transparentes, que je voyais son âme à travers aussi distinctement qu'un caillou au fond d'un ruisseau.

Et je sentis que, si jamais il m'arrivait d'aimer quelqu'un, ce serait elle. Je me précipitai hors du lit, d'où jusque-là je n'avais pu

(marge : passage analysé)

notes

1. en branle : mouvement d'oscillation des cloches.
2. vif-argent : comme l'éclat du mercure, très vif et rapide.
3. trilles : ornement musical qui consiste en un battement de deux notes voisines.

4. ronds de jambe, des jetés battus et des entrechats : mouvements de danse, de ballet.
5. bergère : fauteuil large et profond.

bouger, et je me dirigeai vers elle, conduit par quelque chose qui agissait en moi sans que je pusse m'en rendre compte ; et je me trouvai à ses genoux, une de ses mains dans les miennes, causant avec elle comme si je l'eusse connue depuis vingt ans.

Mais, par un prodige bien étrange, tout en lui parlant, je marquais d'une oscillation de tête la musique qui n'avait pas cessé de jouer ; et, quoique je fusse au comble du bonheur d'entretenir une aussi belle personne, les pieds me brûlaient de danser avec elle.

Cependant je n'osais lui en faire la proposition. Il paraît qu'elle comprit ce que je voulais, car, levant vers le cadran de l'horloge la main que je ne tenais pas :

– Quand l'aiguille sera là, nous verrons, mon cher Théodore[1].

Je ne sais comment cela se fit, je ne fus nullement surpris de m'entendre ainsi appeler par mon nom, et nous continuâmes à causer. Enfin, l'heure indiquée sonna, la voix au timbre d'argent vibra encore dans la chambre et dit :

– Angéla[2], vous pouvez danser avec monsieur, si cela vous fait plaisir, mais vous savez ce qui en résultera.

– N'importe, répondit Angéla d'un ton boudeur.

Et elle passa son bras d'ivoire autour de mon cou.

– *Prestissimo*[3] ! cria la voix.

Et nous commençâmes à valser. Le sein de la jeune fille touchait ma poitrine, sa joue veloutée effleurait la mienne, et son haleine suave flottait sur ma bouche.

Jamais de la vie je n'avais éprouvé une pareille émotion ; mes nerfs tressaillaient comme des ressorts d'acier, mon sang coulait dans mes artères en torrent de lave, et j'entendais battre mon cœur comme une montre accrochée à mes oreilles.

passage analysé

notes

1. Théodore : second prénom de Ernst Theodor Wilhem Hoffmann, artiste allemand reconnu comme un instigateur du romantisme noir.

2. Angéla : ce prénom apparaît dans quelques contes d'Hoffmann.
3. *Prestissimo* : mouvement musical accéléré.

Pourtant cet état n'avait rien de pénible. J'étais inondé d'une joie ineffable et j'aurais toujours voulu demeurer ainsi, et, chose remarquable, quoique l'orchestre eût triplé de vitesse, nous n'avions besoin de faire aucun effort pour le suivre.

Les assistants, émerveillés de notre agilité, criaient bravo, et frappaient de toutes leurs forces dans leurs mains, qui ne rendaient aucun son.

Angéla, qui jusqu'alors avait valsé avec une énergie et une justesse surprenantes, parut tout à coup se fatiguer ; elle pesait sur mon épaule comme si les jambes lui eussent manqué ; ses petits pieds, qui, une minute auparavant, effleuraient le plancher, ne s'en détachaient que lentement, comme s'ils eussent été chargés d'une masse de plomb.

— Angéla, vous êtes lasse, lui dis-je, reposons-nous.

— Je le veux bien, répondit-elle en s'essuyant le front avec son mouchoir. Mais, pendant que nous valsions, ils se sont tous assis ; il n'y a plus qu'un fauteuil, et nous sommes deux.

— Qu'est-ce que cela fait, mon bel ange ? Je vous prendrai sur mes genoux.

III

Sans faire la moindre objection, Angéla s'assit, m'entourant de ses bras comme d'une écharpe blanche, cachant sa tête dans mon sein pour se réchauffer un peu, car elle était devenue froide comme un marbre.

Je ne sais pas combien de temps nous restâmes dans cette position, car tous mes sens étaient absorbés dans la contemplation de cette mystérieuse et fantastique créature.

Je n'avais plus aucune idée de l'heure ni du lieu ; le monde réel n'existait plus pour moi, et tous les liens qui m'y attachent étaient rompus ; mon âme, dégagée de sa prison de boue, nageait dans le

passage analysé

vague et l'infini ; je comprenais ce que nul homme ne peut comprendre, les pensées d'Angéla se révélant à moi sans qu'elle eût besoin de parler ; car son âme brillait dans son corps comme une lampe d'albâtre[1], et les rayons partis de sa poitrine perçaient la mienne de part en part.

L'alouette chanta, une lueur pâle se joua sur les rideaux.

Aussitôt qu'Angéla l'aperçut, elle se leva précipitamment, me fit un geste d'adieu, et, après quelques pas, poussa un cri et tomba de sa hauteur.

Saisi d'effroi, je m'élançai pour la relever… Mon sang se fige rien que d'y penser : je ne trouvai rien que la cafetière brisée en mille morceaux.

À cette vue, persuadé que j'avais été le jouet de quelque illusion diabolique, une telle frayeur s'empara de moi, que je m'évanouis.

IV

Lorsque je repris connaissance, j'étais dans mon lit ; Arrigo Cohic et Pedrino Borgnioli se tenaient debout à mon chevet.

Aussitôt que j'eus ouvert les yeux, Arrigo s'écria :

– Ah ! ce n'est pas dommage ! voilà bientôt une heure que je te frotte les tempes d'eau de Cologne. Que diable as-tu fait cette nuit ? Ce matin, voyant que tu ne descendais pas, je suis entré dans ta chambre, et je t'ai trouvé tout du long étendu par terre, en habit à la française, serrant dans tes bras un morceau de porcelaine brisée, comme si c'eût été une jeune et jolie fille.

note ....

1. albâtre : variété de gypse coloré ou très blanc. Par extension, signifie un blanc éclatant, translucide. Il faut remarquer l'importance du motif de la blancheur chez les héroïnes de Gautier.

– Pardieu ! c'est l'habit de noce de mon grand-père, dit l'autre en soulevant une des basques de soie fond de rose à ramages verts. Voilà les boutons de strass et de filigrane qu'il nous vantait tant. Théodore l'aura trouvé dans quelque coin et l'aura mis pour s'amuser. Mais à propos de quoi t'es-tu trouvé mal ? ajouta Borgnioli. Cela est bon pour une petite maîtresse qui a des épaules blanches ; on la délace, on lui ôte ses colliers, son écharpe, et c'est une belle occasion de faire des minauderies.

– Ce n'est qu'une faiblesse qui m'a pris ; je suis sujet à cela, répondis-je sèchement.

Je me levai, je me dépouillai de mon ridicule accoutrement.

Et puis l'on déjeuna.

Mes trois camarades mangèrent beaucoup et burent encore plus ; moi, je ne mangeais presque pas, le souvenir de ce qui s'était passé me causait d'étranges distractions.

Le déjeuner fini, comme il pleuvait à verse, il n'y eut pas moyen de sortir ; chacun s'occupa comme il put. Borgnioli tambourina des marches guerrières sur les vitres ; Arrigo et l'hôte firent une partie de dames ; moi, je tirai de mon album un carré de vélin[1], et je me mis à dessiner.

Les linéaments[2] presque imperceptibles tracés par mon crayon, sans que j'y eusse songé le moins de monde, se trouvèrent représenter avec la plus merveilleuse exactitude la cafetière qui avait joué un rôle si important dans les scènes de la nuit.

– C'est étonnant comme cette tête ressemble à ma sœur Angéla, dit l'hôte, qui, ayant terminé sa partie, me regardait travailler par-dessus mon épaule.

En effet, ce qui m'avait semblé tout à l'heure une cafetière était bien réellement le profil doux et mélancolique d'Angéla.

---

notes

1. **vélin** : papier très blanc de grande qualité.

2. **linéaments** : ébauches, esquisses.

260   – De par tous les saints du paradis! est-elle morte ou vivante? m'écriai-je d'un ton de voix tremblant, comme si ma vie eût dépendu de sa réponse.

    – Elle est morte, il y a deux ans, d'une fluxion de poitrine[1] à la suite d'un bal.

265   – Hélas! répondis-je douloureusement.

    Et, retenant une larme qui était près de tomber, je replaçai le papier dans l'album.

    Je venais de comprendre qu'il n'y avait plus pour moi de bonheur sur la terre!

note ....

| **1. fluxion de poitrine**: probablement une pneumonie.

La Pipe d'opium

L'autre jour, je trouvai mon ami Alphonse Karr[1] assis sur son divan, avec une bougie allumée, quoiqu'il fît grand jour, et tenant à la main un tuyau de bois de cerisier muni d'un champignon de porcelaine sur lequel il faisait dégoutter une espèce de pâte brune[2] assez semblable à de la cire à cacheter ; cette pâte flambait et grésillait dans la cheminée du champignon, et il aspirait par une petite embouchure d'ambre jaune la fumée qui se répandait ensuite dans la chambre avec une vague odeur de parfum oriental.

Je pris, sans rien dire, l'appareil des mains de mon ami, et je m'ajustai à l'un des bouts ; après quelques gorgées, j'éprouvai une espèce d'étourdissement qui n'était pas sans charmes et ressemblait assez aux sensations de la première ivresse.

Étant de feuilleton ce jour-là, et n'ayant pas le loisir d'être gris[3], j'accrochai la pipe à un clou et nous descendîmes dans le jardin,

notes

1. Alphonse Karr (1808-1890), écrivain français qui fut journaliste et romancier. Il a publié un roman, *Sous les tilleuls*, qui a connu un certain succès.

2. pâte brune : il s'agit d'opium.
3. gris : ivre, éméché.

193

dire bonjour aux dahlias et jouer un peu avec Schutz, heureux animal qui n'a d'autre fonction que d'être noir sur un tapis de vert gazon.

20 Je rentrai chez moi, je dînai, et j'allai au théâtre subir je ne sais quelle pièce, puis je revins me coucher, car il faut bien en arriver là, et faire, par cette mort de quelques heures, l'apprentissage de la mort définitive.

L'opium que j'avais fumé, loin de produire l'effet somnolent que j'en attendais, me jetait en des agitations nerveuses comme
25 du café violent, et je tournais dans mon lit en façon de carpe sur le gril ou de poulet à la broche, avec un perpétuel roulis de couvertures, au grand mécontentement de mon chat roulé en boule sur le coin de mon édredon.

Enfin, le sommeil longtemps imploré ensabla mes prunelles
30 de sa poussière d'or, mes yeux devinrent chauds et lourds, je m'endormis.

Après une ou deux heures complètement immobiles et noires, j'eus un rêve.

– Le voici :

35 Je me retrouvais chez mon ami Alphonse Karr, – comme le matin, dans la réalité ; il était assis sur son divan de lampas[1] jaune, avec sa pipe et sa bougie allumée ; seulement le soleil ne faisait pas voltiger sur les murs, comme des papillons aux mille couleurs, les reflets bleus, verts et rouges des vitraux.

40 Je pris la pipe de ses mains, ainsi que je l'avais fait quelques heures auparavant, et je me mis à aspirer lentement la fumée enivrante.

Une mollesse pleine de béatitude[2] ne tarda pas à s'emparer de moi, et je sentis le même étourdissement que j'avais éprouvé en
45 fumant la vraie pipe.

notes
1. **lampas** : étoffe de soie avec des motifs tirés en relief.
2. **béatitude** : bonheur, contentement, euphorie. Mot d'origine religieuse.

Jusque-là mon rêve se tenait dans les plus exactes limites du monde habitable, et répétait, comme un miroir, les actions de ma journée.

J'étais pelotonné dans un tas de coussins, et je renversais
50 paresseusement ma tête en arrière pour suivre en l'air les spirales bleuâtres, qui se fondaient en brume d'ouate, après avoir tourbillonné quelques minutes.

Mes yeux se portaient naturellement sur le plafond, qui est d'un noir d'ébène, avec des arabesques d'or.

55 À force de le regarder avec cette attention extatique qui précède les visions, il me parut bleu, mais d'un bleu dur, comme un des pans du manteau de la nuit.

« Vous avez donc fait repeindre votre plafond en bleu, dis-je à Karr, qui, toujours impassible et silencieux, avait embouché une
60 autre pipe, et rendait plus de fumée qu'un tuyau de poêle en hiver, ou qu'un bateau à vapeur dans une saison quelconque.

— Nullement, mon fils, répondit-il en mettant son nez hors du nuage, mais vous m'avez furieusement la mine de vous être à vous-même peint l'estomac en rouge, au moyen d'un bordeaux
65 plus ou moins *Laffitte*[1].

— Hélas! que ne dites-vous la vérité; mais je n'ai bu qu'un misérable verre d'eau sucrée, où toutes les fourmis de la terre étaient venues se désaltérer, une école de natation d'insectes.

— Le plafond s'ennuyait apparemment d'être noir, il s'est mis en
70 bleu; après les femmes, je ne connais rien de plus capricieux que les plafonds; c'est une fantaisie de plafond, voilà tout, rien n'est plus ordinaire. »

Cela dit, Karr rentra son nez dans le nuage de fumée, avec la mine satisfaite de quelqu'un qui a donné une explication limpide
75 et lumineuse.

note ....
| **1. bordeaux Laffitte :** vin prestigieux.

Cependant je n'étais qu'à moitié convaincu, et j'avais de la peine à croire les plafonds aussi fantastiques que cela, et je continuais à regarder celui que j'avais au-dessus de ma tête, non sans quelque sentiment d'inquiétude.

80 Il bleuissait, il bleuissait comme la mer à l'horizon, et les étoiles commençaient à y ouvrir leurs paupières aux cils d'or ; ces cils, d'une extrême ténuité, s'allongeaient jusque dans la chambre qu'ils remplissaient de gerbes prismatiques.

Quelques lignes noires rayaient cette surface d'azur, et je
85 reconnus bientôt que c'étaient les poutres des étages supérieurs de la maison devenue transparente.

Malgré la facilité que l'on a en rêve d'admettre comme naturelles les choses les plus bizarres, tout ceci commençait à me paraître un peu louche et suspect, et je pensai que si mon cama-
90 rade Esquiros[1] *le Magicien* était là, il me donnerait des explications plus satisfaisantes que celles de mon ami Alphonse Karr.

Comme si cette pensée eût eu la puissance d'évocation, Esquiros se présenta soudain devant nous, à peu près comme le barbet[2] de Faust qui sort de derrière le poêle[3].

95 Il avait le visage fort animé et l'air triomphant, et il disait, en se frottant les mains :

« Je vois aux antipodes, et j'ai trouvé la Mandragore[4] qui parle[5]. »

Cette apparition me surprit, et je dis à Karr :

« Ô Karr ! concevez-vous qu'Esquiros, qui n'était pas là tout à
100 l'heure, soit entré sans qu'on ait ouvert la porte ?

notes

1. Alphonse Esquiros (1812-1876), auteur français. Il fut écrivain et journaliste. Il a publié un roman : *Le magicien*.
2. barbet : chien épagneul.
3. le poêle : référence au *Faust* de Goethe (1749-1832), une des œuvres les plus célèbres de toute la littérature allemande.
4. Mandragore : plante dont la racine a une forme humaine. La mandragore avait la réputation d'avoir des propriétés magiques.
5. Mandragore qui parle : allusion au conte fantastique *La fée aux miettes* (1832) de Charles Nodier où le héros est en quête de la « mandragore qui chante » comme remède à sa mélancolie.

— Rien n'est plus simple, répondit Karr. L'on entre par les portes fermées, c'est l'usage ; il n'y a que les gens mal élevés qui passent par les portes ouvertes. Vous savez bien qu'on dit comme injure : Grand enfonceur de portes ouvertes. »

105 Je ne trouvai aucune objection à faire contre un raisonnement si sensé, et je restai convaincu qu'en effet la présence d'Esquiros n'avait rien que de fort explicable et de très légal en soi-même.

Cependant il me regardait d'un air étrange, et ses yeux s'agrandissaient d'une façon démesurée ; ils étaient ardents et ronds 110 comme des boucliers chauffés dans une fournaise, et son corps se dissipait et se noyait dans l'ombre, de sorte que je ne voyais plus de lui que ses deux prunelles flamboyantes et rayonnantes.

Des réseaux de feu et des torrents d'effluves magnétiques papillotaient et tourbillonnaient autour de moi, s'enlaçant tou- 115 jours plus inextricablement et se resserrant toujours ; des fils étincelants aboutissaient à chacun de mes pores, et s'implantaient dans ma peau à peu près comme les cheveux dans la tête. J'étais dans un état de somnambulisme complet.

Je vis alors des petits flocons blancs qui traversaient l'espace bleu 120 du plafond comme des touffes de laine emportées par le vent, ou comme un collier de colombe qui s'égrène dans l'air.

Je cherchais vainement à deviner ce que c'était, quand une voix basse et brève me chuchota à l'oreille, avec un accent étrange : — *Ce sont des esprits !!!* Les écailles de mes yeux tombèrent ; les 125 vapeurs blanches prirent des formes plus précises, et j'aperçus distinctement une longue file de figures voilées qui suivaient la corniche, de droite à gauche, avec un mouvement d'ascension très prononcé, comme si un souffle impérieux les soulevait et leur servait d'aile.

130 À l'angle de la chambre, sur la moulure du plafond, se tenait assise une forme de jeune fille enveloppée dans une large draperie de mousseline.

Dans *Sueurs froides (Vertigo)* (1958), le réalisateur Alfred Hitchcock
s'est quelque peu inspiré du fantastique et du symbolisme du XIX⁰ siècle.
Le personnage principal, Madeleine, s'identifie maladivement à une femme
ayant vécu dans le passé, Carlotta...

La Pipe d'opium

Ses pieds, entièrement nus, pendaient nonchalamment croisés
l'un sur l'autre ; ils étaient, du reste, charmants, d'une petitesse et
135   d'une transparence qui me firent penser à ces beaux pieds de
jaspe[1] qui sortent si blancs et si purs de la jupe de marbre noir de
l'Isis[2] antique du Musée[3].

Les autres fantômes lui frappaient sur l'épaule en passant, et lui
disaient :

140   « Nous allons dans les étoiles, viens donc avec nous. »

L'ombre au pied d'albâtre[4] leur répondait :

« Non ! je ne veux pas aller dans les étoiles ; je voudrais vivre six
mois encore. »

Toute la file passa, et l'ombre resta seule, balançant ses jolis
145   petits pieds, et frappant le mur de son talon nuancé d'une teinte
rose, pâle et tendre comme le cœur d'une clochette sauvage ;
quoique sa figure fût voilée, je la sentais jeune, adorable et charmante, et mon âme s'élançait de son côté, les bras tendus, les ailes
ouvertes.

150   L'ombre comprit mon trouble par intention ou sympathie, et
dit d'une voix douce et cristalline comme un harmonica :

« Si tu as le courage d'aller embrasser sur la bouche celle qui
fut moi, et dont le corps est couché dans la ville noire, je vivrai
six mois encore, et ma seconde vie sera pour toi. »

155   Je me levai, et me fis cette question :

À savoir, si je n'étais pas le jouet de quelque illusion, et si tout
ce qui se passait n'était pas un rêve.

C'était une dernière lueur de la lampe de la raison éteinte par
le sommeil.

160   Je demandai à mes deux amis ce qu'ils pensaient de tout cela.

notes

1. jaspe : roche formée de quartz et de calcédoine.
2. Isis : divinité égyptienne. Elle représente la déesse-mère.

3. Musée : Musée du Louvre.
4. albâtre : variété de gypse coloré ou très blanc. D'un blanc éclatant.

199

L'imperturbable Karr prétendit que l'aventure était commune, qu'il en avait eu plusieurs du même genre, et que j'étais d'une grande naïveté de m'étonner de si peu.

Esquiros expliqua tout au moyen du magnétisme.

165 « Allons, c'est bien, je vais y aller ; mais je suis en pantoufles...

– Cela ne fait rien, dit Esquiros, je *pressens* une voiture à la porte. »

Je sortis, et je vis, en effet, un cabriolet à deux chevaux qui semblait attendre. Je montai dedans.

170 Il n'y avait pas de cocher. – Les chevaux se conduisaient eux-mêmes ; ils étaient tout noirs, et galopaient si furieusement que leurs croupes s'abaissaient et se levaient comme des vagues, et que des pluies d'étincelles pétillaient derrière eux.

Ils prirent d'abord la rue de La-Tour-d'Auvergne, puis la rue
175 Bellefonds, puis la rue Lafayette[1], et, à partir de là, d'autres rues dont je ne sais pas les noms.

À mesure que la voiture allait, les objets prenaient autour de moi des formes étranges : c'étaient des maisons rechignées[2], accroupies au bord du chemin comme de vieilles filandières[3], des
180 clôtures en planches, des réverbères qui avaient l'air de gibets[4] à s'y méprendre ; bientôt les maisons disparurent tout à fait, et la voiture roulait dans la rase campagne.

Nous filions à travers une plaine morne et sombre ; – le ciel était très bas, couleur de plomb, et une interminable procession
185 de petits arbres fluets courait, en sens inverse de la voiture, des deux côtés du chemin ; l'on eût dit une armée de manches à balai en déroute.

---

notes

1. **la rue de La-Tour-d'Auvergne, puis la rue Bellefonds, puis la rue Lafayette :** ces rues existent toujours à Paris.
2. **maisons rechignées :** le verbe « rechigner » est ordinairement utilisé pour évoquer l'expression grimaçante d'un visage. L'auteur indique par cette personnification que les maisons sont répugnantes.
3. **filandières :** femmes qui filent à la main.
4. **gibets :** potences où l'on exécute des condamnés à mort.

Rien n'était sinistre comme cette immensité grisâtre que la grêle silhouette des arbres rayait de hachures noires : − pas une étoile ne brillait, aucune paillette de lumière n'écaillait la profondeur blafarde de cette demi-obscurité.

Enfin, nous arrivâmes à une ville, à moi inconnue, dont les maisons d'une architecture singulière, vaguement entrevue dans les ténèbres, me parurent d'une petitesse à ne pouvoir être habitées ; − la voiture, quoique beaucoup plus large que les rues qu'elle traversait, n'éprouvait aucun retard ; les maisons se rangeaient à droite et à gauche comme des passants effrayés, et laissaient le chemin libre.

Après plusieurs détours, je sentis la voiture fondre sous moi, et les chevaux s'évanouirent en vapeurs, j'étais arrivé.

Une lumière rougeâtre filtrait à travers les interstices d'une porte de bronze qui n'était pas fermée ; je la poussai, et je me trouvai dans une salle dallée de marbre blanc et noir et voûtée en pierre ; une lampe antique, posée sur un socle de brèche[1] violette, éclairait d'une lueur blafarde une figure couchée, que je pris d'abord pour une statue comme celles qui dorment les mains jointes, un lévrier aux pieds, dans les cathédrales gothiques ; mais je reconnus bientôt que c'était une femme réelle.

Elle était d'une pâleur exsangue, et que je ne saurais mieux comparer qu'au ton de la cire vierge jaunie, ses mains mates et blanches comme des hosties se croisaient sur son cœur ; ses yeux étaient fermés, et leurs cils s'allongeaient jusqu'au milieu des joues ; tout en elle était mort : la bouche seule, fraîche comme une grenade[2] en fleur, étincelait d'une vie riche et pourprée, et souriant à demi comme dans un rêve heureux.

Je me penchai vers elle, je posai ma bouche sur la sienne, et je lui donnai le baiser qui devait la faire revivre.

notes..

1. **brèche :** pierre constituée d'un ensemble de matériaux liés par un ciment naturel. | 2. **grenade :** fruit du grenadier.

passage analysé

Ses lèvres humides et tièdes, comme si le souffle venait à peine de les abandonner, palpitèrent sous les miennes, et me rendirent
220 mon baiser avec une ardeur et une vivacité incroyables.

Il y a ici une lacune dans mon rêve, et je ne sais comment je revins de la ville noire ; probablement à cheval sur un nuage ou sur une chauve-souris gigantesque. – Mais je me souviens parfaitement que je me trouvai avec Karr dans une maison qui
225 n'est ni la sienne ni la mienne, ni aucune de celles que je connais.

Cependant tous les détails intérieurs, tout l'aménagement m'étaient extrêmement familiers ; je vois nettement la cheminée dans le goût de Louis XVI, le paravent à ramages[1], la lampe à garde-vue vert et les étagères pleines de livres aux angles de la
230 cheminée.

J'occupais une profonde bergère[2] à oreillettes, et Karr, les deux talons appuyés sur le chambranle[3], assis sur les épaules et presque sur la tête, écoutait d'un air piteux et résigné le récit de mon expédition que je regardais moi-même en rêve.

235 Tout à coup un violent coup de sonnette se fit entendre, et l'on vint m'annoncer qu'une *dame* désirait *me* parler.

« Faites entrer la *dame*, répondis-je, un peu ému et pressentant ce qui allait arriver. »

Une femme vêtue de blanc, et les épaules couvertes d'un
240 mantelet[4] noir, entra d'un pas léger, et vint se placer dans la pénombre lumineuse projetée par la lampe.

Par un phénomène très singulier, je vis passer sur sa figure trois physionomies différentes : elle ressembla un instant à Malibran[5], puis à M..., puis à celle qui disait aussi qu'elle ne voulait pas
245 mourir, et dont le dernier mot fut : « Donnez-moi un bouquet de violettes. »

notes

1. ramages : motifs décoratifs en forme de rameaux.
2. bergère : fauteuil large et profond.
3. chambranle : cadre de fenêtre ou de cheminée.
4. mantelet : courte cape couvrant les épaules et les bras.
5. Maria Malibran (1808-1836), chanteuse d'opéra très célèbre au XIXe siècle.

passage analysé

Mais ces ressemblances se dissipèrent bientôt comme une ombre sur un miroir, les traits du visage prirent de la fixité et se condensèrent, et je *reconnus* la morte que j'avais embrassée dans la
250 ville noire.

Sa mise était extrêmement simple, et elle n'avait d'autre ornement qu'un cercle d'or dans ses cheveux, d'un brun foncé, et tombant en grappes d'ébène le long de ses joues unies et veloutées.

255 Deux petites taches roses empourpraient le haut de ses pommettes, et ses yeux brillaient comme des globes d'argent brunis; elle avait, du reste, une beauté de camée[1] antique, et la blonde transparence de ses chairs ajoutait encore à la ressemblance.

Elle se tenait debout devant moi, et me pria, demande assez
260 bizarre, de lui dire son nom.

Je lui répondis sans hésiter qu'elle se nommait *Carlotta*, ce qui était vrai; ensuite elle me raconta qu'elle avait été chanteuse, et qu'elle était morte si jeune, qu'elle ignorait les plaisirs de l'existence, et qu'avant d'aller s'enfoncer pour toujours dans
265 l'immobile éternité, elle voulait jouir de la beauté du monde, s'enivrer de toutes les voluptés et se plonger dans l'océan des joies terrestres; qu'elle se sentait une soif inextinguible de vie et d'amour.

Et, en disant tout cela avec une éloquence d'expression et une
270 poésie qu'il n'est pas en mon pouvoir de rendre, elle nouait ses bras en écharpe autour de mon cou, et entrelaçait ses mains fluettes dans les boucles de mes cheveux.

Elle parlait en vers d'une beauté merveilleuse, où n'atteindraient pas les plus grands poètes éveillés, et quand le vers ne suffisait plus
275 pour rendre sa pensée, elle lui ajoutait les ailes de la musique, et c'était des roulades, des colliers de notes plus pures que des

passage analysé

note ....

1. camée: petite pierre finement sculptée de manière à mettre en évidence les fines strates qui la composent.

203

perles parfaites, des tenues de voix, des sons filés bien au-dessus des limites humaines, tout ce que l'âme et l'esprit peuvent rêver de plus tendre, de plus adorablement coquet, de plus amoureux, de
280 plus ardent, de plus ineffable.

« Vivre six mois, six mois encore », était le refrain de toutes ses cantilènes.

Je voyais très clairement ce qu'elle allait dire, avant que la pensée arrivât de sa tête ou de son cœur jusque sur ses lèvres,
285 et j'achevais moi-même le vers ou le chant commencés ; j'avais pour elle la même transparence, et elle lisait en moi couramment.

Je ne sais pas où se seraient arrêtées ces extases que ne modérait plus la présence de Karr, lorsque je sentis quelque chose de velu et de rude qui me passait sur la figure ; j'ouvris les yeux, et je vis
290 mon chat qui frottait sa moustache à la mienne en manière de congratulation matinale, car l'aube tamisait à travers les rideaux une lumière vacillante.

C'est ainsi que finit mon rêve d'opium, qui ne me laissa d'autre trace qu'une vague mélancolie, suite ordinaire de ces sortes
295 d'hallucinations.

Leonardo DiCaprio dans le film *Éclipse totale ou Rimbaud-Verlaine* (1995), une représentation moderne du dandy à l'image de certains personnages masculins des contes de Gautier : *Onuphrius* ou le « je » dans *La pipe d'opium*, par exemple.

*Deux Acteurs
pour un rôle*

I
UN RENDEZ-VOUS AU JARDIN IMPÉRIAL

On touchait aux derniers jours de novembre : le Jardin impérial de Vienne était désert, une bise¹ aiguë faisait tourbillon-
ner les feuilles couleur de safran² et grillées par les premiers froids ;
les rosiers des parterres, tourmentés et rompus par le vent, laissaient traîner leurs branchages dans la boue. Cependant la grande
allée, grâce au sable qui la recouvre, était sèche et praticable.
Quoique dévasté par les approches de l'hiver, le Jardin impérial ne
manquait pas d'un certain charme mélancolique. La longue allée
prolongeait fort loin ses arcades³ rousses, laissant deviner confusément à son extrémité un horizon de collines déjà noyées dans
les vapeurs bleuâtres et le brouillard du soir ; au-delà, la vue s'é-

5

10

notes

| **1. bise :** vent sec et froid venant du nord. | **3. arcades :** ouvertures en arc. |
| **2. safran :** jaune orangé. | |

tendait sur le Prater[1] et le Danube[2] ; c'était une promenade faite à souhait pour un poète.

15 Un jeune homme arpentait cette allée avec des signes visibles d'impatience ; son costume, d'une élégance un peu théâtrale, consistait en une redingote[3] de velours noir à brandebourgs[4] d'or brodée de fourrure, un pantalon de tricot gris, des bottes molles à grands montant jusqu'à mi-jambes. Il pouvait avoir de vingt-sept à vingt-huit ans ; ses traits pâles et réguliers étaient pleins de 20 finesse, et l'ironie se blottissait dans les plis des ses yeux et les coins de sa bouche ; à l'Université, dont il paraissait récemment sorti, car il portait encore la casquette à feuilles de chêne des étudiants, il devait avoir donné beaucoup de fil à retordre aux *philistins*[5] et brillé au premier rang des *burschen*[6] et des *renards*[7].

25 Le très court espace dans lequel il circonscrivait sa promenade montrait qu'il attendait quelqu'un ou plutôt quelqu'une, car le Jardin impérial de Vienne, au mois de novembre, n'est guère propice aux rendez-vous d'affaires.

En effet, une jeune fille ne tarda pas à paraître au bout de 30 l'allée : une coiffe de soie noire couvrait ses riches cheveux blonds, dont l'humidité du soir avait légèrement défrisé les longues boucles ; son teint, ordinairement d'une blancheur de cire vierge, avait pris sous les morsures du froid des nuances de roses de Bengale. Groupée et pelotonnée comme elle était dans sa mante[8] 35 garnie de martre[9], elle ressemblait à ravir à la statuette de la

---

notes

1. **Prater :** parc de Vienne situé entre le Danube et le canal du Danube.
2. **Danube :** plus long fleuve de l'Europe de l'Ouest. Il passe par Vienne, Budapest, Bratislava et Belgrade.
3. **redingote :** longue veste.
4. **brandebourgs :** broderies ou galons ornant une boutonnière.

5. **philistins :** bourgeois incultes qui ne s'intéressent pas à l'art ou à toute forme de nouveauté.
6. **burschen :** étudiants anciens.
7. **renards :** nouveaux étudiants.
8. **mante :** petit manteau de femme sans manches.
9. **martre :** fourrure.

Frileuse[1] ; un barbet[2] noir l'accompagnait, chaperon[3] commode, sur l'indulgence et la discrétion duquel on pouvait compter.

— Figurez-vous, Henrich, dit la jolie Viennoise en prenant le bras du jeune homme, qu'il y a plus d'une heure que je suis habillée et prête à sortir, et ma tante n'en finissait pas avec ses sermons sur les dangers de la valse, et les recettes pour les gâteaux de Noël et les carpes au bleu. Je suis sortie sous le prétexte d'acheter des brodequins[4] gris dont je n'ai nul besoin. C'est pourtant pour vous, Henrich, que je fais tous ces petits mensonges dont je me repens et que je recommence toujours ; aussi quelle idée avez-vous eue de vous livrer au théâtre ; c'était bien la peine d'étudier si longtemps la théologie à Heidelberg[5]. Mes parents vous aimaient et nous serions mariés aujourd'hui. Au lieu de nous voir à la dérobée sous les arbres chauves du Jardin impérial, nous serions assis côte à côte près d'un beau poêle de Saxe[6], dans un parloir bien clos, causant de l'avenir de nos enfants : ne serait-ce pas, Henrich, un sort bien heureux ?

— Oui, Katy, bien heureux, répondit le jeune homme en pressant sous le satin et les fourrures le bras potelé de la jolie Viennoise ; mais, que veux-tu ! c'est un ascendant invincible ; le théâtre m'attire ; j'en rêve le jour, j'y pense la nuit ; je sens le désir de vivre dans la création des poètes, il me semble que j'ai vingt existences. Chaque rôle que je joue me fait une vie nouvelle ; toutes ces passions que j'exprime, je les éprouve ; je suis Hamlet, Othello, Charles Moor[7] : quand on est tout cela, on ne peut que

notes

1. la Frileuse : statue de Jean-Antoine Houdon (1741-1828).
2. barbet : chien griffon à poils longs et frisés.
3. chaperon : personne qui accompagne une jeune fille.
4. brodequins : chaussures montantes.
5. Heidelberg : ville universitaire allemande.

6. Saxe : région de l'est de l'Allemagne.
7. Hamlet, Othello, Charles Moor : rôles importants dans le répertoire théâtral. Hamlet et Othello sont des personnages célèbres de pièces portant le même nom de Shakespeare (1564-1616). Charles Moor apparaît dans *Les brigands* de Schiller (1759-1805).

difficilement se résigner à l'humble condition de pasteur de village.

— C'est fort beau ; mais vous savez bien que mes parents ne voudront jamais d'un comédien pour gendre.

65 — Non, certes, d'un comédien obscur, pauvre artiste ambulant, jouet des directeurs et du public ; mais d'un grand comédien couvert de gloire et d'applaudissements ; plus payé qu'un ministre, si difficiles qu'ils soient, ils en voudront bien. Quand je viendrai vous demander dans une belle calèche jaune dont le
70 verni pourra servir de miroir aux voisins étonnés, et qu'un grand laquais[1] galonné m'abattra le marchepied, croyez-vous, Katy, qu'ils me refuseront ?

— Je ne le crois pas… Mais qui dit, Henrich, que vous en arriverez jamais là ?… Vous avez du talent ; mais le talent ne suffit
75 pas, il faut encore beaucoup de bonheur. Quand vous serez ce grand comédien dont vous parlez, le plus beau temps de notre jeunesse sera passé, et alors voudrez-vous toujours épouser la vieille Katy, ayant à votre disposition les amours de toutes ces princesses de théâtre si joyeuses et si parées ?

80 — Cet avenir, répondit Henrich, est plus prochain que vous ne croyez ; j'ai un engagement avantageux au théâtre de la Porte de Carinthie[2], et le directeur a été si content de la manière dont je me suis acquitté de mon dernier rôle, qu'il m'a accordé une gratification de deux mille thalers[3].

85 — Oui, reprit la jeune fille d'un air sérieux, ce rôle de démon dans la pièce nouvelle ; je vous avoue, Henrich, que je n'aime pas voir un chrétien prendre le masque de l'ennemi du genre humain et prononcer des paroles blasphématoires. L'autre jour, j'allai vous voir au théâtre de Carinthie, et à chaque instant je
90 craignais qu'un véritable feu d'enfer ne sortît des trappes où vous

notes

1. **laquais :** valet.
2. **Carinthie :** région du sud de l'Autriche.
3. **thalers :** monnaie d'agent alors en cours en Autriche.

vous engloutissiez dans un tourbillon d'esprit-de-vin[1]. Je suis revenue chez moi toute troublée et j'ai fait des rêves affreux.

— Chimères[2] que tout cela, ma bonne Katy ; et d'ailleurs, c'est demain la dernière représentation, et je ne mettrai plus le costume noir et rouge[3] qui te déplaît tant.

— Tant mieux ! car je ne sais quelles vagues inquiétudes me travaillent l'esprit, et j'ai bien peur que ce rôle, profitable à votre gloire, ne le soit à votre salut ; j'ai peur aussi que vous ne preniez de mauvaises mœurs avec ces damnés comédiens. Je suis sûre que vous ne dites plus vos prières, et la petite croix que je vous avais donnée, je parierais que vous l'avez perdue.

Henrich se justifia en écartant les revers de son habit ; la petite croix brillait toujours sur sa poitrine.

Tout en devisant ainsi, les deux amants étaient parvenus à la rue du Thabor dans la Leopoldstadt[4], devant la boutique du cordonnier renommé pour la perfection de ses brodequins gris ; après avoir causé quelques instants sur le seuil, Katy entra suivie de son barbet noir, non sans avoir livré ses jolis doigts effilés au serrement de main d'Henrich.

Henrich tâcha de saisir encore quelques aspects de sa maîtresse, à travers les souliers mignons et les gentils brodequins symétriquement rangés sur les tringles[5] de cuivre de la devanture ; mais le brouillard avait étamé[6] les carreaux de sa moite haleine, et il ne put démêler qu'une silhouette confuse ; alors, prenant une héroïque résolution, il pirouetta sur ses talons et s'en alla d'un pas délibéré au gasthof[7] de l'*Aigle à deux têtes*[8].

---

notes

1. **esprit-de-vin** : émanation d'alcool.
2. **Chimères** : illusions.
3. **costume noir et rouge** : costume de son rôle, celui de Méphistophélès dans le *Faust* de Goethe, soit une incarnation du diable.
4. **Leopoldstadt** : IIe arrondissement de Vienne où se trouve le Prater.
5. **tringles** : présentoir, tige métallique servant de support.
6. **étamé** : recouvert de buée.
7. **gasthof** : auberge.
8. **l'*Aigle à deux têtes*** : ce nom a son importance ; en effet, il annonce la dualité dans ce conte.

II
LE GASTHOF DE L'AIGLE À DEUX TÊTES

Il y avait ce soir-là compagnie nombreuse au gasthof de l'*Aigle à deux têtes* ; la société était la plus mélangée du monde, et le caprice de Callot[1] et celui de Goya[2], réunis, n'auraient pu produire un plus bizarre amalgame[3] de types caractéristiques. L'*Aigle à deux têtes* était une de ces bienheureuses caves célébrées par Hoffmann, dont les marches sont si usées, si onctueuses et si glissantes, qu'on ne peut poser le pied sur la première sans se trouver tout de suite au fond, les coudes sur la table, la pipe à la bouche, entre un pot de bière et une mesure de vin nouveau.

À travers l'épais nuage de fumée qui vous prenait d'abord à la gorge et aux yeux, se dessinaient, au bout de quelques minutes, toutes sortes de figures étranges.

C'étaient des Valaques[4] avec leur cafetan[5] et leur bonnet de peau d'Astrakan[6], des Serbes[7], des Hongrois aux longues moustaches noires, caparaçonnés de dolmans[8] et de passementeries[9] ; des Bohèmes[10] au teint cuivre, au front étroit, au profil busqué[11] ; d'honnêtes Allemands en redingote à brandebourgs, des Tatars[12] aux yeux retroussés à la chinoise ; toutes les populations

notes

1. Jacques Callot (1592-1635), graveur et peintre français qui a inspiré Hoffmann dans son œuvre.
2. Francisco de Goya (1746-1828), peintre et graveur espagnol associé au fantastique puisque certaines de ses œuvres présentent une vision hallucinée de la réalité.
3. amalgame : mélange hétérogène de personnes différentes.
4. Valaques : Vienne était la capitale de l'Empire austro-hongrois où vivaient de très nombreux peuples. Il faut donc imaginer que Vienne était à l'époque une ville très cosmopolite. Les Valaques habitaient la Valachie, une région se trouvant dans l'actuelle Roumanie.
5. cafetan : vêtement d'origine orientale.

6. Astrakan : fourrure d'agneau à poils bouclés.
7. Serbes : peuple des Balkans en Europe du sud.
8. dolmans : vestes militaires avec des broderies et des galons.
9. passementeries : de « passement », soit un tissu garni de fils d'or, d'argent ou de soie.
10. Bohèmes : habitants de Bohème, soit la partie ouest de l'actuelle République tchèque.
11. busqué : courbé vers l'extérieur.
12. Tatars : ou Tartares, soit un peuple venant d'Asie centrale, d'ascendance turque et de confession musulmane.

135 imaginables. L'Orient y était représenté par un gros Turc accroupi dans un coin, qui fumait paisiblement du latakié[1] dans une pipe à tuyau de cerisier de Moldavie[2], avec un fourneau de terre rouge et un bout d'ambre jaune[3].

Tout ce monde, accoudé à des tables, mangeait et buvait : la
140 boisson se composait de bière forte et d'un mélange de vin rouge nouveau avec du vin blanc plus ancien ; la nourriture, de tranches de veau froid, de jambon ou de pâtisseries.

Autour des tables tourbillonnait sans repos une de ces longues valses allemandes qui produisent sur les imaginations septentrio-
145 nales le même effet que le hachich et l'opium sur les Orientaux ; les couples passaient et repassaient avec rapidité ; les femmes, presque évanouies de plaisir sur le bras de leur danseur, au bruit d'une valse de Lanner[4], balayaient de leurs jupes les nuages de fumée de pipe et rafraîchissaient le visage des buveurs. Au comp-
150 toir, des improvisateurs morlaques[5] accompagnés d'un joueur de guzla[6], récitaient une espèce de complainte dramatique qui paraissait divertir beaucoup une douzaine de figures étranges, coiffées de tarbouchs[7] et vêtues de peau de mouton.

Henrich se dirigea vers le fond de la cave et alla prendre place
155 à une table où étaient déjà assis trois ou quatre personnages de joyeuse mine et de belle humeur.

– Tiens, c'est Henrich ! s'écria le plus âgé de la bande ; prenez garde à vous, mes amis : *fœnum habet in cornu*[8]. Sais-tu que tu avais vraiment l'air diabolique l'autre soir : tu me faisais presque peur.

notes

1. **latakié** : tabac de Syrie.
2. **Moldavie** : région d'Europe orientale enclavée entre la Roumanie et l'Ukraine.
3. **ambre jaune** : résine dure et transparente de couleur jaune.
4. **Lanner** (1801-1843), compositeur viennois ayant composé des centaines de valses.
5. **morlaques** : peuple du nord des Balkans.
6. **guzla** : violon traditionnel à une seule corde.

7. **tarbouchs** : bonnets rouges cylindriques d'origine orientale garnis d'un gland.
8. *fœnum habet in cornu* : citation tirée des *Satires* d'Horace : « Il a du foin dans sa corne, fuis loin de lui. » On fait allusion au fait que l'on mettait du foin aux cornes des bœufs dangereux afin de prévenir les passants.

160 Et comment s'imaginer qu'Henrich, qui boit de la bière comme nous et ne recule pas devant une tranche de jambon froid, vous prenne des airs si venimeux, si méchants et si sardoniques[1] et qu'il lui suffise d'un geste pour faire courir le frisson dans toute la salle ?

— Eh ! pardieu ! c'est pour cela qu'Henrich est un grand artiste,
165 un sublime comédien. Il n'y a pas de gloire à représenter un rôle qui serait dans votre caractère ; le triomphe, pour une coquette, est de jouer supérieurement les ingénues[2].

Henrich s'assit modestement, se fit servir un grand verre de vin mélangé, et la conversation continua sur le même sujet. Ce
170 n'était de toutes parts qu'admiration et compliments.

— Ah ! si le grand Wolfgang de Goethe[3] t'avait vu ! disait l'un.

— Montre-nous tes pieds, disait l'autre : je suis sûr que tu as l'ergot[4] fourchu.

Les autres buveurs, attirés par ces exclamations, regardaient
175 sérieusement Henrich, tout heureux d'avoir l'occasion d'examiner de près un homme si remarquable. Les jeunes gens qui avaient autrefois connu Henrich à l'Université, et dont ils savaient à peine le nom, s'approchaient de lui en lui serrant la main cordialement, comme s'ils eussent été ses intimes amis. Les plus jolies valseuses
180 lui décochaient en passant le plus tendre regard de leurs yeux bleus et veloutés.

Seul, un homme assis à la table voisine ne paraissait pas prendre part à l'enthousiasme général ; la tête renversée en arrière, il tambourinait distraitement, avec ses doigts, sur le fond de son
185 chapeau, une marche militaire, et, de temps en temps, il poussait une espèce de *humph !* singulièrement dubitatif[5].

---

notes

1. **sardoniques** : moqueurs, froids, méchants.
2. **ingénues** : naïves.
3. Johann Wolfgang von Goethe (1749-1832), poète, romancier et dramaturge, probablement le plus célèbre des écrivains allemands. Goethe fut l'un des précurseurs du romantisme et du fantastique.
4. **ergot** : doigt cornu à l'arrière de la patte du coq. Il sert d'arme lors des combats de coqs. Le diable avait la réputation d'avoir un pied fourchu.
5. **dubitatif** : sceptique, sans aucune conviction.

L'aspect de cet homme était des plus bizarres, quoiqu'il fût mis comme un honnête bourgeois de Vienne, jouissant d'une fortune raisonnable ; ses yeux gris se nuançaient de teintes vertes et lançaient des lueurs phosphoriques[1] comme celles des chats. Quand ses lèvres pâles et plates se desserraient, elles laissaient voir deux rangées de dents très blanches, très aiguës et très séparées, de l'aspect le plus cannibale et le plus féroce ; ses ongles longs, luisants et recourbés, prenaient de vagues apparences de griffes ; mais cette physionomie n'apparaissait que par éclairs rapides ; sous l'œil qui le regardait fixement, sa figure reprenait bien vite l'apparence bourgeoise et débonnaire d'un marchand viennois retiré du commerce et l'on s'étonnait d'avoir pu soupçonner de scélératesse et de diablerie une face si vulgaire et si triviale[2].

Intérieurement Henrich était choqué de la nonchalance de cet homme ; ce silence si dédaigneux ôtait de leur valeur aux éloges dont ses bruyants compagnons l'accablaient. Ce silence était celui d'un vieux connaisseur exercé, qui ne se laisse pas prendre aux apparences et qui a vu mieux que cela dans son temps.

Atmayer, le plus jeune de la troupe, le plus chaud enthousiaste d'Henrich, ne put supporter cette mine froide, et, s'adressant à l'homme singulier, comme le prenant à témoin d'une assertion qu'il avançait :

— N'est-ce pas, monsieur, qu'aucun acteur n'a mieux joué le rôle de Méphistophélès[3] que mon camarade que voilà ?

— Humph ! dit l'inconnu en faisant miroiter ses prunelles glauques et craquer ses dents aiguës, M. Henrich est un garçon de talent et que j'estime fort ; mais, pour jouer le rôle du diable, il lui manque encore bien des choses.

Et, se dressant tout à coup :

notes

1. phosphoriques : qui brillent comme du phosphore, comme la flamme des allumettes.
2. triviale : vulgaire, grossière, obscène.
3. Méphistophélès : personnage le plus célèbre de tout le théâtre allemand. C'est en quelque sorte une incarnation du diable. Il apparaît dans le *Faust* de Goethe (1749-1832). Le rôle est ici joué par Henrich.

213

— Avez-vous jamais vu le diable, monsieur Henrich ?

Il fit cette question d'un ton si bizarre et si moqueur, que tous les assistants se sentirent passer un frisson dans le dos.

— Cela serait pourtant bien nécessaire pour la vérité de votre jeu.
220 L'autre soir, j'étais au théâtre de la Porte de Carinthie, et je n'ai pas été satisfait de votre rire ; c'était un rire d'espiègle, tout au plus. Voici comme il faudrait rire, mon cher petit monsieur Henrich.

Et là-dessus, comme pour lui donner l'exemple, il lâcha un éclat de rire si aigu, si strident, si sardonique[1], que l'orchestre et les
225 valses s'arrêtèrent à l'instant même ; les vitres du gasthof tremblèrent. L'inconnu continua pendant quelques minutes ce rire impitoyable et convulsif qu'Henrich et ses compagnons, malgré leur frayeur, ne pouvaient s'empêcher d'imiter.

Quand Henrich reprit haleine, les voûtes du gasthof répétaient,
230 comme un écho affaibli, les dernières notes de ce ricanement grêle[2] et terrible, et l'inconnu n'était plus là.

III
LE THÉÂTRE DE LA PORTE DE CARINTHIE

Quelques jours après cet incident bizarre, qu'il avait presque oublié et dont il ne se souvenait plus que comme la plaisanterie d'un bourgeois ironique, Henrich jouait son rôle de démon dans
235 la pièce nouvelle.

Sur la première banquette de l'orchestre était assis l'inconnu du gasthof, et, à chaque mot prononcé par Henrich, il hochait la tête, clignait les yeux, faisait claquer sa langue contre son palais et donnait les signes de la plus vive impatience : « Mauvais !
240 mauvais ! » murmurait-il à demi-voix.

notes ....

1. **rire sardonique :** rictus convulsif dû à la contracture spasmodique des muscles du visage.

2. **grêle :** aigu, peu intense.

Isabelle Adjani et Klaus Kinski dans le film *Nosferatu, fantôme de la nuit* (1979), de Werner Herzog, une adaptation du célèbre mythe de Dracula. La représentation de la femme peut y être comparée à certains personnages de Gautier : Clarimonde, Arria Marcella, Angéla, Carlotta.

Ses voisins, étonnés et choqués de ses manières, applaudissaient et disaient :

— Voilà un monsieur bien difficile !

À la fin du premier acte, l'inconnu se leva, comme ayant pris
245   une résolution subite, enjamba les timbales, la grosse caisse et le tamtam, et disparut par la petite porte qui conduit de l'orchestre au théâtre.

Henrich, en attendant le lever du rideau, se promenait dans la coulisse, et, arrivé au bout de sa courte promenade, quelle fut sa
250   terreur de voir, en se retournant, debout au milieu de l'étroit corridor, un personnage mystérieux, vêtu exactement comme lui, et qui le regardait avec des yeux dont la transparence verdâtre[1] avait dans l'obscurité une profondeur inouïe ; des dents aiguës, blanches, séparées, donnaient quelque chose de féroce à son
255   sourire sardonique.

Henrich ne put méconnaître l'inconnu du gasthof de l'*Aigle à deux têtes*, ou plutôt le diable en personne ; car c'était lui.

— Ah ! ah ! mon petit monsieur, vous voulez jouer le rôle du diable ! Vous avez été bien médiocre dans le premier acte, et vous
260   donneriez vraiment une trop mauvaise opinion de moi aux braves habitants de Vienne. Vous me permettrez de vous remplacer ce soir, et, comme vous me gêneriez, je vais vous envoyer au second dessous.

Henrich venait de reconnaître l'ange des ténèbres[2] et il se
265   sentit perdu ; portant machinalement la main à la petite croix de Katy, qui ne le quittait jamais, il essaya d'appeler au secours et de murmurer sa formule d'exorcisme ; mais la terreur lui serrait trop violemment la gorge : il ne put pousser qu'un faible râle. Le diable appuya ses mains griffues sur les épaules d'Henrich et le fit

passage analysé

notes

1. transparence verdâtre : il faut noter que la transparence est généralement liée aux héroïnes de Gautier. Le vert cependant caractérise plutôt l'animalité, l'aspect maléfique des personnages.
2. l'ange des ténèbres : le diable.

plonger de force dans le plancher ; puis entra en scène, sa réplique
étant venue, comme un comédien consommé.

Ce jeu incisif, mordant, venimeux et vraiment diabolique,
surprit d'abord les auditeurs.

– Comme Henrich est en verve aujourd'hui ! s'écriait-on de
toutes parts.

Ce qui produisait surtout un grand effet, c'était ce ricanement
aigre comme le grincement d'une scie, ce rire de damné
blasphémant les joies du paradis. Jamais acteur n'était arrivé à une
telle puissance de sarcasme, à une telle profondeur de scélératesse :
on riait et on tremblait. Toute la salle haletait d'émotion, des
étincelles phosphoriques jaillissaient sous les doigts du redoutable
acteur ; des traînées de flamme étincelaient à ses pieds ; les lumières
du lustre pâlissaient, la rampe jetait des éclairs rougeâtres et
verdâtres ; je ne sais quelle odeur sulfureuse régnait dans la salle ;
les spectateurs étaient comme en délire, et des tonnerres
d'applaudissements frénétiques ponctuaient chaque phrase du
merveilleux Méphistophélès, qui souvent substituait des vers de
son invention à ceux du poète, substitution toujours heureuse et
acceptée avec transport.

Katy, à qui Henrich avait envoyé un coupon de loge, était dans
une inquiétude extraordinaire ; elle ne reconnaissait pas son cher
Henrich ; elle pressentait vaguement quelque malheur avec cet
esprit de divination[1] que donne l'amour, cette seconde vue de
l'âme.

La représentation s'acheva dans des transports inimaginables. Le
rideau baissé, le public demanda à grands cris que Méphistophélès
reparût. On le chercha vainement ; mais un garçon de théâtre
vint dire au directeur qu'on avait trouvé dans le second dessous

note ....

| **1. divination :** clairvoyance, action de prévoir.

M. Henrich, qui sans doute était tombé par une trappe. Henrich
était sans connaissance : on l'emporta chez lui, et, en le déshabil-
lant, l'on vit avec surprise qu'il avait aux épaules de profondes
égratignures, comme si un tigre eût essayé de l'étouffer entre ses
pattes. La petite croix d'argent de Katy l'avait préservé de la mort,
et le diable, vaincu par cette influence, s'était contenté de le
précipiter dans les caves du théâtre.

La convalescence d'Henrich fut longue : dès qu'il se porta
mieux, le directeur vint lui proposer un engagement des plus
avantageux, mais Henrich le refusa ; car il ne se souciait nullement
de risquer son salut une seconde fois, et savait, d'ailleurs, qu'il ne
pourrait jamais égaler sa redoutable doublure.

Au bout de deux ou trois ans, ayant fait un petit héritage, il
épousa la belle Katy, et tous deux, assis côte à côte près d'un poêle
de Saxe, dans un parloir bien clos, ils causent de l'avenir de leurs
enfants.

Les amateurs de théâtre parlent encore avec admiration de cette
merveilleuse soirée, et s'étonnent du caprice d'Henrich, qui a
renoncé à la scène après un si grand triomphe.

Le Pied de momie

J'étais entré par désœuvrement[1] chez un de ces marchands de curiosités dits marchands de bric-à-brac[2] dans l'argot[3] parisien, si parfaitement inintelligible pour le reste de la France.

Vous avez sans doute jeté l'œil, à travers le carreau, dans
5   quelques-unes de ces boutiques devenues si nombreuses depuis qu'il est de mode d'acheter des meubles anciens, et que le moindre agent de change se croit obligé d'avoir sa *chambre Moyen Âge*.

C'est quelque chose qui tient à la fois de la boutique du
10 ferrailleur, du magasin du tapissier, du laboratoire de l'alchimiste et de l'atelier du peintre ; dans ces antres mystérieux où les volets filtrent un prudent demi-jour, ce qu'il y a de plus notoirement ancien, c'est la poussière ; les toiles d'araignées y sont plus authentiques que les guipures[4], et le vieux poirier y est plus jeune
15 que l'acajou arrivé hier d'Amérique.

notes..

1. désœuvrement : ennui, inactivité.
2. bric-à-brac : objets variés et peu homogènes, destinés à la revente.

3. argot : langue populaire locale.
4. guipures : dentelles.

Le magasin de mon marchand de bric-à-brac était un véritable Capharnaüm[1] ; tous les siècles et tous les pays semblaient s'y être donné rendez-vous ; une lampe étrusque[2] de terre rouge posait sur une armoire de Boulle[3], aux panneaux d'ébène sévèrement rayés de filaments de cuivre ; une duchesse du temps de Louis XV[4] allongeait nonchalamment ses pieds de biche sous une épaisse table du règne de Louis XIII[5], aux lourdes spirales de bois de chêne, aux sculptures entremêlées de feuillages et de chimères[6].

Une armure damasquinée[7] de Milan[8] faisait miroiter dans un coin le ventre rubané de sa cuirasse ; des amours[9] et des nymphes[10] de biscuit[11], des magots[12] de la Chine, des cornets de céladon[13] et de craquelé[14], des tasses de Saxe[15] et de vieux Sèvres[16] encombraient les étagères et les encoignures[17].

Sur les tablettes denticulées[18] des dressoirs[19], rayonnaient d'immenses plats du Japon, aux dessins rouges et bleus, relevés de hachures d'or, côte à côte avec des émaux de Bernard Palissy[20], représentant des couleuvres, des grenouilles et des lézards en relief.

notes

1. **Capharnaüm :** lieu contenant beaucoup d'objets en désordre.
2. **étrusque :** de l'Étrurie, soit, dans la préhistoire, un territoire situé au nord de l'Italie, dont le système d'écriture aurait influencé l'alphabet latin.
3. **André Charles Boulle (1642-1732),** ébéniste français, célèbre pour son art de la marqueterie.
4. **Louis XV :** roi de France ayant régné de 1715 à 1774.
5. **Louis XIII :** roi de France ayant régné de 1610 à 1643.
6. **chimères :** monstres ayant la tête et la poitrine d'un lion, un abdomen de chèvre et une queue de dragon.
7. **damasquinée :** où un fil d'or, d'argent ou de cuivre est incrusté de manière à former un motif ou un dessin.
8. **Milan :** ville du nord de l'Italie.
9. **amours :** personnages mythologiques, souvent des enfants ou des jeunes hommes dévêtus, représentent l'amour.
10. **nymphes :** divinités habitant les bois,

les forêts, les fleuves, représentées sous la forme de jeunes femmes peu vêtues.
11. **biscuit :** pâte de céramique non émaillée et ayant subi une seule cuisson.
12. **magots :** petites figurines orientales en porcelaine, en pierre ou en jade.
13. **céladon :** autre procédé de poterie, qui consiste à recouvrir une porcelaine chinoise d'émail craquelé, généralement vert pâle.
14. **craquelé :** procédé de décoration.
15. **Saxe :** région de l'est de l'Allemagne.
16. **Sèvres :** ville de la région de Paris reconnue pour ses porcelaines.
17. **encoignures :** coins des murs ; peut aussi être un meuble d'angle.
18. **denticulées :** garnies d'ornements ressemblant à des dents.
19. **dressoirs :** étagères servant à exposer des objets.
20. Bernard Pallisy, célèbre potier et émailleur ayant vécu de 1510 à 1589 ou 1590.

Des armoires éventrées s'échappaient des cascades de lampas[1]
glacé d'argent, des flots de brocatelle[2] criblée de grains lumineux
par un oblique rayon de soleil; des portraits de toutes les époques
souriaient à travers leur vernis jaune dans des cadres plus ou moins
fanés.

Le marchand me suivait avec précaution dans le tortueux
passage pratiqué entre les piles de meubles, abattant de la main
l'essor hasardeux des basques[3] de mon habit, surveillant mes
coudes avec l'attention inquiète de l'antiquaire et de l'usurier.

C'était une singulière figure que celle du marchand : un crâne
immense, poli comme un genou, entouré d'une maigre auréole
de cheveux blancs que faisait ressortir plus vivement le ton
saumon clair de la peau, lui donnait un faux air de bonhomie
patriarcale, corrigée, du reste, par le scintillement de deux petits
yeux jaunes qui tremblotaient dans leur orbite comme deux louis
d'or[4] sur du vif-argent[5]. La courbure du nez avait une silhouette
aquiline[6] qui rappelait le type oriental ou juif. Ses mains, maigres,
fluettes, veinées, pleines de nerfs en saillie comme les cordes d'un
manche à violon, onglées de griffes semblables à celles qui terminent les ailes membraneuses des chauves-souris, avaient un
mouvement d'oscillation sénile, inquiétant à voir; mais ces mains
agitées de tics fiévreux devenaient plus fermes que des tenailles
d'acier ou des pinces de homard dès qu'elles soulevaient quelque
objet précieux, une coupe d'onyx[7], un verre de Venise ou un
plateau de cristal de Bohême; ce vieux drôle avait un air si

---

notes

1. lampas : étoffe de soie d'origine orientale ornée de grands dessins tissés en relief.
2. brocatelle : tissu imitant le brocart, soit un tissu de soie garni de dessins en fil d'or ou d'argent.
3. basques : partie inférieure d'une veste allant de la taille aux hanches.

4. louis d'or : ancienne monnaie d'or.
5. vif-argent : mercure.
6. aquiline : recourbée en forme de bec d'aigle.
7. onyx : variété d'agate partiellement translucide et de diverses couleurs.

Cléopâtre testant des poisons sur des condamnés, tableau de Alexandre Cabanel, 1887.

profondément rabbinique[1] et cabalistique[2] qu'on l'eût brûlé sur
la mine, il y a trois siècles.

«Ne m'achèterez-vous rien aujourd'hui, monsieur? Voilà un
kriss[3] malais dont la lame ondule comme une flamme; regardez
ces rainures pour égoutter le sang, ces dentelures pratiquées en
sens inverse pour arracher les entrailles en retirant le poignard;
c'est une arme féroce, d'un beau caractère et qui ferait très bien
dans votre trophée; cette épée à deux mains est très belle, elle est
de Josepe de la Hera[4], et cette cauchelimarde[5] à coquille fenestrée,
quel superbe travail!

— Non, j'ai assez d'armes et d'instruments de carnage; je
voudrais une figurine, un objet quelconque qui pût me servir de
serre-papier, car je ne puis souffrir tous ces bronzes de pacotille
que vendent les papetiers, et qu'on retrouve invariablement sur
tous les bureaux.»

Le vieux gnome[6], furetant dans ses vieilleries, étala devant
moi des bronzes antiques ou soi-disant tels, des morceaux de
malachite[7], de petites idoles indoues ou chinoises, espèce de
poussahs[8] de jade[9], incarnation de Brahma ou de Wishnou[10] merveilleusement propre à cet usage, assez peu divin, de tenir en place
des journaux et des lettres.

J'hésitais entre un dragon de porcelaine tout constellé de ver-
rues, la gueule ornée de crocs et de barbelures[11], et un petit
fétiche mexicain fort abominable, représentant au naturel le dieu

notes

1. **rabbinique**: relatif aux rabbins, qui
président le culte dans le judaïsme.
L'auteur fait surtout référence aux
stéréotypes négatifs envers les Juifs.
2. **cabalistique**: tradition juive mystique.
3. **kriss**: poignard d'origine malaise, dont
la lame est sinueuse.
4. **Josepe de la Hera**: nom probablement
fictif.
5. **cauchelimarde ou cochelimarde**: épée
lourde et pesante.
6. **gnome**: en littérature fantastique, nain
souvent doté de pouvoirs magiques.

7. **malachite**: pierre de couleur verte et
changeante, utilisée dans la fabrication
d'objets d'art.
8. **poussahs**: jouets ayant une forme
humaine, sous forme de demi-sphère
lestée de sorte qu'ils soient toujours en
équilibre.
9. **jade**: pierre fine très dure de couleur
verte.
10. **Brahma, Wishnou**: dieux hindous.
11. **barbelures**: réseau de pointes
disposées en épis.

Witziliputzili[1], quand j'aperçus un pied charmant que je pris d'abord pour un fragment de Vénus antique.

85   Il avait ces belles teintes fauves et rousses qui donnent au bronze florentin cet aspect chaud et vivace, si préférable au ton vert-de-grisé[2] des bronzes ordinaires qu'on prendrait volontiers pour des statues en putréfaction : des luisants satinés frissonnaient sur ses formes rondes et polies par les baisers amoureux de vingt siècles ;
90   car ce devait être un airain[3] de Corinthe, un ouvrage du meilleur temps, peut-être une fonte de Lysippe[4] !

«Ce pied fera mon affaire », dis-je au marchand, qui me regarda d'un air ironique et sournois en me tendant l'objet demandé pour je pusse l'examiner plus à mon aise.

95   Je fus surpris de sa légèreté ; ce n'était pas un pied de métal, mais bien un pied de chair, un pied embaumé, un pied de momie : en regardant de près, l'on pouvait distinguer le grain de la peau et la gaufrure presque imperceptible imprimée par la trame des bandelettes. Les doigts étaient fins, délicats, terminés par des
100 ongles parfaits, purs et transparents comme des agathes ; le pouce, un peu séparé, contrariait heureusement le plan des autres doigts à la manière antique, et lui donnait une attitude dégagée, une sveltesse de pied d'oiseau ; la plante, à peine rayée de quelques hachures invisibles, montrait qu'elle n'avait jamais touché la terre,
105 et ne s'était trouvée en contact qu'avec les plus fines nattes de roseaux du Nil et les plus moelleux tapis de peaux de panthères.

«Ha ! ha ! vous voulez le pied de la princesse Hermonthis, dit le marchand avec un ricanement étrange, en fixant sur moi ses yeux de hibou : ha ! ha ! ha ! pour un serre-papier ! idée originale, idée
110 d'artiste ; qui aurait dit au vieux Pharaon que le pied de sa fille adorée servirait de serre-papier l'aurait bien surpris, lorsqu'il

notes

1. **Witziliputzili :** dieu de la guerre chez les Aztèques.
2. **vert-de-grisé :** couleur verdâtre, liée à l'oxydation du cuivre ou du bronze.
3. **airain :** bronze.
4. **Lysippe,** grand sculpteur grec né vers 390 avant J.-C.

faisait creuser une montagne de granit pour y mettre le triple cercueil peint et doré, tout couvert d'hiéroglyphes avec de belles peintures du jugement des âmes, ajouta à demi-voix et comme se parlant à lui-même le petit marchand singulier.

115

— Combien me vendrez-vous ce fragment de momie ?

— Ah ! le plus cher que je pourrai, car c'est un morceau superbe ; si j'avais le pendant, vous ne l'auriez pas à moins de cinq cents francs : la fille d'un Pharaon, rien n'est plus rare.

120

— Assurément cela n'est pas commun ; mais enfin combien en voulez-vous ? D'abord je vous avertis d'une chose, c'est que je ne possède pour trésor que cinq louis ; — j'achèterai tout ce qui coûtera cinq louis, mais rien de plus.

« Vous scruteriez les arrière-poches de mes gilets, et mes tiroirs

125

les plus intimes, que vous n'y trouveriez pas seulement un misérable tigre à cinq griffes.

— Cinq louis le pied de la princesse Hermonthis, c'est bien peu, très peu en vérité, un pied authentique, dit le marchand en hochant la tête et en imprimant à ses prunelles un mouvement

130

rotatoire.

« Allons, prenez-le, et je vous donne l'enveloppe par-dessus le marché, ajouta-t-il en le roulant dans un vieux lambeau de damas[1] ; très beau, damas véritable, damas des Indes, qui n'a jamais été reteint ; c'est fort, c'est moelleux », marmottait-il en

135

promenant ses doigts sur le tissu éraillé par un reste d'habitude commerciale qui lui faisait vanter un objet de si peu de valeur qu'il le jugeait lui-même digne d'être donné.

Il coula les pièces d'or dans une espèce d'aumônière[2] du Moyen Âge pendant à sa ceinture, en répétant :

140

« Le pied de la princesse Hermonthis servir de serre-papier ! »

notes ....

1. damas : étoffe tissée de manière à ce que le dessin apparaisse en satin sur fond de taffetas à l'endroit, et en taffetas sur fond de satin à l'envers.

2. aumônière : bourse portée à la ceinture.

Puis, arrêtant sur moi ses prunelles phosphoriques, il me dit avec une voix stridente comme le miaulement d'un chat qui vient d'avaler une arête :

« Le vieux Pharaon ne sera pas content, il aimait sa fille, ce cher
145   homme.

– Vous en parlez comme si vous étiez son contemporain ; quoique vieux, vous ne remontez cependant pas aux pyramides d'Égypte », lui répondis-je en riant du seuil de la boutique.

Je rentrai chez moi fort content de mon acquisition.

150   Pour la mettre tout de suite à profit, je posai le pied de la divine princesse Hermonthis sur une liasse de papier, ébauche de vers, mosaïque indéchiffrable de ratures : articles commencés, lettres oubliées et mises à la poste dans le tiroir, erreur qui arrive souvent aux gens distraits ; l'effet était charmant, bizarre et
155   romantique.

Très satisfait de cet embellissement, je descendis dans la rue, et j'allai me promener avec la gravité convenable et la fierté d'un homme qui a sur tous les passants qu'il coudoie l'avantage ineffable de posséder un morceau de la princesse Hermonthis,
160   fille de Pharaon.

Je trouvai souverainement ridicules tous ceux qui ne possédaient pas, comme moi, un serre-papier aussi notoirement égyptien ; et la vraie occupation d'un homme sensé me paraissait d'avoir un pied de momie sur son bureau.

165   Heureusement la rencontre de quelques amis vint me distraire de mon engouement de récent acquéreur ; je m'en allai dîner avec eux, car il m'eût été difficile de dîner avec moi.

Quand je revins le soir, le cerveau marbré de quelques veines de gris de perle[1], une vague bouffée de parfum oriental me
170   chatouilla délicatement l'appareil olfactif ; la chaleur de la

note ....

1. gris de perle : allusion probable au vin gris du dîner, soit un vin intermédiaire entre le vin blanc et un vin rouge léger.

chambre avait attiédi le natrum[1], le bitume[2] et la myrrhe[3] dans lesquels les *paraschites*[4] inciseurs de cadavres avaient baigné le corps de la princesse ; c'était un parfum doux quoique pénétrant, un parfum que quatre mille ans n'avaient pu faire évaporer.

175 Le rêve de l'Égypte était l'éternité : ses odeurs ont la solidité du granit, et durent autant.

Je bus bientôt à pleine gorgées dans la coupe noire du sommeil ; pendant une heure ou deux tout resta opaque, l'oubli et le néant m'inondaient de leurs vagues sombres.

180 Cependant mon obscurité intellectuelle s'éclaira, les songes commencèrent à m'effleurer de leur vol silencieux.

Les yeux de mon âme s'ouvrirent, et je vis ma chambre telle qu'elle était effectivement : j'aurais pu me croire éveillé, mais une vague perception me disait que je dormais et qu'il allait se passer 185 quelque chose de bizarre.

L'odeur de la myrrhe avait augmenté d'intensité, et je sentais un léger mal de tête que j'attribuais fort raisonnablement à quelques verres de vin de Champagne que nous avions bus aux dieux inconnus et à nos succès futurs.

190 Je regardais dans ma chambre avec un sentiment d'attente que rien ne justifiait ; les meubles étaient parfaitement en place, la lampe brûlait sur la console, doucement estompée par la blancheur laiteuse de son globe de cristal dépoli ; les aquarelles miroitaient sous leur verre de Bohême ; les rideaux pendaient 195 languissamment : tout avait l'air endormi et tranquille.

Cependant, au bout de quelques instants, cet intérieur si calme parut se troubler, les boiseries craquaient furtivement ; la bûche enfouie sous la cendre lançait tout à coup un jet de gaz bleu, et

passage analysé

notes ....

1. natrum : carbonate de sodium, utilisé dans la préparation des momies.
2. bitume : goudron végétal, utilisé dans la préparation des momies.
3. myrrhe : résine aromatique issue du balsamier, utilisée dans la momification.

4. *paraschites* : personnes spécialisées dans l'extraction des viscères lorsqu'on préparait une momie.

les disques des patères[1] semblaient des yeux de métal attentifs
comme moi aux choses qui allaient se passer.

Ma vue se porta par hasard vers la table sur laquelle j'avais posé
le pied de la princesse Hermonthis.

Au lieu d'être immobile comme il convient à un pied
embaumé depuis quatre mille ans, il s'agitait, se contractait et
sautillait sur les papiers comme une grenouille effarée : on l'aurait
cru en contact avec une pile voltaïque[2] ; j'entendais fort distinctement le bruit sec que produisait son petit talon, dur comme un
sabot de gazelle.

J'étais assez mécontent de mon acquisition, aimant les serre-
papiers sédentaires et trouvant peu naturel de voir les pieds se
promener sans jambes, et je commençais à éprouver quelque
chose qui ressemblait fort à de la frayeur.

Tout à coup je vis remuer le pli d'un de mes rideaux, et
j'entendis un piétinement comme d'une personne qui sauterait à
cloche-pied. Je dois avouer que j'eus chaud et froid alternative-
ment ; que je sentis un vent inconnu me souffler dans le dos, et
que mes cheveux firent sauter, en se redressant, ma coiffure de
nuit à deux ou trois pas.

Les rideaux s'entrouvrirent, et je vis s'avancer la figure la plus
étrange qu'on puisse imaginer.

C'était une jeune fille, café au lait très foncé, comme la bayadère
Amani[3], d'une beauté parfaite et rappelant le type égyptien le
plus pur ; elle avait des yeux taillés en amande avec des coins
relevés et des sourcils tellement noirs qu'ils paraissaient bleus, son
nez était d'une coupe délicate, presque grecque pour la finesse, et

passage analysé

notes

1. **patères :** vases sacrés destinés à offrir des
libations, soit l'action de répandre un
liquide quelconque en hommage à un
dieu. Ici, l'auteur parle probablement
d'ornements fixés aux murs en forme de
patères.

2. **pile voltaïque :** pile électrique, le
physicien Alessandro Volta (1745-1827)
étant l'inventeur de cette dernière.
3. **bayadère Amani :** danseuse hindoue
connue à Paris à l'époque.

228

Le Pied de momie

l'on aurait pu la prendre pour une statue de bronze de Corinthe[1],
si la proéminence des pommettes et l'épanouissement un peu
africain de la bouche n'eussent fait reconnaître, à n'en pas douter,
la race hiéroglyphique[2] des bords du Nil.

230   Ses bras minces et tournés en fuseau, comme ceux des très
jeunes filles, étaient cerclés d'espèces d'emprises de métal et de
tours de verroterie ; ses cheveux étaient nattés en cordelettes, et
sur sa poitrine pendait une idole en pâte verte que son fouet à sept
branches faisait reconnaître pour l'Isis[3], conductrice des âmes ;

235   une plaque d'or scintillait à son front, et quelques traces de fard
perçaient sous les teintes de cuivre de ses joues.

Quant à son costume il était très étrange.

Figurez-vous un pagne de bandelettes chamarrées[4] d'hiéroglyphes noirs et rouges, empesés de bitume et qui semblaient

240   appartenir à une momie fraîchement démaillottée.

Par un de ces sauts de pensée si fréquents dans les rêves,
j'entendis la voix fausse et enrouée du marchand de bric-à-brac,
qui répétait, comme un refrain monotone, la phrase qu'il avait
dite dans sa boutique avec une intonation si énigmatique :

245   « Le vieux Pharaon ne sera pas content ; il aimait beaucoup sa
fille, ce cher homme. »

Particularité étrange et qui ne me rassura guère, l'apparition
n'avait qu'un seul pied, l'autre jambe était rompue à la cheville.

Elle se dirigea vers la table où le pied de momie s'agitait et

250   frétillait avec un redoublement de vitesse. Arrivée là, elle s'appuya
sur le rebord, et je vis une larme germer et perler dans ses yeux.

Quoiqu'elle ne parlât pas, je discernais clairement sa pensée :
elle regardait le pied, car c'était bien le sien, avec une expression

---

notes

1. Corinthe : cité importante de la Grèce
antique.
2. race hiéroglyphique : race égyptienne,
les hiéroglyphes étant les caractères de
l'écriture égyptienne.

3. Isis : divinité égyptienne. Elle représente
la déesse-mère.
4. chamarrées : ornées, colorées.

255 de tristesse coquette d'une grâce infinie ; mais le pied sautait et courait çà et là comme s'il eût été poussé par des ressorts d'acier.

Deux ou trois fois elle étendit sa main pour le saisir, mais elle n'y réussit pas.

Alors il s'établit entre la princesse Hermonthis et son pied, qui paraissait doué d'une vie à part, un dialogue très bizarre dans un
260 cophte[1] très ancien, tel qu'on pouvait le parler, il y a une trentaine de siècles, dans les syringes[2] du pays de Ser[3] ; heureusement que cette nuit-là je savais le cophte en perfection.

La princesse Hermonthis disait d'un ton de voix doux et vibrant comme une clochette de cristal :

265 « Eh bien ! mon cher petit pied, vous me fuyez toujours, j'avais pourtant bien soin de vous. Je vous baignais d'eau parfumée, dans un bassin d'albâtre[4] ; je polissais votre talon avec la pierre-ponce trempée d'huile de palmes, vos ongles étaient coupés avec des pinces d'or et polis avec de la dent d'hippopotame, j'avais soin de
270 choisir pour vous des thabebs[5] brodés et peints à pointes recourbées, qui faisaient l'envie de toutes les jeunes filles de l'Égypte ; vous aviez à votre orteil des bagues représentant le scarabée sacré, et vous portiez un des corps les plus légers que puisse souhaiter un pied paresseux. »

275 Le pied répondit d'un ton boudeur et chagrin[6] :

« Vous savez bien que je ne m'appartiens plus, j'ai été acheté et payé ; le vieux marchand savait bien ce qu'il faisait, il vous en veut toujours d'avoir refusé de l'épouser : c'est un tour qu'il vous a joué.

280 « L'Arabe qui a forcé votre cercueil royal dans le puits souterrain de la nécropole[7] de Thèbes était envoyé par lui, il voulait vous

notes

1. **cophte** : copte, langue égyptienne ancienne.
2. **syringes** : tombes royales de l'Égypte ancienne creusées dans des galeries souterraines.
3. **Ser** : ville d'Arabie et capitale d'un petit État portant le même nom.
4. **albâtre** : variété de gypse coloré ou très blanc.
5. **thabebs** : chaussures de liège.
6. **boudeur et chagrin** : maussade et triste.
7. **nécropole** : vaste cimetière antique.

empêcher d'aller à la réunion des peuples ténébreux, dans les cités inférieures. Avez-vous cinq pièces d'or pour me racheter ?

285 — Hélas ! non. Mes pierreries, mes anneaux, mes bourses d'or et d'argent, tout m'a été volé, répondit la princesse Hermonthis avec un soupir.

— Princesse, m'écriai-je alors, je n'ai jamais retenu injustement le pied de personne : bien que vous n'ayez pas les cinq louis qu'il m'a coûté, je vous le rends de bonne grâce ; je serais désespéré de
290 rendre boiteuse une aussi aimable personne que la princesse Hermonthis.

Je débitai ce discours d'un ton régence et troubadour[1] qui dut surprendre la belle Égyptienne.

Elle tourna vers moi un regard chargé de reconnaissance, et ses
295 yeux s'illuminèrent de lueurs bleuâtres.

Elle prit son pied, qui, cette fois, se laissa faire, comme une femme qui va mettre son brodequin, et l'ajusta à sa jambe avec beaucoup d'adresse.

Cette opération terminée, elle fit deux ou trois pas dans la
300 chambre, comme pour s'assurer qu'elle n'était réellement plus boiteuse.

« Ah ! comme mon père va être content, lui qui était si désolé de ma mutilation, et qui avait, dès le jour de ma naissance, mis un peuple tout entier à l'ouvrage pour me creuser un tombeau si
305 profond qu'il pût me conserver intacte jusqu'au jour suprême où les âmes doivent être pesées dans les balances de l'Amenthi[2].

« Venez avec moi chez mon père, il vous recevra bien, vous m'avez rendu mon pied. »

Je trouvai cette proposition toute naturelle ; j'endossai une robe
310 de chambre à grands ramages, qui me donnait un air très

notes ....

1. ton régence et troubadour : ton élégant, courtois et chantant, éventuellement galant, voire séducteur.

2. Amenthi : lieu, dans la mythologie égyptienne, où séjournent les âmes des morts pour qu'elles soient jugées.

pharaonesque ; je chaussai à la hâte des babouches[1] turques, et je dis à la princesse Hermonthis que j'étais prêt à la suivre.

Hermonthis, avant de partir, détacha de son col la petite figurine de pâte verte et la posa sur les feuilles éparses qui
315 couvraient la table.

«Il est bien juste, dit-elle en souriant, que je remplace votre serre-papier.»

Elle me tendit sa main, qui était douce et froide comme une peau de couleuvre, et nous partîmes.

320 Nous filâmes pendant quelque temps avec la rapidité de la flèche dans un milieu fluide et grisâtre, où des silhouettes à peine ébauchées passaient à droite et à gauche.

Un instant, nous ne vîmes que l'eau et le ciel.

Quelques minutes après, des obélisques commencèrent à
325 pointer, des pylônes, des rampes côtoyées de sphinx se dessinèrent à l'horizon.

Nous étions arrivés.

La princesse me conduisit devant une montagne de granit rose, où se trouvait une ouverture étroite et basse qu'il eût été difficile
330 de distinguer des fissures de la pierre si deux stèles bariolées de sculptures ne l'eussent fait reconnaître.

Hermonthis alluma une torche et se mit à marcher devant moi.

· C'étaient des corridors taillés dans le roc vif ; les murs, couverts de panneaux d'hiéroglyphes et de processions allégoriques, avaient
335 dû occuper des milliers de bras pendant des milliers d'années ; ces corridors, d'une longueur interminable, aboutissaient à des chambres carrées, au milieu desquelles étaient pratiqués des puits, où nous descendions au moyen de crampons ou d'escaliers en spirale ; ces puits nous conduisaient dans d'autres chambres, d'où
340 partaient d'autres corridors également bigarrés[2] d'éperviers, de

notes

1. **babouches :** pantoufles de cuir sans talon servant de chaussures.

2. **bigarrés :** dont les éléments visibles sont variés, hétéroclites.

serpents roulés en cercle, de tau[1], de pedum[2], de bari mystique[3], prodigieux travail que nul œil vivant ne devait voir, interminables légendes de granit que les morts avaient seuls le temps de lire pendant l'éternité.

345   Enfin, nous débouchâmes dans une salle si vaste, si énorme, si démesurée, que l'on ne pouvait en apercevoir les bornes; à perte de vue s'étendaient des files de colonnes monstrueuses entre lesquelles tremblotaient de livides étoiles de lumière jaune : ces points brillants révélaient des profondeurs incalculables.

350   La princesse Hermonthis me tenait toujours par la main et saluait gracieusement les momies de sa connaissance.

    Mes yeux s'accoutumaient à ce demi-jour crépusculaire, et commençaient à discerner les objets.

    Je vis, assis sur des trônes, les rois des races souterraines :
355 c'étaient de grands vieillards secs, ridés, parcheminés, noirs de naphte[4] et de bitume[5], coiffés de pschents[6] d'or, bardés de pectoraux et de hausse-cols[7], constellés de pierreries avec des yeux d'une fixité de sphinx et de longues barbes blanchies par la neige des siècles : derrière eux, leurs peuples embaumés se tenaient
360 debout dans les poses roides[8] et contraintes de l'art égyptien, gardant éternellement l'attitude prescrite par le codex hiératique[9] ; derrière les peuples miaulaient, battaient de l'aile et ricanaient les chats, les ibis[10] et les crocodiles contemporains, rendus plus monstrueux encore par leur emmaillotage de bandelettes.

notes

1. **tau** : instrument sacré reprenant la forme de la lettre grecque « tau », soit un T. Certaines divinités égyptiennes portaient un tel emblème.
2. **pedum** : bâton ayant une fonction sacrée et dont l'extrémité supérieure se recourbe.
3. **bari mystique** : barque qui transporte l'âme des morts vers l'Amenthi (*cf.* note 2, page 231).
4. **naphte** : pétrole brut.
5. **bitume** : goudron végétal utilisé dans la préparation des momies.
6. **pschents** : doubles couronnes portées par les pharaons, symbolisant la souveraineté sur la Basse et la Haute-Égypte. Dans l'iconographie, il arrivait que les dieux portassent une telle coiffure.
7. **hausse-cols** : pièce d'une armure protégeant le cou.
8. **roides** : graphie encore utilisée au XIXe siècle de l'adjectif « raide ».
9. **codex hiératique** : livre constitué de feuilles ou de tablettes reliées ensemble indiquant le déroulement du cérémonial liturgique.
10. **ibis** : échassier tropical à long bec.

365   Tous les Pharaons étaient là, Chéops, Chephrenès, Psammetichus, Sésostris, Amenoteph ; tous les noirs dominateurs des pyramides et des syringes[1] ; sur une estrade plus élevée siégeaient le roi Chronos et Xixouthros, qui fut contemporain du déluge, et Tubal Caïn, qui le précéda.

370   La barbe du roi Xixouthros avait tellement poussé qu'elle avait déjà fait sept fois le tour de la table de granit sur laquelle il s'appuyait tout rêveur et tout somnolent.

    Plus loin, dans une vapeur poussiéreuse, à travers le brouillard des éternités, je distinguais vaguement les soixante-douze rois

375 préadamites[2] avec leurs soixante-douze peuples à jamais disparus.

    Après m'avoir laissé quelques minutes pour jouir de ce spectacle vertigineux, la princesse Hermonthis me présenta au Pharaon son père, qui me fit un signe de tête fort majestueux.

    «J'ai retrouvé mon pied ! j'ai retrouvé mon pied ! criait la

380 princesse en frappant ses petites mains l'une contre l'autre avec tous les signes d'une joie folle, c'est monsieur qui me l'a rendu. »

    Les races de Kémé, les races de Nahasi[3], toutes les nations noires, bronzées, cuivrées, répétaient en chœur :

    «La princesse Hermonthis a retrouvé son pied. »

385   Xixouthros lui-même s'en émut :

    Il souleva sa paupière appesantie, passa ses doigts dans sa moustache, et laissa tomber sur moi son regard chargé de siècles.

    «Par Oms, chien des enfers, et par Tmeï, fille du Soleil et de la Vérité, voilà un brave et digne garçon», dit le Pharaon en

390 étendant vers moi son sceptre terminé par une fleur de lotus.

    «Que veux-tu pour ta récompense ? »

notes

1. **syringes** : tombes royales de l'Égypte ancienne creusées dans des galeries souterraines.
2. **préadamites** : antérieurs à Adam. Il s'agit d'une théorie du XVIIe siècle, selon laquelle Dieu aurait créé des hommes avant Adam.

3. **Les races de Kémé, les races de Nahasi** : peuples africains de la Haute-Égypte, soit du sud du pays.

Fort de cette audace que donnent les rêves, où rien ne paraît impossible, je lui demandai la main d'Hermonthis : la main pour le pied me paraissait une récompense antithétique[1] d'assez bon goût.

395

Le Pharaon ouvrit tout grands ses yeux de verre, surpris de ma plaisanterie et de ma demande.

« De quel pays es-tu et quel est ton âge ?

— Je suis français, et j'ai vingt-sept ans, vénérable Pharaon.

400

— Vingt-sept ans ! et il veut épouser la princesse Hermonthis, qui a trente siècles ! » s'écrièrent à la fois tous les trônes et tous les cercles des nations.

Hermonthis seule ne parut pas trouver ma requête inconvenante.

405

« Si tu avais seulement deux mille ans, reprit le vieux roi, je t'accorderais bien volontiers la princesse, mais la disproportion est trop forte, et puis il faut à nos filles des maris qui durent, vous ne savez plus vous conserver : les derniers qu'on a apportés il y a quinze siècles à peine, ne sont plus qu'une pincée de cendre ;

410

regarde, ma chair est dure comme du basalte, mes os sont des barres d'acier.

« J'assisterai au dernier jour du monde avec le corps et la figure que j'avais de mon vivant ; ma fille Hermonthis durera plus qu'une statue de bronze.

415

« Alors le vent aura dispersé le dernier grain de ta poussière, et Isis elle-même, qui sut retrouver les morceaux d'Osiris[2], serait embarrassée de recomposer ton être.

« Regarde comme je suis vigoureux encore et comme mes bras tiennent bien », dit-il en me secouant la main à l'anglaise, de

420

manière à me couper les doigts avec mes bagues.

notes ....

1. antithétique : qui est à l'opposé, contraire.
2. Osiris : dieu de la mythologie égyptienne, assassiné par son frère Seth qui découpa son corps et le dispersa dans le Nil. Isis, son épouse, retrouva les morceaux du corps, les recousit pour le ressusciter.

Il me serra si fort que je m'éveillai, et j'aperçus mon ami Alfred qui me tirait par le bras et me secouait pour me faire lever.

«Ah çà! enragé dormeur, faudra-t-il te faire porter au milieu de la rue et te tirer un feu d'artifice aux oreilles?

425 «Il est plus de midi, tu ne te rappelles donc pas que tu m'avais promis de venir me prendre pour aller voir les tableaux espagnols de M. Aguado[1]?

– Mon Dieu! je n'y pensais plus, répondis-je en m'habillant; nous allons y aller: j'ai la permission ici sur mon bureau.»

430 Je m'avançai effectivement pour la prendre; mais jugez de mon étonnement lorsqu'à la place du pied de momie que j'avais acheté la veille, je vis la petite figurine de pâte verte mise à sa place par la princesse Hermonthis!

---

note ....

1. Aguado, riche financier espagnol (1784-1842) naturalisé français, qui légua au Musée du Louvre son importante collection de tableaux.

Goya, « Le Sommeil de la Raison produit des monstres »
extrait de son recueil *Les Caprices*.

Test de première lecture

Onuphrius

❶ De quel mouvement se réclame Onuphrius ?

❷ À quelle occasion voit-il intervenir le diable pour la première fois ?

❸ De quoi se trouve-t-il dépossédé dans son cauchemar ?

La morte amoureuse

❹ Qui sont le narrateur et le destinataire* de ce récit ?

❺ Que sait l'abbé Sérapion à propos de Clarimonde ?

❻ Romuald regrette-t-il Clarimonde ?

Arria Marcella

❼ Comment naît la passion d'Octavien pour Arria Marcella avant même de la connaître ?

❽ Dans quel lieu Octavien rencontre-t-il Arria Marcella ?

❾ À quelle religion est lié le père d'Arria Marcella ?

La cafetière

❿ Où étaient initialement les personnages qui s'animent ?

⓫ Quel est le sort de la cafetière ?

⓬ Qui était Angéla ?

La pipe d'opium

⓭ Qu'est-ce que la pâte brune, mentionnée dans le conte ?

⓮ À quoi la voix de la jeune femme est-elle comparée ?

⓯ Quels sont les mots apparaissant dans tous les refrains chantés par la jeune femme ?

Deux acteurs pour un rôle

⓰ Que veut la bien-aimée du héros ?

⓱ Qui est l'homme seul de l'*Aigle à deux têtes* ?

⓲ Quel est le caprice d'Henrich ?

Le pied de momie

⓳ Que cherche initialement le héros ?

⓴ Que veut-il comme récompense ?

㉒ Que devient le pied de momie ?

* : Cf. Glossaire

L'étude
de l'œuvre

Quelques notions de base

En préliminaire : quelques renseignements sur le conte

Le conte n'est pas aisé à définir. Il s'agit d'un genre ancien qui a évolué de multiples façons. L'encadré qui suit donne un aperçu des traits fondamentaux du conte traditionnel. Cependant, tout au long de cette section, le conte sera analysé selon les caractéristiques propres aux récits de Gautier.

Le conte traditionnel se caractérise par les traits suivants:
- *Une formule ou une expression qui sert de signal de départ à l'histoire : « Il était une fois ».*
- *Un cadre merveilleux.*
- *Un héros qui sert de fil conducteur.*
- *Des personnages secondaires, souvent merveilleux, qui se définissent par leur fonction.*
- *Un récit comprenant une situation initiale et un événement perturbateur, des péripéties et une situation finale.*

On peut créer différentes formes de conte, mais toutes ont pour origine le conte traditionnel.

Le fantastique chez Gautier

La brièveté d'un conte contraint l'auteur à mettre en scène un nombre limité de personnages et à construire une intrigue autour d'un unique centre d'intérêt. Les contes de Gautier sont généralement composés de trois personnages: un couple formé d'un jeune homme naïf et d'une femme fatale peu accessible et idéalisée (qui correspond donc à un des archétypes de la femme romantique, l'autre étant celui de la jeune fille pure), et un personnage tiers dont le rôle varie: il représente le diable ou, tout au moins, un opposant. Il peut aussi tenir un rôle salvateur*, permettant au héros de s'affranchir de la contrainte dont il est le prisonnier. Pour éviter de trop amples développements et surtout pour ne pas diluer le contenu de l'œuvre dans des récits secondaires, l'intrigue est restreinte à un pôle unique :

- la persécution du héros par le diable dans *Onuphrius* ou dans *Deux acteurs pour un rôle* ;
- l'amour impossible, dont la dimension dépasse la mort, dans *La morte amoureuse*, *Arria Marcella*, *Le pied de momie*, etc.

Cette association de l'amour avec la mort est aussi typique des écrivains romantiques. Rappelons aussi que l'amour est souvent contrarié par de nombreux interdits chez Gautier, qui vit dans un siècle encore marqué par la morale religieuse. Le héros est fragilisé dans ses valeurs, dans sa vision de la vie lorsqu'il franchit les frontières de ce qui était moralement acceptable à l'époque.

L'intrigue se limite à une durée généralement brève, qui va de quelques heures à quelques mois. Le récit est écrit de façon elliptique* afin que son déroulement ne soit pas compromis : l'action apparaît ainsi plus efficace. Gautier insiste peu sur la description des personnages si ce n'est pour accentuer les excès romantiques des héros ou pour décrire la beauté surnaturelle des femmes. Seule la description des décors peut prendre beaucoup de place. L'auteur devient alors très minutieux ; l'insistance sur l'étrangeté des lieux qu'il décrit lui permet de laisser percevoir des intrusions du fantastique. Par la présence de quelques ellipses au sein de chaque récit, l'auteur passe très rapidement d'une étape à l'autre sans s'attarder, par exemple, sur les moments de bonheur amoureux.

Le choix de la variété

Le type de narration* peut varier beaucoup chez Gautier. Certains récits sont racontés à la troisième personne, comme *Onuphrius*, *Arria Marcella* ou *Deux acteurs pour un rôle*. Par ailleurs, *Onuphrius* apparaît plutôt autobiographique*. Dans d'autres contes, comme

* : *Cf.* Glossaire

La cafetière, *La morte amoureuse* ou *Le pied de momie*, la narration se fait à la première personne: le narrateur raconte ainsi sa propre histoire. Rappelons que le narrateur représenté dans l'œuvre sous forme de personnage est un choix largement privilégié par les écrivains romantiques. Ce héros narrateur ressemble souvent aux auteurs eux-mêmes: c'est un artiste, rêveur et nostalgique, souvent marginal. Gautier fait ce type de choix dans certaines de ses nouvelles. Par ailleurs, dans le récit fantastique, tout est souvent perçu par le regard du narrateur: comme le lecteur voit tout par les yeux d'un héros à l'équilibre mental momentanément fragilisé, il se questionne sur la frontière entre le vraisemblable et le surnaturel.

Quelques thèmes

L'œuvre de Gautier est thématiquement riche. Certains thèmes apparaissent cependant de façon récurrente dans plusieurs contes.

- **La mort.** Les revenants (fantômes, vampires…) correspondent à un thème classique dans l'univers du fantastique. Gautier en use abondamment. Ce thème est lié à l'amour: le personnage principal franchit les limites de la mort afin de les anéantir par la force de l'amour. Il échoue. Ce thème définit aussi une dualité quelque peu paradoxale chez tout être humain: même si la mort nous effraie et nous angoisse, elle nous attire…

- **L'inanimé.** Gautier donne parfois vie à des objets comme dans *Onuphrius*. Il peut aussi imaginer la vie à partir de reliques d'un passé lointain, comme dans *Le pied de momie* ou *Arria Marcella*. Ce procédé n'est pas inutile: il agit comme une métaphore, révélant l'importance de l'art qui permet à l'œuvre, à l'artiste ou à son sujet d'échapper au temps. L'animation des objets rejoint celle des corps, des morts. Gautier s'interroge constamment sur les frontières entre la vie et la mort.

- **Le passé.** Cette dimension résulte d'une vision romantique de l'existence. Déçu du présent, l'artiste se réfugie dans un passé qu'il idéalise. On peut lier cet aspect au temps, que Gautier s'amuse à bouleverser, à dilater, à rétrécir : « Pour lui, la roue du temps était sortie de son ornière » (*Arria Marcella*, p. 169, l. 774-775).

- **L'amour.** L'objet de la passion est toujours idéalisé dans de tels contes. Il s'agit d'une femme fatale, appartenant à un autre univers, que ce soit le passé ou parfois même la mort, ce qui la rend plutôt inatteignable. Nous considérons aujourd'hui que cette inaccessibilité des femmes du XIXᵉ siècle est le reflet de la condition féminine de l'époque. En effet, les femmes ne jouissaient que d'une autonomie relative et pouvaient rarement choisir leur destin, que ce soit dans leur vie professionnelle ou dans leur vie amoureuse. La réaction de Gautier est de placer la femme sur un piédestal[1], en l'idéalisant. Le héros doit donc être soumis à maintes épreuves afin de pouvoir approcher la femme aimée qui, d'ailleurs, appartenait davantage à ses fantasmes qu'à la réalité. Peut-être était-ce une façon d'échapper à un monde où les rapports entre hommes et femmes étaient extrêmement stéréotypés. La femme apparaît ainsi fortement liée à l'univers des interdits, des tabous. Enfin, le désir est attisé par la distance temporelle ou géographique, ou par la présence d'une figure d'autorité comme un père (*Arria Marcella*, *Le pied de momie*) ou un prêtre (*La morte amoureuse*). Il peut y avoir consommation de l'amour ; dans un tel cas, l'amour est assimilé à la mort (*La morte amoureuse*). L'amour est enfin associé avant tout à la quête de la beauté : l'amante est ainsi toujours présentée comme une œuvre d'art.

- **La beauté.** Sa quête semble être le véritable moteur des actions du personnage principal. Elle est toujours présentée comme venant d'ailleurs, que ce soit dans le temps ou dans l'espace. Elle est précieuse et rare. Elle est, bien sûr, immanquablement associée à des femmes dont la physionomie varie cependant beaucoup d'un conte à l'autre. Enfin, la quête de la beauté paraît rattachée au passage de l'inanimé à l'animé : il y a toujours, au départ, la contemplation

---

1. Le féminisme du XXᵉ siècle aura fait évoluer un tel débat en insistant sur le fait que l'idéalisation de la femme cachait un mépris envers celle-ci, un désir de la manipuler, une misogynie profonde. Il ne semble pas, malheureusement, qu'un tel débat soit clos.

d'un objet qui provoque les rêves amoureux du héros : le pied de momie, la forme d'un sein conservée dans la lave, une tapisserie, une cafetière, etc.

- **Le double.** Ce thème demeure récurrent dans l'univers du fantastique. Gautier oppose souvent la beauté parfaite d'une femme à ses restes informes. Le personnage peut être aussi dédoublé pour opposer le bien au mal, dans *Le chevalier double*, dans *Deux acteurs pour un rôle* ou même dans *La morte amoureuse* (p. 128, l. 855 à 857) : « À dater de cette nuit, ma nature s'est en quelque sorte dédoublée, et il y eut en moi deux hommes dont l'un ne connaissait pas l'autre. »

- **La jeunesse.** Les attributs propres à la jeunesse semblent importants. Les personnages sont jeunes, amoureux, pleins d'énergie, et veulent échapper aux contraintes d'une société conservatrice, incarnée par des personnages vieillissants. Il serait concevable d'interpréter la difficulté de l'accomplissement amoureux entre les personnages comme une métaphore des interdits amoureux de l'époque.

- **La religion.** L'opposition entre le sacré et le profane paraît omniprésente dans ces contes. De prime abord, la religion est liée à des personnages vieillissants qui imposent des contraintes aux jeunes. Dans un conte tel que *La morte amoureuse*, Sérapion incarne le personnage qui illustre très bien la dualité complexe entre le bien et le mal. En effet, Sérapion veut ramener le jeune homme dans l'univers de la religion et de ce qu'il croit être le bien. Cependant, à la fin du conte, les moyens qu'il utilise pour y parvenir sont douteux, Gautier le représentant comme un personnage presque maléfique. Toutefois, bien qu'il soit revenu dans l'univers sécuritaire de la religion à la fin du conte, Romuald demeure nostalgique de tout ce qu'il a perdu.

- **L'interdit, le tabou.** Le héros doit transgresser un interdit afin de parvenir à ce à quoi il aspire, c'est-à-dire à l'amour la plupart du temps. La femme aimée est très peu accessible : pour l'atteindre, le héros est soumis à des épreuves. Ainsi, l'amour est souvent relié à un interdit. Cet aspect est d'ailleurs accentué par le fait que la femme aimée appartient à des mondes lointains ou parallèles, comme une époque ancienne, la mort ou le rêve. On voit ainsi combien l'amour, voire la sexualité, était alors une chose inaccessible. L'amour entraîne d'autres transgressions possibles, comme le fétichisme ou la nécrophilie, qui nous permettent de comprendre à quel point le refoulement sexuel vécu par les personnages est profond. L'écriture fantastique légitimait la transgression des interdits.

- **Le voyage.** Ce thème est associé au goût de « l'ailleurs », que ce soit dans le temps ou dans l'espace. Cette propension à l'exotisme illustre la fuite du personnage devant un présent qui le déçoit. Outre cette dimension romantique, le voyage est avant tout intérieur : l'auteur, en effet, ne se limite pas à un décor. L'incertitude demeure à la fin des contes : nous ne sommes pas certains d'avoir vu ou vécu ce que le narrateur a relaté, nous avons toutefois exploré son imaginaire. Ceci laisse percevoir une nostalgie profonde de la jeunesse ou de périodes révolues où l'irrationnel dominait et où les conventions bourgeoises et leurs interdits n'étaient plus respectés. L'auteur révèle ainsi les pulsions secrètes de l'être humain.

Une prédilection pour la chute

Les contes de Gautier finissent habituellement de façon surprenante. Gautier cultive en effet un goût constant pour la chute*, c'est-à-dire une fin ou une conclusion du récit qui désarçonne le lecteur. Il les termine souvent par des « pirouettes » parfois humoristiques – *Le pied de momie, Deux acteurs pour un rôle, Arria Marcella* –, d'autres fois amères – *La cafetière, La morte amoureuse*.

Le tableau suivant synthétise les caractéristiques des contes de Gautier.

* : *Cf. Glossaire*

Caractéristiques des contes fantastiques de Gautier

Époque	1831-1865 (treize contes)
Principales caractéristiques	• Concision des œuvres. • Nombre limité de personnages. • Simplicité de l'intrigue. • Durée brève de l'intrigue. • Présence d'ellipses. • Variété de la narration. • Présence d'une conclusion surprenante. • L'auteur évite l'horreur. • Créatures surnaturelles davantage attirantes qu'effrayantes. • Importance du rêve et des hallucinations. • Parodie occasionnelle du romantisme. • Présence d'humour. • Voyages dans le temps, l'espace ou l'imaginaire.
Principaux thèmes	Thèmes liés à l'intrusion du surnaturel dans la vie courante : • la mort : revenants, vampires, etc., • l'inanimé : des objets, parfois des cadavres, prennent vie, • le passé, le temps, • l'amour, • la beauté, • la jeunesse, • la religion, • l'interdit, le tabou, • le double, • le voyage (temps et espace).
Style	• Le style répond à la sophistication esthétique propre au courant du Parnasse. • Incursions outrancières du romantisme afin de ridiculiser le personnage principal. • Style souvent proche de la poésie dans les descriptions. • Importance des références visuelles.

L'étude de l'œuvre
par conte

Contes fantastiques

Étape préparatoire à l'analyse ou à la dissertation : compréhension du passage en tenant compte du contexte

❶ Situez l'extrait dans l'ensemble du conte en procédant de la façon suivante :

    a) résumez ce qu'a vécu Onuphrius jusqu'à maintenant ;

    b) résumez l'extrait lui-même ;

    c) dites quelles sont les autres aventures vécues par le personnage principal dans le reste du conte.

❷ Quelles sont les étapes de l'enterrement fictif pratiqué sur Onuphrius ?

❸ Démontrez en quoi ces étapes sont soumises à une gradation dans la peur et la souffrance.

❹ Les figures de style sont nombreuses dans cet extrait. Essayez d'en isoler une pour chaque étape et expliquez comment chacune d'entre elles contribue à la signification du texte.

❺ Quelles sont les principales incohérences apparaissant dans cet extrait ?

❻ À part Jacintha, Onuphrius semble incapable de reconnaître les autres personnages. Pourquoi ?

❼ Quel est le rôle du « je » dans l'ensemble de cet extrait ? Peut-on lier ce pronom personnel à la présence d'anaphores* ?

❽ Expliquez pourquoi l'absence de dialogue est essentielle à l'expression de l'impuissance du personnage principal.

❾ L'impuissance du héros est évidente dans cet extrait. Relevez ses manifestations et dites en quoi elles sont caractéristiques d'un cauchemar ?

                                            * : Cf. Glossaire

⑩ Quelles sont les souffrances physiques qu'endure le héros ?

⑪ Comment progressent les sentiments du héros ? En quoi son angoisse est-elle liée à sa lucidité ?

⑫ Expliquez en quoi ce cauchemar est prémonitoire du reste du conte et, plus précisément, de sa fin.

⑬ Quelles sont les caractéristiques du romantisme et du fantastique apparaissant dans cet extrait ?

⑭ En quoi la narration contribue-t-elle au climat surnaturel ou fantastique de l'extrait ?

.... **Vers la rédaction** ....

⑮ Suivez les étapes proposées dans le but de rédiger une introduction qui conviendrait au sujet suivant :

« Quelles sont les caractéristiques du cauchemar vécu par Onuphrius ? »

a) Parmi les formulations suivantes, choisissez celle qui pourrait le mieux convenir au « sujet amené ».

   a. Le XIXe siècle a vu la naissance du fantastique, un genre qui a permis aux auteurs de révéler les angoisses vécues dans un monde dont ils se sentaient rejetés.

   b. D'abord romantique, Théophile Gautier a été l'un des maîtres à penser d'un courant poétique original, le Parnasse. Il a aussi renouvelé la prose* en écrivant des contes fantastiques.

   c. Attiré toute sa vie par le spiritisme, Théophile Gautier a exprimé dans ses contes ses croyances en sciences occultes.

   d. Les rêves dissimulent souvent nos peurs les plus profondes. Dès le XIXe siècle, des auteurs tels que Théophile Gautier ont exploré dans leurs contes fantastiques l'inconscient humain pour en révéler les plus profondes angoisses.

b) Parmi les suivantes, dégagez trois caractéristiques importantes qui vous inspireront pour diviser le sujet.

         * : *Cf. Glossaire*

a. L'auteur exprime ses sentiments personnels.

b. Les étapes d'un enterrement virtuel.

c. Le narrateur semble nostalgique de tout ce qu'il a perdu.

d. La gradation dans les émotions, dans la douleur ou dans la peur.

e. Les souffrances morales et physiques vécues par le héros accentuent son impuissance.

f. Cette lente progression vers la mort préfigure la fin du conte.

g. Cet extrait laisse déjà voir la folie qui emportera le héros.

c) Rédigez l'introduction en utilisant vos réponses précédentes de façon pertinente et en complétant le tout pour qu'on y trouve les articulations suivantes, soit le « sujet amené », le « sujet posé » (accompagné d'une courte présentation du conte et de la situation de l'extrait isolé) et le « sujet divisé ».

⓯ Expliquez pourquoi le sentiment d'oppression du personnage principal accentue sa peur. Suivez la démarche ci-dessous pour chacun des paragraphes.

a) Formulez en ouverture la phrase clé qui présente l'idée principale du paragraphe.

b) Présentez deux ou trois idées secondaires.

c) Illustrez-les par des citations ou des exemples.

d) Terminez le paragraphe par une phrase de clôture ou une phrase de transition (au choix).

⓱ Retenez un des deux sujets (questions 15 et 16) pour rédiger une dissertation complète.

⓲ Prévoyez de faire la révision de votre texte en étapes successives :

a) une première révision qui concerne le sens ;

b) une deuxième révision d'ordre orthographique et grammatical ;

c) et, si possible, une dernière révision qui part de la fin du texte pour remonter vers le début.

Questionnaire sur le texte de Gautier, La Morte amoureuse

❶ Situez l'extrait dans l'ensemble du conte en procédant de la façon suivante :

    a) résumez ce que le lecteur sait du jeune prêtre jusqu'à maintenant ;

    b) résumez l'extrait lui-même ;

    c) résumez ce que le lecteur apprend de nouveau dans la suite du récit.

❷ Quels sont les sens sollicités dans cet extrait ? Trouvez des preuves. Quelle atmosphère particulière crée-t-on ainsi ?

❸ Décrivez le décor entourant Clarimonde. Que met-il en valeur ?

❹ Notez les couleurs et les teintes dominantes dans cet extrait. Quelles sont, selon vous, leurs valeurs symboliques ?

❺ Notez toutes les occurrences où le narrateur souligne la beauté de Clarimonde, comme le ferait un peintre ou un sculpteur. Pourquoi procède-t-il ainsi ?

❻ Quelle est l'importance du regard dans cette scène ?

❼ En quoi les sentiments qu'éprouve le narrateur sont-ils ambivalents ?

❽ Quels sont les indices marquant la présence du surnaturel dans cet extrait ?

❾ La séduction est très importante dans cet extrait, malgré l'omniprésence de la mort. Relevez son champ lexical.

❿ Quels sont les tabous transgressés par Romuald ?

⑪ Romuald exprime l'ambivalence de ses sentiments par des antithèses. Relevez-les.

⑫ Quelles sont les caractéristiques du fantastique apparaissant dans cet extrait ?

⑬ Ce texte illustre à quel point la littérature fantastique et la littérature romantique peuvent être de proches parentes. Démontrez-le.

Charles Baudelaire, *Les fleurs du mal* (XVII), « La beauté »

Traditionnellement, on présente Baudelaire (1821-1867) comme le maître à penser de l'école symboliste, malgré le fait que ce poète se soit toujours considéré comme un romantique. Notons aussi que, avant même que le mot *symbolisme* soit créé, Baudelaire était disparu. Contemporain des parnassiens, il serait plus juste de le voir comme un précurseur du symbolisme. Son recueil *Les fleurs du mal* a provoqué un scandale lors de sa première parution : il a même fait l'objet d'un procès. La vision du monde révélée par l'imaginaire de Baudelaire semble très proche de l'univers du fantastique : la perversité y engendre la beauté. D'ailleurs, Baudelaire et Gautier ont été des amis : Baudelaire a dédié son recueil *Les fleurs du mal* à Gautier.

La beauté

Je suis belle, ô mortels ! comme un rêve de pierre,
Et mon sein, où chacun s'est meurtri tour à tour,
Est fait pour inspirer au poète un amour
Éternel et muet ainsi que la matière.

5 Je trône dans l'azur[1] comme un sphinx[2] incompris ;
J'unis un cœur de neige à la blancheur des cygnes ;
Je hais le mouvement qui déplace les lignes,
Et jamais je ne pleure et jamais je ne ris.

1. **azur** : le bleu du ciel. Le ciel lui-même. 2. **sphinx** : monstre fabuleux ayant le corps d'un lion ailé avec une tête et un buste de femme. Il tuait les voyageurs quand ceux-ci étaient incapables de résoudre l'énigme qu'il leur proposait.

Les poètes, devant mes grandes attitudes,
10   Que j'ai l'air d'emprunter aux plus fiers monuments,
Consumeront leurs jours en d'austères études ;

Car j'ai, pour fasciner ces dociles amants,
De purs miroirs qui font toutes choses plus belles :
Mes yeux, mes larges yeux aux clartés éternelles !

Baudelaire, *Les fleurs du mal* (XVII), « La beauté ».

Questionnaire sur le texte de Baudelaire, La beauté

❶ Quel est le sujet du poème ? S'agirait-il d'une allégorie* ?
❷ Quelles sont les caractéristiques de la beauté dans cette œuvre ?
❸ À quelle couleur est liée la beauté ? Que représente-t-elle ?
❹ Quel est le rôle du regard dans cette œuvre ?
❺ Quels sont les aspects communs entre ce poème et l'extrait de Gautier ?
❻ Quelle est la nature de la relation entre « la beauté » et les humains qui la recherchent ? La même dimension apparaît-elle chez Gautier ?

Guy de Maupassant, *Apparition*, 1883

Auteur très prolifique, Guy de Maupassant (1850-1893) a publié plus de 300 contes malgré la brièveté de son existence. La plupart de ses contes sont des œuvres réalistes et avaient pour rôle de décrire, voire de remettre en question la société de l'époque. Cependant, une quantité non négligeable d'entre eux vont au-delà des conventions propres à ce genre et sont considérés comme des œuvres fantastiques.

Dans *Apparition*, le narrateur, un vieillard de 82 ans, raconte un fait qu'il aurait vécu dans sa jeunesse. À la demande d'un de ses amis

* : *Cf.* Glossaire

qui avait perdu son épouse quatre ans plus tôt, le narrateur est allé dans la maison de l'ami, fermée depuis la mort de sa femme, pour y chercher des papiers. Il assiste à la mystérieuse apparition d'une femme qui, étrangement, lui demande de peigner ses cheveux. Aussitôt fait, il s'enfuit. Incapable d'élucider un tel mystère, son âme demeure blessée toute sa vie: «Oui, j'ai subi l'horrible épouvante, pendant dix minutes, d'une telle façon que depuis cette heure une sorte de terreur constante m'est restée dans l'âme. »

[…] L'appartement était tellement sombre que je n'y distinguai rien d'abord. Je m'arrêtai, saisi par cette odeur moisie et fade des pièces inhabitées et condamnées, des chambres mortes. Puis, peu à peu, mes yeux s'habituèrent à l'obscurité, et je vis assez nettement une grande pièce en désordre, avec
5 un lit sans draps, mais gardant ses matelas et ses oreillers, dont l'un portait l'empreinte profonde d'un coude ou d'une tête comme si on venait de se poser dessus.

Les sièges semblaient en déroute. Je remarquai qu'une porte, celle d'une armoire sans doute, était demeurée entrouverte.

10 J'allai d'abord à la fenêtre pour donner du jour et je l'ouvris; mais les ferrures du contrevent étaient tellement rouillées que je ne pus les faire céder.

J'essayai même de les casser avec mon sabre, sans y parvenir. Comme je m'irritais de ces efforts inutiles, et comme mes yeux s'étaient enfin parfaitement accoutumés à l'ombre, je renonçai à l'espoir d'y voir plus clair et j'allai
15 au secrétaire.

Je m'assis dans un fauteuil, j'abattis la tablette, j'ouvris le tiroir indiqué. Il était plein jusqu'aux bords. Il ne me fallait que trois paquets, que je savais comment reconnaître, et je me mis à les chercher.

Je m'écarquillais les yeux à déchiffrer les suscriptions[1], quand je crus entendre
20 ou plutôt sentir un frôlement derrière moi. Je n'y pris point garde, pensant qu'un courant d'air avait fait remuer quelque étoffe. Mais, au bout d'une minute, un autre mouvement, presque indistinct, me fit passer sur la peau un singulier petit frisson désagréable. C'était tellement bête d'être ému, même à peine, que je ne voulus pas me retourner, par pudeur pour moi-
25 même. Je venais alors de découvrir la seconde des liasses qu'il me fallait; et je trouvais justement la troisième, quand un grand et pénible soupir, poussé contre mon épaule, me fit faire un bond de fou à deux mètres de là. Dans

1. **suscriptions:** adresses inscrites sur des lettres.

mon élan je m'étais retourné, la main sur la poignée de mon sabre, et certes, si je ne l'avais pas senti à mon côté, je me serais enfui comme un lâche.

30 Une grande femme vêtue de blanc me regardait, debout derrière le fauteuil où j'étais assis une seconde plus tôt.

Une telle secousse me courut dans les membres que je faillis m'abattre à la renverse ! Oh ! personne ne peut comprendre, à moins de les avoir ressenties, ces épouvantables et stupides terreurs. L'âme se fond ; on ne sent plus
35 son cœur ; le corps entier devient mou comme une éponge, on dirait que tout l'intérieur de nous s'écroule.

Je ne crois pas aux fantômes ; eh bien ! j'ai défailli sous la hideuse peur des morts, et j'ai souffert, oh ! souffert en quelques instants plus qu'en tout le reste de ma vie, dans l'angoisse irrésistible des épouvantes surnaturelles.

40 Si elle n'avait pas parlé, je serais mort peut-être ! Mais elle parla ; elle parla d'une voix douce et douloureuse qui faisait vibrer les nerfs. Je n'oserais pas dire que je redevins maître de moi et que je retrouvai ma raison. Non. J'étais éperdu à ne plus savoir ce que je faisais ; mais cette espèce de fierté intime que j'ai en moi, un peu d'orgueil de métier aussi, me faisaient garder,
45 presque malgré moi, une contenance honorable. Je posais pour moi et pour elle sans doute, pour elle, quelle qu'elle fût, femme ou spectre. Je me suis rendu compte de tout cela plus tard, car je vous assure que, dans l'instant de l'apparition, je ne songeais à rien. J'avais peur.

Elle dit :
50 « Oh ! Monsieur, vous pouvez me rendre un grand service ! »
Je voulus répondre, mais il me fut impossible de prononcer un mot. Un bruit vague sortit de ma gorge.

Elle reprit :
« Voulez-vous ? Vous pouvez me sauver, me guérir. Je souffre affreusement.
55 Je souffre, oh ! je souffre ! »
Et elle s'assit doucement dans mon fauteuil. Elle me regardait :
« Voulez-vous ? »
Je fis : « Oui ! » de la tête, ayant encore la voix paralysée.
Alors elle me tendit un peigne en écaille et elle murmura :
60 « Peignez-moi, oh ! peignez-moi ; cela me guérira ; il faut qu'on me peigne. Regardez ma tête... Comme je souffre ; et mes cheveux comme ils me font mal ! »
Ses cheveux dénoués, très longs, très noirs, me semblait-il, pendaient par-dessus le dossier du fauteuil et touchaient la terre.

Lectures croisées

65 Pourquoi ai-je fait ceci ? Pourquoi ai-je reçu en frissonnant ce peigne, et pourquoi ai-je pris dans mes mains ses longs cheveux qui me donnèrent à la peau une sensation de froid atroce comme si j'eusse manié des serpents ? Je n'en sais rien.

Cette sensation m'est restée dans les doigts et je tressaille en y songeant.

70 Je la peignai. Je maniai je ne sais comment cette chevelure de glace. Je la tordis, je la renouai et la dénouai ; je la tressai comme on tresse la crinière d'un cheval. Elle soupirait, penchait la tête, semblait heureuse.

Soudain elle me dit : « Merci ! » m'arracha le peigne des mains et s'enfuit par la porte que j'avais remarquée entrouverte.

75 Resté seul, j'eus, pendant quelques secondes, ce trouble effaré des réveils après les cauchemars. Puis je repris enfin mes sens ; je courus à la fenêtre et je brisai les contrevents d'une poussée furieuse.

Un flot de jour entra. Je m'élançai sur la porte par où cet être était parti. Je la trouvai fermée et inébranlable.

80 Alors une fièvre de fuite m'envahit, une panique, la vraie panique des batailles. Je saisis brusquement les trois paquets de lettres sur le secrétaire ouvert ; je traversai l'appartement en courant, je sautai les marches de l'escalier quatre par quatre, je me trouvai dehors et je ne sais par où, et,
85 apercevant mon cheval à dix pas de moi, je l'enfourchai d'un bond et partis au galop. […]

Guy de Maupassant, *Apparition*, 1883.

Questionnaire sur le texte de Maupassant, Apparition

❶ Comment est exprimée la peur dans le conte de Maupassant ?
❷ À quelle couleur est associée la mystérieuse femme ? Pourquoi ?
❸ Par quels sens le narrateur perçoit-il l'apparition ?
❹ Quelle est la nature de sa défaillance ?
❺ En quoi l'objet de sa peur est-il paradoxalement attirant ?
❻ Quel est l'étrange rôle du fétichisme dans ce conte ?
❼ Expliquez la nature du vampirisme dans cet extrait.
❽ Quelles sont les caractéristiques du fantastique apparaissant dans cet extrait ?

.... **Vers la rédaction – Analyse croisée** ....

❶ Faites un plan de rédaction sur un des sujets suivants.

a) Montrez qu'une étrange femme provoque l'effroi mais que, paradoxalement, elle semble attirante dans les trois textes.

b) Montrez que les personnages de ces textes illustrent des caractéristiques reliées au fantastique et au romantisme.

c) Expliquez que la beauté est liée autant à la vie qu'à la mort dans ces trois œuvres.

Conseil:

- **En introduction**, n'oubliez pas de présenter les extraits et de faire connaître les parties de votre développement.

- **Pour le développement:** isolez et expliquez les ressemblances et les différences entre les textes. Vos réponses devront être appuyées par des passages relevés dans les textes à l'étude.

- **Les figures de style** abondent dans ces textes. N'oubliez pas d'insister sur elles.

- **En conclusion**, rappelez la question, les œuvres et surtout le contenu de chacune des parties du développement.

Gautier, Arria Marcella

Extrait, pages 157 à 159, lignes 434 à 499

❶ Notez les sens sollicités dans la première partie de cet extrait.

❷ Quels sont les effets de lumière dans le texte ? Quel impact créent-ils ?

❸ Quelle figure de style apparaît à la ligne 436 dans l'expression « jour nocturne » ? Quelle est l'atmosphère créée par cette figure ?

❹ Relevez les passages montrant que l'auteur s'ingénie à rendre floues les frontières entre rêve et réalité.

❺ En quoi cette scène favorise-t-elle l'irruption du fantastique ?

❻ Comment l'auteur suggère-t-il l'impression de vie dans les 3e et 4e paragraphes ? Sur quels détails insiste-t-il pour y arriver ?

❼ Il n'y a apparemment aucun humain dans cet extrait. Comment l'auteur s'y prend-il pour laisser croire à une présence humaine ?

❽ Quel est l'état d'esprit d'Octavien ?

❾ Que faut-il déduire de la dernière phrase de l'extrait choisi (l. 497 à 499) ?

.... **Vers la rédaction** ....

❿ À la lecture de cet extrait, montrez que l'auteur utilise tous les moyens dont se servirait un peintre pour suggérer des changements dans le temps et annoncer les événements.

⓫ Comment passe-t-on du doute à une nouvelle réalité dans cet extrait ?

❶ Dressez le champ lexical du temps dans l'ensemble de cet extrait. Expliquez ensuite son rôle.

❷ Expliquez l'importance de la transparence dans ce texte. Comment celle-ci permet-elle de passer d'un univers à l'autre ?

❸ Quelles sont les marques du fantastique apparaissant dans cet extrait ?

❹ Quelles sont les caractéristiques d'Angéla ? Comparez ce personnage avec les autres héroïnes des contes de Gautier.

❺ Relevez les hyperboles et les comparaisons* dans la scène de danse.

❻ Expliquez en quoi le contenu du paragraphe des lignes 185 à 189 annonce la fin de ce passage.

❼ Expliquez les lignes 204 à 207.

❽ Comparez les lignes 209 à 211 avec les lignes 142 à 146. Que déduisez-vous alors de la transformation d'Angéla ?

❾ Quels sont les sens sollicités dans cet extrait ? Qu'est-ce que cela ajoute à la compréhension du texte ?

.... **Vers la rédaction** ....

❿ Montrez que la perte de la notion du temps mène le personnage à une nouvelle connaissance.

* : *Cf.* Glossaire

Gautier, La Pipe d'opium

Extrait, pages 201 à 204, lignes 201 à 286

❶ Notez les couleurs apparaissant dans l'ensemble de cet extrait. Quelle est leur importance ?

❷ À quoi est liée la religion ?

❸ Expliquez le rôle du rêve dans l'extrait. S'agirait-il d'un rêve dans un rêve ?

❹ Quelles sont les nombreuses marques du fantastique disséminées dans ce texte ?

❺ Expliquez la nature, voire l'importance des métamorphoses vécues par Carlotta.

❻ Quelles sont les références à l'art ?

❼ Quelle est la dualité habitant Carlotta ?

❽ À quel art cette femme est-elle liée ?

❾ À quoi revient toujours son chant ?

❿ Comparez la ligne 286, page 204, avec les lignes 84 à 86 de la page 196. Vous trouverez d'ailleurs d'autres occurrences semblables dans le texte. Quel est le rôle de la transparence ?

.... **Vers la rédaction** ....

⓫ Montrez que l'opposition entre la vie et la mort engendre un nouvel univers.

⓬ Comment un rêve et le sens artistique des personnages changent-ils la vie du narrateur ?

❶ Ce conte est divisé en trois actes, comme une pièce de théâtre. Quelles sont les caractéristiques du dernier acte ? Le lieu ? Le temps ? L'action ? Les personnages ?

❷ Quels sont les personnages qui s'opposent ? À quelle représentation correspondent-ils ? Quelle est la nature de leurs relations ?

❸ Un seul personnage ne se fait pas abuser par le diable, quel est-il ?

❹ Le diable n'est jamais nommé directement. Seul Henrich le reconnaît. Quelle est la périphrase* qu'il utilise pour le désigner ?

❺ Quels sont les effets de lumière et de bruitage qui amplifient l'atmosphère de cette scène ?

❻ Quelles sont les caractéristiques du fantastique émergeant de cette scène ?

❼ Quelles sont les figures de style utilisées pour représenter le jeu de l'acteur (l. 276 à 289, partie III) ?

❽ Comparez le passage final (p. 218, l. 311 à 317) avec les lignes 47 à 52 de la page 207. Que faut-il déduire du destin d'Henrich ?

❾ À la lecture de l'ensemble de ce conte, quelles sont les caractéristiques de l'héroïne ? Quel est son rôle ? En quoi est-elle différente des autres personnages féminins apparaissant dans les contes de Gautier ?

.... **Vers la rédaction** ....

❿ Montrez que l'opposition entre deux personnages mène à une remise en question de l'univers fermé de Henrich.

⓫ Comment le mal remet-il en question le personnage principal ?

⓬ Expliquez en quoi cette œuvre appartient au fantastique.

* : Cf. Glossaire

❶ Quels sont les éléments nous permettant de croire que nous sommes dans un rêve ?

❷ Pourquoi l'auteur insiste-t-il autant sur l'ivresse ?

❸ Quels sont les sens sollicités ? Pourquoi ?

❹ Comment nous fait-on voyager dans le temps et dans l'espace ?

❺ Pourquoi oppose-t-on le blanc au noir ?

❻ Quelles sont les caractéristiques du fantastique apparaissant dans cet extrait ?

❼ Quel est le rôle de chacun des objets dans l'ensemble de cette scène ?

❽ Quelles sont les marques d'humour dans cet extrait ?

❾ Quelles sont les caractéristiques de la jeune fille ? À quoi cette dernière est-elle assimilée ?

.... **Vers la rédaction** ....

❿ Montrez que, dans cet extrait, l'auteur illustre un besoin d'évasion comparable à celui des romantiques.

❶ La lumière est omniprésente dans cet extrait. Expliquez son rôle.

❷ Relevez les nombreuses références à l'art et expliquez leur importance.

❸ Analysez le thème du regard : qui regarde ? qui est regardé ? que regarde-t-on ? comment regarde-t-on ? comment ce regard influence-t-il le lecteur ?

❹ Quelles sont les principales particularités de la dame ?

❺ Cette dernière est décrite par une antithèse. Relevez cette figure. Que veut exprimer le narrateur en l'utilisant ?

❻ Quel est le rôle des objets dans cette scène ? Peut-on parler de fétichisme ?

❼ Relevez les passages qui illustrent les transformations du personnage. Montrez que ces transformations s'accompagnent d'émotions. Montrez qu'elles dépeignent le doute ou la vulnérabilité du personnage.

❽ Expliquez ce que dit la femme d'elle-même. Quelles sont les figures utilisées ?

❾ Quelle est la figure employée dans la dernière ligne de l'extrait ? Quel contraste crée-t-on ainsi ?

.... **Vers la rédaction** ....

❿ Montrez qu'amour et mort se conjuguent dans cet extrait.

⓫ Analysez la représentation de la femme chez Gautier.

L'étude de l'œuvre dans une démarche plus globale

La démarche proposée ici peut précéder ou suivre l'analyse par extrait. Elle apporte une connaissance plus synthétique de l'œuvre, et met l'accent sur la compréhension du récit dans son entier. Les deux démarches peuvent être exclusives ou complémentaires.

Dans les questions portant sur les sept contes, adoptez une démarche d'analyse qui tienne compte des composantes du texte narratif, soit :

a) l'intrigue ;

b) les personnages ;

c) la thématique ;

d) l'organisation, le style et la tonalité.

Intrigue

❶ Faites le résumé de chacun des sept contes du recueil à l'aide des questions suivantes :

a) **Qui ?** Quels sont les personnages présents ?

b) **Quoi ?** Qu'apprend-on sur eux ? Que font-ils ? Quel est l'état de leurs relations ?

c) **Quand ? Et où ?** Quelle est la situation exposée et dans quel contexte ?

d) **Comment ?** Quelles relations s'établissent entre les personnages ?

e) **Pourquoi ?** Quel est l'objet de leur quête ? Quels moyens prennent-ils pour atteindre leur but ?

Personnages

Les personnages principaux

❶ Au fil de chacun des récits, comment est présenté le personnage principal ? Quel portrait peut-on faire de lui ?

Pour répondre à ces questions, suivez la démarche proposée ci-dessous.

a) Considérez ce personnage relativement aux aspects suivants :

   a. aspect physique ;

   b. aspect psychologique ;

   c. aspect social (milieu et classe sociale, profession) ;

   d. aspect idéologique (valeurs et croyances).

b) Observez son comportement dans chaque passage où ce personnage est présent, à l'aide des questions suivantes :

   a. Que pense-t-il ? Que ressent-il ?

   b. Que dit-il ?

   c. Comment agit-il ? Comment réagit-il ?

   d. Comment se comporte-t-il avec les autres personnages ? Quelle est la dynamique de ses relations ?

   e. Comment évolue-t-il au sein du récit ? Qu'apprend-on de nouveau sur lui ?

❷ Dans tous les récits, le personnage principal est lié à une femme qui acquiert parfois un statut aussi important que le sien.

a) Considérez ce personnage féminin relativement aux aspects suivants :

   a. aspect physique ;

   b. aspect psychologique ;

   c. aspect social (milieu et classe sociale, profession) ;

   d. aspect idéologique (valeurs et croyances).

b) Comment cette femme permet-elle au personnage principal d'évoluer ?

c) Est-elle liée à un enjeu quelconque ?

d) Comparez les héroïnes de *La morte amoureuse* et d'*Arria Marcella*. Qu'est-ce qu'elles ont en commun ? Qu'ont les héros en commun quand ils sont en relation avec elles ?

Les personnages secondaires

❶ Dans chacun des contes, il y a un troisième personnage dont le rôle est généralement très important. Veuillez d'abord le décrire.

❷ Interrogez-vous ensuite sur son rôle. Que représente-t-il ? Expliquez votre réponse.

    a. Le bien

    b. Le mal

    c. Le bien et le mal

❸ À quoi peut-on le lier ? Au diable ? À Dieu ? À la figure du père ? À un juge ? À autre chose ? Expliquez votre réponse.

❹ D'autres personnages peuvent apparaître dans les contes. Isolez-les et expliquez leurs rôles.

Thématique

❶ Aux pages 242 à 245 du présent document sont identifiés les principaux thèmes apparaissant dans ces contes : la mort, l'inanimé, le passé, l'amour, la beauté, le double, la jeunesse, etc. Tous ces thèmes sont-ils employés dans chacun des contes ? Associez à chacun des contes un thème dominant parmi ceux-ci et justifiez vos choix. Tentez d'isoler et d'expliquer un thème original par conte.

a) *Onuphrius*

b) *La morte amoureuse*

c) *Arria Marcella*

d) *La cafetière*

e) *La pipe d'opium*

f) *Deux acteurs pour un rôle*

g) *Le pied de momie*

Organisation du récit, style et tonalité*

❶ Dans chaque récit, le narrateur fait-il partie de l'histoire (narrateur intradiégétique) ? Ou bien, l'histoire est-elle racontée par un narrateur non représenté dans le texte (narrateur extradiégétique) ? Appuyez votre réponse de preuves et jugez de l'efficacité du choix fait par l'auteur.

❷ Reconstituez le schéma narratif.

a) Quelle est la situation initiale ?

b) Quel est l'événement déclencheur de l'action ?

c) Où se situe le nœud* de l'intrigue ?

d) Quel est le dénouement ?

❸ En ce qui concerne le dénouement dans chacun des contes :

a) Peut-on dire qu'il répond aux enjeux initiaux de l'intrigue ?

b) Comment se solde la quête du héros ?

c) La fin du conte est-elle tragique, heureuse ou amère ?

❹ Dans l'ensemble du recueil, trouvez des passages qui portent les caractéristiques du :

a) romantisme ;

b) Parnasse ;

c) fantastique ;

d) symbolisme.

Justifiez vos choix.

*: Cf. Glossaire

❺ Dans ses descriptions, Gautier est autant peintre qu'écrivain. L'art de la peinture influence sa façon d'écrire. Donnez-en des preuves. Quelles sont les couleurs dominantes au sein de ses récits ? Peut-on en déduire une symbolique ?

sujets d'analyse et de dissertation

Plusieurs pistes d'analyse portant sur l'œuvre complète sont maintenant accessibles, et certaines plus faciles à emprunter que d'autres. Pour favoriser votre progression vers le plan, les premiers sujets ont été partiellement planifiés (comme suggestion d'exercices : complétez ou détaillez ces plans) ; en revanche, les derniers sujets laissent toute la place à l'initiative personnelle.

❶ Dans *Arria Marcella*, montrez que vie et mort s'opposent pour finir par se rejoindre dans la quête de la beauté.

Esquisse de plan pour le développement.

·················· **Introduction** ··················

Sujet amené : faites un lien entre la sensibilité du XIXᵉ siècle et le contenu des œuvres de Gautier ;

Sujet posé : reformulez le sujet en insistant sur les mots les plus importants de la question initiale ;

Sujet divisé : annoncez les idées directrices des trois paragraphes du développement.

·················· **Développement** ··················

- Dans le premier paragraphe, présentez les principaux éléments susceptibles d'être liés au concept de vie dans le récit.

- Dans le second, insistez plutôt sur ce qui peut être lié à la mort.

- Dans le dernier paragraphe, expliquez comment ces deux pôles se rejoignent au nom d'un idéal de beauté.

.... **Conclusion** ....

- Idée synthèse : rappelez le contenu de la question initiale et des parties du développement.

- Idée d'ouverture : tentez d'effectuer un lien entre la sensibilité des œuvres et la nôtre.

❷ **Montrez que le romantisme et le fantastique se complètent dans** *Onuphrius*.

❸ **Expliquez en quoi la victoire finale dans** *La morte amoureuse* **est plutôt présentée comme une défaite.**

❹ **Montrez en quoi une œuvre telle que** *La morte amoureuse* **relève de la tonalité fantastique.**

❺ **Montrez que deux cultures, soit le paganisme* et le christianisme, s'opposent dans** *Arria Marcella*.

❻ **Analysez le thème de l'animation des objets dans** *La cafetière*.

❼ **Montrez que les paradis artificiels mènent le héros à une nouvelle connaissance dans** *La pipe d'opium*.

❽ **Expliquez en quoi bien et mal s'opposent dans** *Deux acteurs pour un rôle*.

❾ **Montrez en quoi la chute est amère dans** *Deux acteurs pour un rôle*.

❿ **Expliquez en quoi l'amour apparaît impossible dans** *Le pied de momie*.

⓫ **«Il [Gautier] a le mot exact qu'il faut. Il a les mots de toutes les couleurs, et il sait les choisir. D'ailleurs, il ne suggère pas : il peint directement.» (Jules Renard) Commentez ce passage du** *Journal* **de Renard à la lumière de vos connaissances de l'un ou l'autre conte de Gautier.**

⓬ **«Gautier, c'est l'amour exclusif du Beau, avec toutes ses subdivisions, exprimé dans le langage le plus approprié.» (Charles Baudelaire) Quelles sont les conceptions de la beauté, que ce soit dans le contenu ou la forme, qui se dévoilent dans l'un ou l'autre conte de Gautier ?**

* : *Cf.* Glossaire

Glossaire

Pour étudier le conte : lexique de base et autres termes

Académie française : institution fondée par le cardinal Richelieu en 1635. Elle est constituée de 40 écrivains, élus par leurs pairs, dont le rôle est de rédiger et de mettre à jour un dictionnaire de la langue française.

Allégorie : figure de style par laquelle on représente de façon concrète et imagée une idée, une abstraction.

Anaphore : figure de style consistant à répéter un mot ou un groupe de mots en tête de propositions, de vers, d'hémistiches (demi-vers), de strophes ou de tout autre énoncé.

Aristocratie : caste constituée des nobles, soit de personnes jouissant de privilèges héréditaires liés à leurs familles. Voir Noblesse.

« L'art pour l'art » : art dont l'unique fonction se restreint à lui-même, au beau et non pas à l'utile. On s'opposait ainsi au concept d'art engagé et de littérature militante où l'écrivain défendait une cause politique ou sociale.

Autobiographique : relatif à la vie personnelle de l'auteur.

Bourgeoisie : classe sociale qui possède les moyens de production. Elle est constituée de propriétaires, de notables, de commerçants, de rentiers, etc. Au XIXᵉ siècle, cette classe a pris de l'ascendant sur toutes les sociétés occidentales.

Byronien : référence à George Gordon Byron (1788-1824), poète anglais, qui par sa vie et son œuvre représente les idéaux romantiques.

Cape et d'épée (roman de) : genre littéraire dont les personnages sont des héros au comportement chevaleresque. Par exemple, *Les trois mousquetaires* d'Alexandre Dumas.

Capitalisme : régime économique basé sur la propriété privée et la recherche de profits.

Chute : fin parfois surprenante d'une œuvre littéraire. Elle a pour rôle de provoquer la réflexion du lecteur.

Classicisme : mouvement littéraire et artistique français du XVIIᵉ siècle, qui favorise l'imitation des œuvres de l'Antiquité et le respect de leurs règles d'écriture.

Glossaire

Comparaison : figure de style par laquelle on rapproche deux termes, grâce à un outil grammatical (comme, semblable à, pareil à, tel que, etc.), pour mettre en évidence un élément commun.

Conservatisme : courant social, politique et économique où l'on demeure réfractaire à toute réforme ou à tout changement.

Démocratie : régime politique où la souveraineté appartient aux citoyens ou à leurs représentants.

Destinataire : auditeur, interlocuteur, personne à laquelle est destiné un message.

Elliptique : présence d'omissions ou de raccourcis dans une œuvre.

Fantastique : forme de littérature qui regroupe des œuvres où des éléments surnaturels apparaissent dans le réel.

Fétichisme : vénération exagérée portée à un objet. Perversion où l'on recherche le contact ou la vue d'objets normalement dénués de signification érotique.

Formaliste : se dit d'une œuvre où l'auteur se concentre davantage sur le respect des formes et des conventions que sur le contenu ou l'expression.

Livret : texte à partir duquel est composée la musique d'un opéra ou d'un ballet.

Lumières, siècle des : appellation appliquée au XVIIIᵉ siècle à tendance philosophique, qui privilégie l'examen rationnel de la réalité et la quête du bonheur terrestre.

Mal du siècle : mélancolie profonde, dégoût éprouvé par l'artiste romantique envers son époque.

Matérialisme : pensée selon laquelle le monde se limite à la matière, à l'univers sensible.

Mécène : personne fortunée ou puissante qui aide matériellement les artistes.

Merveilleux : apparition du surnaturel dans un univers féerique.

Noblesse : caste constituée de personnes jouissant de privilèges héréditaires liés à leurs familles. Voir Aristocratie.

Nœud : relation qui s'établit entre la volonté du héros et les obstacles qui s'opposent à sa concrétisation. Pas d'obstacle, pas de nœud.

Paganisme : culte où l'on adore des idoles par opposition aux religions consacrées.

Paradis artificiels : état, plaisant ou non, où l'on se retrouve à la suite de consommation de drogues.

Glossaire

Parnasse: mouvement poétique français de la seconde moitié du XIXe siècle qui, en réaction contre les excès du romantisme, recherchait essentiellement la beauté formelle.

Parnassiens: adeptes du Parnasse.

Périphrase: figure de style par laquelle on remplace un mot par une expression dont le sens est équivalent.

Pictural: qui est propre à la peinture.

Positivisme: doctrine selon laquelle toute connaissance est basée sur l'observation des faits.

Prolétariat: classe sociale constituée des travailleurs dont l'activité est basée sur le travail manuel.

Prose: discours oral ou écrit qui n'est pas soumis aux règles de la versification.

Prusse: ancien État de l'Allemagne du Nord dont l'unification avec les principautés voisines a été à l'origine de l'Allemagne moderne.

Rationalisme: doctrine selon laquelle toute connaissance est issue de la raison.

Réalisme: courant artistique et littéraire de la seconde moitié du XIXe siècle, qui traite des sujets de la vie contemporaine sans chercher à les idéaliser.

Révolution française: amorcé en 1789, cet état de crise s'échelonne sur près de 10 ans et bouleverse les structures politiques et sociales de la France.

Roman noir ou **roman gothique:** genre littéraire né en Angleterre, en vogue à la fin du XVIIIe siècle et au début de XIXe, constitué de romans peuplés de personnages diaboliques et de décors lugubres. Ce genre annonce le romantisme.

Romantisme: courant artistique littéraire important au début du XIXe siècle, basé sur la libération du moi et de l'art, en réaction contre le classicisme et le rationalisme.

Salvateur: dont le rôle est de sauver quelqu'un ou quelque chose d'autre.

Symbolisme: mouvement esthétique de la fin du XIXe siècle qui s'inscrit contre le matérialisme et le naturalisme. Pour les symbolistes, le monde est à déchiffrer à travers des symboles, des correspondances entre les choses et les êtres. Ses plus illustres représentants sont Verlaine, Mallarmé, Cros, Rimbaud et Laforgue.

Système féodal: ordre politique et social basé sur la concession de droits et de territoires d'un seigneur à un vassal qui lui faisait un serment de fidélité.

Glossaire

Tabou : interdit dont on n'ose pas parler par peur d'enfreindre l'ordre moral en cours.

Tonalité : effet produit par une œuvre sur le lecteur. On peut ainsi parler de tonalité comique, tragique, lyrique, pathétique, mélodramatique, etc.

Type de narration : structure générale du récit. La narration peut ainsi être exposée à la première ou à la troisième personne, au présent, au passé ou au futur, etc.

Bibliographie

Études sur le fantastique

– Pierre-Georges Castex, *Le conte fantastique en France de Nodier à Maupassant*, José Corti, 1951.
– Georges Poulet, *Études sur le temps humain*, Plon, 1952.
– Tzvetan Todorov, *Introduction à la littérature fantastique*, Le Seuil, 1970.

Anthologies

– *La dimension fantastique*, Librio (3 volumes).
– *La solitude du vampire*, Librio.
– *Les cent ans de Dracula*, Librio.
– *Anthologie de la littérature d'expression française, des origines au romantisme,* tome 1, 2e édition, Céline Thérien, Les Éditions CEC, 2006.

Sur le thème de *La morte amoureuse*

– Jacques Cazotte, *Le diable amoureux*.
– Villiers de L'Isle-Adam, « Véra », dans *Contes cruels*.
– Guy de Maupassant, *Apparition* et *La chevelure*.
– Edgar Allan Poe, « Morella » et « Ligela », dans *Histoires extraordinaires*.

Sur le thème du vampire

– E.T.A. Hoffmann, « La vampire », dans *Les contes des frères Sérapion*.
– Bram Stoker, *Dracula*.

Sur le thème de la renaissance du passé

– Adolfo Bioy Casares, *L'invention de Morel*, coll. « 10/18 », UGE, 1976.
– Théophile Gautier, *Le pied de momie*.
– Théophile Gautier, *Le roman de la momie* .
– Jensen, « La Gradiva », dans *Freud : le délire et les rêves dans « La Gradiva » de Jensen*, coll. « Folio Essais », Gallimard, 1991.
– Jules Verne, *Le château des Carpates* .

Crédits photographiques

p. 4 : © photo Photothèque Hachette. **p. 10 :** © photo Photothèque Hachette. **pp.52, 96 :** Museum Schloß Burgk © photo akg-images. **p. 54 :** © photo Photothèque Hachette. **pp. 55, 71, 248 :** © photo akg-images. **pp. 97, 118, 251, 263 :** Munch-Museet, Oslo © photo akg-images. **p. 138 :** © photo Sotheby's / akg-images. **pp. 139, 143, 258 :** Vues de Pompéi © photos Photothèque Hachette. **pp. 181, 186, 259 :** Metropolitan Museum of Art, New York © photo akg-images. **pp. 193, 204, 260 :** © Luc Roux / Corbis. **p. 198 :** © photo akg-images. **pp. 205, 215, 261 :** © Cat's Collection / Corbis. **pp. 219, 222, 262 :** © photo akg-images. **p. 237 :** © photo Photothèque Hachette.

Dans la même collection

Tristan et Iseut

BAUDELAIRE
Les Fleurs du mal

CORNEILLE
Le Cid

HUGO
Les Misérables

MARIVAUX
Le Jeu de l'amour et du hasard

MOLIÈRE
Dom Juan
Les Femmes savantes

RACINE
Phèdre

VOLTAIRE
Candide
Zadig